Avanzado

Julián Muñoz
(coordinador pedagógico)

Daniel Martínez
Marta Rodríguez
Raquel Rodríguez
Juana Ruiz
Elena Suárez

Establece una secuencia de trabajo que favorece la resolución de acciones globales.

Ofrece modelos de lengua y pautas de trabajo claras.

Contribuye a aumentar la seguridad y fluidez en el uso del idioma.

Concede especial atención al conocimiento estratégico e intercultural.

Ofrece indicaciones para la resolución de la actividad final usando la tecnología digital.

Prima el trabajo interactivo y colaborativo.

Plantea **actividades** que contemplan las distintas destrezas orales y escritas y los ámbitos personal, público, profesional y académico.

Avanzado

es un manual centrado en el alumno y orientado a la acción

Los **profesores** de AGENCIA **ELE** creemos que:

Cada estudiante es diferente.

El estudiante es el responsable de su aprendizaje.

El profesor es guía y estímulo de los aprendizajes de los alumnos.

Un enfoque orientado a la acción supone que los estudiantes y profesores utilizan el lenguaje en el aula para comunicar y para aprender.

El aula es un entorno real y natural de comunicación y aprendizaje.

Las **unidades** tienen la siguiente estructura:

Agencia ELE: activación de contenidos y muestras de lengua.

Entre líneas: consolidación de conocimiento formal y práctica comunicativa.

Línea a línea: tareas contextualizadas con modelos y fases de trabajo. Acaba con «Cierre de edición», que integra los contenidos de la unidad.

Línea directa: actividades de reflexión intercultural y de control del propio aprendizaje.

ConTextos: textos adicionales para mejorar la comprensión lectora.

Agencia ELE digital: propuesta de trabajo con soporte digital. Actividades en www.agenciaele.com

AGENCIA ELE propone:

- Un aprendizaje centrado en el alumno.
- Un aprendizaje centrado en el significado.
- El aprendizaje como un proceso.

Tiene en cuenta los **documentos** de la Unión Europea y del Instituto Cervantes.

El ***Plan curricular del Instituto Cervantes*** **(PCIC)** recoge los contenidos adecuados para cada nivel. AGENCIA ELE recoge las propuestas del PCIC.

Adoptamos las premisas del ***Marco común europeo de referencia***, que dice que los hablantes somos seres sociales, necesitamos comunicarnos.

EL **MCER** nos habla de:

- saber
- saber hacer
- saber ser
- saber aprender

Los **autores** esperamos que tus experiencias de aprendizaje sean ricas, significativas y entretenidas.

Nos gustaría contar con tu valiosa ayuda para mejorar el libro y la experiencia de aula.

Agradeceríamos que contactes con nosotros para explicarnos lo que te gusta y lo que no te gusta del libro, qué cambiarías y por qué.

Escríbenos a
autores@agenciaele.com

Contenidos

1 El curso ideal

Diseñamos nuestro curso de español.
Conocemos a nuestros compañeros.
Opinamos sobre las lenguas y la enseñanza.
Hablamos de nuestras habilidades.
Descubrimos nuestro(s) tipo(s) de inteligencia.
Creamos un grupo en una red social.

2 Trámites

Nos informamos sobre el funcionamiento de algunos servicios.
Valoramos la experiencia de vivir en otro país.
Reproducimos lo que otros nos han dicho o explicado.
Aprendemos estrategias de cortesía en contextos formales.
Elaboramos una guía para estudiantes extranjeros.

3 Un final feliz

Contamos una historia de superación personal.
Expresamos deseos y sentimientos sobre hechos pasados.
Damos consejos para alcanzar un objetivo.
Reflexionamos sobre los factores afectivos en el aprendizaje de una lengua.
Ilustramos un relato autobiográfico.

4 De buen rollo

Contactamos con una persona a la que hace tiempo que no vemos.
Realizamos hipótesis ante una situación.
Transmitimos certeza o inseguridad sobre una información.
Hacemos cumplidos y halagos.
Aprendemos cómo suavizar determinadas opiniones.
Creamos una nube de palabras sobre la personalidad de la clase.

5 Viajes y aventuras

Elaboramos una guía de viaje.
Hablamos de deportes extremos.
Contamos anécdotas y reaccionamos.
Expresamos situaciones hipotéticas poco probables.
Trabajamos con imágenes mentales.
Recomendamos un viaje en una web social.

6 Hablando se entiende la gente

Participamos en una conversación para solucionar conflictos entre personas.
Elaboramos el decálogo del buen vecino.
Expresamos obstáculos que no impiden la realización de una acción.
Escribimos un texto donde expresamos enfado y hacemos una reclamación.
Hablamos sobre la importancia de conocer ciertos comportamientos sociales.
Creamos un documento sobre buenas prácticas en la red.

7 ¿Estudias o trabajas?

Elaboramos un folleto sobre buenas prácticas laborales.
Creamos un eslogan para una campaña.
Expresamos causa y finalidad.
Participamos en un debate sobre tipos de jefes y tipos de empleados.
Tomamos conciencia sobre la importancia del trabajo en equipo.
Preparamos una presentación sobre lo que convierte una empresa en un buen lugar de trabajo.

1 El curso ideal 1

Funciones
- Describir las características de objetos, lugares, personas y situaciones.
- Expresar conocimiento o desconocimiento sobre la existencia de algo o alguien.
- Expresar opiniones.
- Hablar de la habilidad o falta de habilidad para hacer algo.

Gramática
- Oraciones de relativo con indicativo y con presente e imperfecto de subjuntivo.
- Oraciones relativas introducidas por adverbio o preposición.
- Expresiones de opinión con indicativo y subjuntivo (presente e imperfecto).

Textos
- Cuestionario.
- Testimonios orales radiofónicos.
- Artículos periodísticos.
- Test.

2 Trámites 15

Funciones
- Valorar las ventajas y desventajas de algo.
- Dar consejos.
- Referir órdenes e instrucciones dadas por otros.

Gramática
- Usos de *por* y *para*.
- Expresiones valorativas.
- Estilo indirecto: órdenes e instrucciones.

Textos
- Web de información para migrantes.
- Testimonios orales.
- Foro de dudas.
- Normas de inscripción a un examen.

3 Un final feliz 27

Funciones
- Narrar una historia personal.
- Expresar deseos y sentimientos en el pasado.
- Situar en el tiempo los acontecimientos de una narración.
- Dar consejos.

Gramática
- Pretérito perfecto de subjuntivo.
- Infinitivo perfecto.
- Subordinadas sustantivas en pasado.
- Sufijos apreciativos.
- Marcadores y tiempos verbales en las oraciones temporales.

Textos
- Testimonio oral.
- Test.
- Guía.
- Relatos biográficos.

4 De buen rollo 39

Funciones
- Expresar posibilidad y probabilidad.
- Mostrar certeza e inseguridad.
- Reaccionar ante un comentario.
- Hacer halagos.
- Suavizar una opinión.

Gramática
- Futuro y condicional con valor de hipótesis.
- Expresiones de probabilidad.
- Estructuras para indicar certeza o inseguridad.
- Estructuras para opinar y expresar acuerdo y desacuerdo.

Textos
- Artículo divulgativo.
- Foro de internet.
- Entrevista oral.
- Correo electrónico.

5 Viajes y aventuras 51

Funciones
- Describir y hablar sobre deportes extremos.
- Referirse a otras personas.
- Hablar de hechos que ocurren de modo involuntario.
- Reaccionar ante una información.
- Plantear hipótesis.
- Dar consejos.

Gramática
- Pronombres de objeto directo y objeto indirecto.
- Expresión de involuntariedad son *se*.
- Oraciones condicionales: *si* + imperfecto de subjuntivo.
- Uso de infinitivo, presente e imperfecto de subjuntivo para aconsejar.

Textos
- Textos periodísticos.
- Testimonios orales.
- Anuncio de viajes.

6 Hablando se entiende la gente 65

Funciones
- Expresar enfado e indignación.
- Hacer propuestas y sugerencias.
- Plantear inconvenientes a las propuestas de otros.
- Organizar el discurso.

Gramática
- Oraciones concesivas: *aunque*.
- Oraciones de relativo con valor modal, temporal y locativo.
- Marcadores discursivos.

Textos
- Foro de internet.
- Artículos periodísticos.
- Entrevistas radiofónicas.

7 ¿Estudias o trabajas? 79

Funciones
- Dar y pedir opinión.
- Expresar acuerdo y desacuerdo.
- Argumentar a favor o en contra.
- Expresar causa y finalidad.

Gramática
- Oraciones finales: conectores de tiempos verbales.
- Oraciones causales: conectores.

Textos
- Entrevistas radiofónicas.
- Eslóganes publicitarios.
- Textos de opinión.
- Folletos informativos.

Contenidos

8 ¡Espectacular!

Elaboramos un suplemento cultural sobre la ciudad donde estudiamos.
Hablamos sobre el uso que hacemos del tiempo libre.
Completamos un guion teatral dando instrucciones a los actores.
Redactamos la crítica de una película.
Reflexionamos sobre la importancia del trabajo en equipo.
Mejoramos el uso que hacemos de nuestro grupo en la red social y compartimos recursos en línea.

9 Amor al arte

Presentamos a la clase nuestra obra de arte preferida.
Conocemos a algunos artistas hispanos y sus creaciones.
Hablamos de museos y de obras de arte.
Reflexionamos sobre las repeticiones léxicas en español.
Elaboramos nuestro museo ideal.

10 Tecnología punta

Elaboramos un proyecto de escuela inteligente y sostenible.
Hablamos sobre ciudades sostenibles y edificios inteligentes.
Imaginamos cómo hubiera sido nuestra vida con y sin tecnología.
Participamos en un foro sobre compras inútiles.
Reflexionamos sobre los errores y los modos de corregirlos.
Conocemos algunas webs para consultar dudas sobre el español.

11 Historia para todos

Elaboramos una presentación sobre un personaje o acontecimiento histórico.
Conocemos acontecimientos y personajes de la historia de España e Hispanoamérica.
Contamos anécdotas sobre la historia de nuestros países.
Descubrimos qué compañeros tienen espíritu aventurero.
Hablamos sobre tabús y estrategias para evitarlos.
Elaboramos un póster multimedia sobre la historia reciente de un país.

12 ¡Qué misterio!

Organizamos un certamen de relatos policíacos, de terror o de misterio.
Resolvemos acertijos y juegos de lógica.
Hablamos de libros, películas y series de televisión.
Proponemos soluciones a problemas personales y sociales.
Relatamos una leyenda urbana.
Hablamos sobre tópicos y estereotipos.
Subtitulamos un vídeo en español.

13 Como te lo cuento

Resumimos el contenido de una entrevista a un personaje famoso.
Hablamos de caprichos y curiosidades de los famosos.
Discutimos las ventajas de ser rico y famoso.
Opinamos sobre cuestiones polémicas.
Reflexionamos sobre las estrategias para mejorar la comprensión auditiva.
Recopilamos recursos en línea para practicar el español con nativos.

14 ¡Vaya cambio!

Creamos un mural que resuma el curso.
Conocemos las convenciones asociadas al reencuentro con viejos amigos.
Aprendemos a consultar un corpus lingüístico.
Reflexionamos sobre nuestro proceso de aprendizaje y nuestros conocimientos.
Hablamos sobre cómo se ven las distintas etapas de la vida en diferentes culturas.
Grabamos una presentación con lo que nos gustaría recordar del curso.

Al final del libro...
ConTextos pág. **190**

En el CD...
Audios
Transcripciones
Agencia ELE digital
Apéndice gramatical
Verbos

8 ¡Espectacular! 93

Funciones
- Informar sobre la manera de hacer algo.
- Describir el modo de actuar de una persona.
- Valorar un espectáculo cultural o deportivo.
- Describir cómo se desarrolla un evento.

Gramática
- Marcadores modales con indicativo y con subjuntivo.
- Adjetivos, adverbios, sintagmas preposicionales y gerundio para expresar modo o manera.
- Posición del adjetivo.
- Presencia y ausencia de los artículos.

Textos
- Reseña de un espectáculo teatral.
- Guion de una obra de teatro.
- Sinopsis de películas.
- Crítica cinematográfica.
- Crónica deportiva.
- Agenda cultural.

9 Amor al arte 107

Funciones
- Valorar obras de arte.
- Describir obras de arte de manera objetiva y subjetiva.
- Contar la historia de edificios y monumentos importantes.
- Hablar de procesos y de resultados.

Gramática
- La voz pasiva: perífrasis pasivas con *ser*, objeto antepuesto + pronombre y pasivas con *se*.
- Oraciones pasivas de proceso *(ser)* y de resultado *(estar)*.
- Tiempos del pasado en la descripción.

Textos
- Web de museos.
- Audioguía.
- Foro y blog de viajes.
- Explicación de un cuadro por un guía.

10 Tecnología punta 121

Funciones
- Expresar condiciones irreales.
- Expresar concesión.
- Argumentar sobre ventajas y desventajas de las nuevas tecnologías.
- Valorar el uso que hacemos de la tecnología.

Gramática
- Pretérito pluscuamperfecto de subjuntivo.
- Oraciones condicionales de imposible realización con consecuencias en el presente o en el futuro.
- Oraciones concesivas.
- Marcadores concesivos.

Textos
- Reportaje científico de divulgación.
- Textos publicitarios
- Blogs sobre tecnología.
- Noticias en prensa y en radio.
- Encuesta a ciudadanos.

11 Historia para todos 133

Funciones
- Expresar acciones y sus consecuencias en el pasado y en el presente.
- Valorar acontecimientos históricos.
- Hacer hipótesis sobre acontecimientos del pasado.
- Narrar episodios relevantes de la historia.

Gramática
- Oraciones condicionales de imposible realización con consecuencias en el pasado.
- Conectores consecutivos.
- Verbos realizativos.

Textos
- Entradas de enciclopedia.
- Programa de radio.
- Artículo sobre historia.
- Guion de presentación oral.

12 ¡Qué misterio! 147

Funciones
- Relatar sucesos y misterios.
- Hablar de estrategias para resolver problemas.
- Relacionar acciones en el tiempo.
- Hablar de ruidos y sonidos en español.
- Expresar procesos o acciones que afectan al sujeto mediante la voz media.

Gramática
- Usos del gerundio.
- Oraciones temporales en el pasado: tiempos y modos verbales.
- Marcadores temporales de anterioridad, simultaneidad, posterioridad, inmediatez y limitación.
- La voz media.

Textos
- Juegos de lógica y acertijos.
- Reseñas literarias.
- Entrevista radiofónica.
- Noticias sobre sucesos
- Microrrelatos y cuentos.
- Leyendas urbanas.

13 Como te lo cuento 161

Funciones
- Expresar estados de ánimo.
- Contar en pasado lo que otros han dicho.
- Expresar acuerdo y desacuerdo.
- Matizar y dejar clara nuestra opinión.

Gramática
- Interjecciones.
- Discurso indirecto para referirse a conversaciones en el pasado.
- Indicativo y subjuntivo en la expresión de la certeza y el desacuerdo.
- Marcadores discursivos aditivos, para reforzar y reconsiderar una información.

Textos
- Magacín de radio.
- Refranes.
- Cuentos populares.
- Noticias del corazón.
- Texto de opinión.

14 ¡Vaya cambio! 175

Funciones
- Destacar la información relevante.
- Hablar de cambios sociales y de sus causas.
- Hablar de cambios personales y de las etapas de la vida.
- Hablar de planes de futuro.

Gramática
- Procedimientos de tematización.
- Verbos de cambio.
- Estructuras para expresar planes e intenciones.
- Sustantivos derivados de adjetivos.

Textos
- Emisiones de radio y de televisión.
- Foros de internet.
- Corpus lingüístico.
- Web de viajes.
- Portfolio de idiomas.

Personajes
Agencia ELE

En cada una de las unidades de este libro encontrarás un cómic donde descubrirás qué ocurre en una agencia de noticias ubicada en Madrid: Agencia ELE.

Estos son sus protagonistas:

Carmen
Jefa de la agencia. Tiene dos hijos, Juan e Inés, y un perro que se llama Tocho. Le gusta escuchar música e ir al gimnasio.

Paloma
Fotógrafa. Es argentina, de padre español, y consiguió el trabajo por un anuncio en el periódico. Le gusta correr todos los días y juega al tenis.

Luis
Redactor de cultura. Es madrileño y le gusta el cine fantástico y jugar al golf.

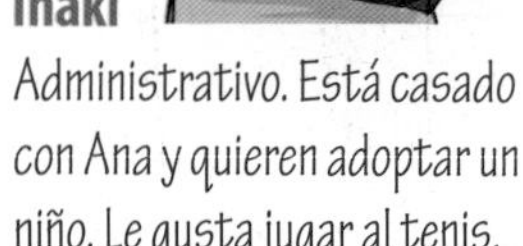

Iñaki
Administrativo. Está casado con Ana y quieren adoptar un niño. Le gusta jugar al tenis.

Miquel
Cámara. Es catalán. Colecciona películas en blanco y negro y tiene un gato. Le gustan los deportes de montaña.

Sergio
Reportero. Tiene 30 años y está soltero. Suele hacer reportajes con Paloma.

Rocío
Redactora de sociedad. Es malagueña. Está casada con Mateo y tiene un hijo.

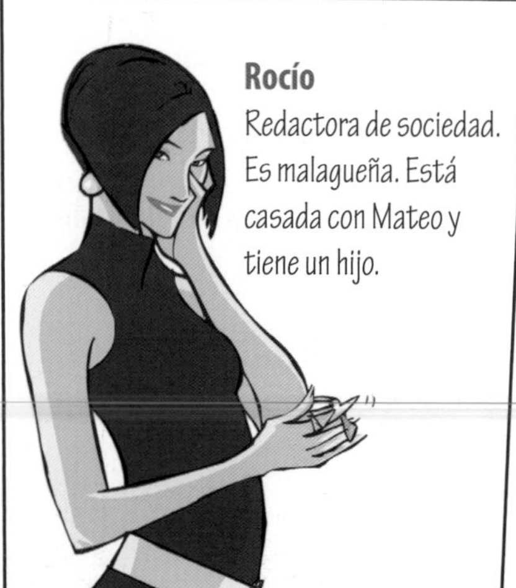

Carlos
Becario. Es un nuevo colaborador de la agencia.

Darío
Primo de Paloma. Ha venido a España desde Argentina para estudiar un Máster de Comunicación Digital.

1 El curso ideal

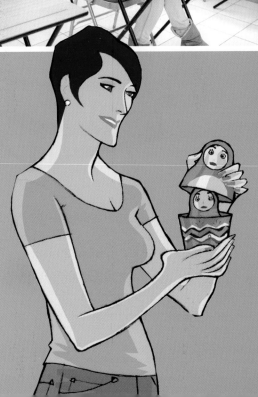

En esta unidad vamos a:

- **Conocer a nuestros compañeros**
- **Describir las características de objetos, lugares, personas y situaciones**
- **Hablar de nuestras habilidades**
- **Opinar sobre las lenguas y las diferentes formas de aprender**
- **Negociar sobre nuestros intereses para el curso de español**
- **Reflexionar sobre los diferentes tipos de inteligencias**

1 ¿Nos conocemos?

a Aquí tienes una lista de preguntas para conocer mejor a tus compañeros de clase. Levántate y haz una a algunos de ellos. Toma nota de las respuestas.

1 ¿Qué es lo que más te gusta del español?
2 ¿Qué idiomas hablas?
3 ¿Qué es lo que más te gustaba hacer cuando eras pequeño?
4 ¿Qué tipo de música escuchas normalmente? ¿Hay algún estilo musical que no escuchas nunca?
5 ¿Qué menú preparas para una cena importante?
6 ¿Qué deporte te gusta más? ¿Te gusta practicarlo o verlo por la tele?
7 ¿Qué cosas te dan miedo?
8 ¿Cuáles son para ti tus vacaciones ideales?
9 ¿Cuál es el último viaje que has hecho? ¿Qué te gustó más?
10 ¿Qué crees que nunca harías en tu vida?

b Ahora cuenta a la clase qué sabes de los compañeros que tienes a tu lado.

Pues Federica me ha contado que le encanta el judo y que cuando tenía quince años ganó un torneo en su escuela.

2 ¿Qué otro idioma te gustaría estudiar?

a Lee el cómic y responde a las siguientes preguntas.

1 ¿Qué quiere hacer Paloma?
2 ¿Qué le sugiere Sergio?
3 ¿Qué decisión toma Paloma al final?

b Ahora lee estas otras preguntas y piensa durante unos minutos en las respuestas. Luego, coméntalas con dos compañeros.

1 ¿Qué lenguas consideras más útiles para el mundo laboral en la actualidad?
2 Para ti, ¿qué hace que una lengua sea atractiva?
3 ¿Es mejor aprender una lengua que hable poca gente o una lengua de uso mayoritario? ¿Por qué?

Al final de la unidad...

Vamos a decidir cómo queremos que sea nuestro curso de español.

Una lengua que sea útil

Paloma quiere estudiar un idioma.

Estoy pensando que necesito hacer algo nuevo... Quizá estudiar algún idioma...

¿Ah, sí? La verdad es que hay poca gente que hable tantas lenguas como tú. ¿Y qué lengua te gustaría estudiar?

No sé... Quiero aprender una lengua que sea útil para viajar... Estaba pensando en una que no hable mucha gente. Quizá el ruso... He ido a Rusia varias veces y me encantaría poder entenderme con la gente.

Lo que pasa es que con todo el trabajo que tienes no te queda mucho tiempo para ir a clase.

Sí, es verdad, pero bueno, podría buscar un profesor que viniera a casa.

Madre mía, eso me recuerda que yo tuve un profesor que me daba clases particulares en casa y solo hablaba él. Aun así me caía genial.

Yo necesitaría una persona que se adaptara a mi ritmo de trabajo y que me pudiera dar clases por las tardes a última hora.

Pues sí, la verdad es que eso sería lo mejor.

Oye, ¿y el portugués? ¿No crees que te resultaría más fácil? Es una lengua muy bonita y, además, hace tiempo comentaste que te encantaría vivir en Brasil una temporada.

Sí... Hubo un tiempo en el que quería vivir allí pero no encontré ningún trabajo que me gustara.

Ahora me atrae una lengua que sea muy diferente y Rusia es un país que me encanta. Oye, ¿tú conoces a alguien que pueda enseñarme ruso?
No, no conozco a nadie que lo hable.

Yo sigo pensando que sería más práctico estudiar portugués, pero bueno, tú decides.

Primero voy a buscar en internet escuelas que enseñen ruso y a ver qué encuentro.

Pues... yo conozco una escuela que está en el centro, pero no me acuerdo de cómo se llama. Creo que está en la calle Alcalá o cerca... ¡No, no! ¡Busca una escuela que está en la Gran Vía!

Vale. Lo miro.
Oye, tengo que irme, ya me contarás qué haces al final. Eso sí, si viajas a Rusia o a Brasil, yo te acompaño.

Anda, mira, no quieres aprender otra lengua pero lo de viajar sí te interesa. ¡Qué listo!, ¿no?

Claro, cuando vayamos, ya tendré traductora, que a ti eso de las lenguas se te da muy bien.

1 Un curso que sea interesante

a Di si las siguientes afirmaciones son verdaderas (V) o falsas (F), justificando tu respuesta con una frase del cómic. Puedes anotar tus respuestas en tu cuaderno.

1 Muchas personas dominan, como Paloma, varias lenguas. [F]
La verdad es que hay poca gente que hable tantas lenguas como tú.
2 A Paloma le interesa aprender una lengua que sea útil para su trabajo. ☐
3 Prefiere una lengua minoritaria a una mayoritaria. ☐
4 Paloma ha contratado ya a un profesor de ruso que le han recomendado. ☐
5 Sergio ha recibido clases de idiomas en su domicilio. ☐
6 Paloma puede adaptarse a las exigencias y los horarios de cualquier profesor. ☐
7 A Sergio le gusta el portugués. ☐
8 Las ofertas de trabajo en Brasil que recibió Paloma no le interesaron. ☐
9 Sergio puede recomendar un profesor de ruso a Paloma. ☐
10 Sergio conoce el nombre de una buena escuela de ruso. ☐

b Fíjate en las frases del cómic que has seleccionado en la actividad anterior y completa la explicación con tus propios ejemplos.

Oraciones de relativo

- Las oraciones de relativo se forman normalmente con el pronombre relativo ***que*** y sirven para añadir información sobre el sustantivo o pronombre que las precede:
  a) *Ana es aquella chica* ***que*** *lleva la camisa azul.*
  b) *Busco una casa* ***que*** *tenga jardín.*
- Usamos *sustantivo / pronombre* + **que** + *indicativo* cuando nos referimos a algo conocido, que sabemos que existe o con lo que hemos tenido algún tipo de contacto o experiencia, como en los siguientes ejemplos:
  c) ....
  d) ....
- Usamos *sustantivo / pronombre* + **que** + *subjuntivo* cuando nos referimos a algo o alguien cuya existencia se desconoce o no se puede especificar (por ejemplo, cuando usamos *alguien / alguno / algo que*); cuando algo o alguien no existe o cuya existencia se niega (al usar *ninguno / nadie que / nada que*); por ejemplo:
  e) ....
  f) ....
- También se usa el modo *subjuntivo* cuando queremos introducir algún tipo de restricción sobre un grupo o clase de personas u objetos que no podemos identificar con precisión (*pocos, no muchas*, etc.):
  g) ....
  h) ....

Quiere un profesor que hable ruso.
presente ind. → presente subj.
Quería / Querría un profesor que supiera ruso.
pret. imperf.* / condic. → pret. imperf. subj.
* Pret. imperfecto / Pret. indefinido / Pret. perfecto

c Localiza en el cómic las frases en las que Paloma usa el imperfecto de subjuntivo y anótalas en la libreta que corresponde.

1 Paloma se refiere a una situación en el pasado

2 Paloma se refiere a una situación ideal para ella o difícil de cumplirse en el futuro

d Ahora completa las siguientes frases y compáralas con las de tu compañero: ¿tenéis las mismas ideas?

1 Me gusta consumir alimentos que...

2 Me encantaría tener una casa que...

3 Para ser feliz, necesitaría tener un trabajo que...

4 Es muy importante tener compañeros que...

5 Si me dan a elegir un destino, viajaría a un país / lugar que...

6 Me gustaría tener una pareja que...

7 Lo ideal es vivir en un lugar que...

e En el centro cultural de tu barrio han elaborado un cuestionario para preparar la programación de cursos del año que viene. Elige una modalidad de las que ofrecen y rellena la ficha. Después, comenta con tu compañero tus respuestas.

Centro cultural y deportivo
MANUEL DE FALLA

MF

1 Modalidad de cursos que le interesan (marque una opción):

☐ cocina ☐ música ☐ manualidades ☐ baile ☐ deportes ☐ otros

2 Indique qué le interesa o le gustaría aprender en el curso (tipo de recetas, de instrumentos, de deportes, etc.).

____

____

3 Describa cómo imagina las clases o qué espera de ellas (aulas, dinámica, materiales).

____

____

4 Describa cómo imagina que es un buen profesor para el curso elegido.

____

____

5 Describa qué tipo de personas cree que va a encontrar en el grupo (o le gustaría encontrar).

____

____

6 ¿Tiene alguna experiencia previa en cursos de este tipo? Cuéntenosla.

____

____

Gracias por su colaboración.

2 ¿Cómo es tu mundo ideal?

a ¿Conoces el nombre de los siguientes objetos, lugares y personas? En pequeños grupos, escribid la palabra que corresponde a cada imagen.

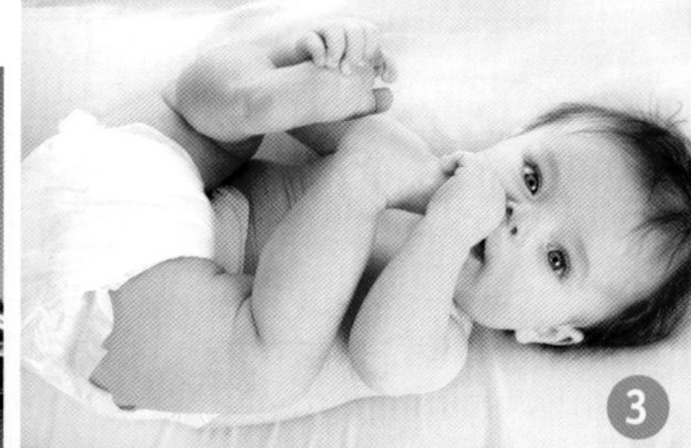

1 ....
2 ....
3 ....
4 ....
5 ....
6 ....
7 ....
8 ....
9 ....
10 ....
11 ....
12 ....
13 ....

b Ahora elige algunas de las imágenes anteriores. Tu compañero te hará preguntas a las que solo puedes responder «sí» o «no», para adivinar de qué imagen se trata. Utilizad las siguientes estructuras.

Es un objeto	***con bajo / debajo de en / dentro de de desde detrás de***	***el / la / los / las + que***
Es una persona / Son unas personas		***quien / quienes*** * ***(= el / la / los / las + que)***
Es algo		***lo que***
Es un lugar	***donde***	

- *¿Es* ***algo con lo que*** *puedes cocinar?*
- *No.*
- *¿Es un* ***objeto con el que*** *cuelgas la ropa?*
- *Sí.*
- *Ya lo sé: es la pinza.*

Quien / Quienes

Se utiliza si el antecedente (sustantivo que lo precede) es una persona y lleva antes una preposición.

Esa es la chica *con* ***quien*** *(= con la que) cené ayer.*

c Vas a escuchar un programa de radio en el que dos personas, Clara y Álvaro, describen su mundo ideal. Señala de qué puntos hablan.

aeropuerto ☐ cine ☐ vivienda ☐ cintas eléctricas ☐
centros comerciales ☐ coches ☐ dinero ☐ mercados ☐
trabajo ☐ estaciones ☐ idiomas ☐ viajar ☐

d Escucha de nuevo el audio y señala si lo dice Clara (C) o si lo dice Álvaro (A).

1 Me gustaría vivir en un mundo en el que la gente tuviera poderes. ☐
2 Me encantaría, además, que hubiera mercados por las calles para comprar tomates de verdad. ☐
3 Un mundo en el que hubiera un solo idioma. ☐
4 Un mundo donde, principalmente, no tuviera que trabajar. ☐
5 También me gustaría un mundo donde la vivienda fuera gratuita. ☐
6 No tener que llevar maletas en los viajes. ☐
7 Que no hubiera controles en el aeropuerto. ☐
8 Que pudiéramos viajar con solo imaginarlo. ☐
9 Mi mundo ideal tendría ciudades donde no hubiera tantos coches. ☐

e ¿Con cuál de las dos personas te identificas más? Explica por qué a tus compañeros.

f Ahora, en pequeños grupos, elegid uno de los siguientes temas y escribid un texto breve parecido al que habéis escuchado.

las vacaciones ideales
la pareja ideal
el clima ideal
el medio de transporte ideal
la comida ideal
la ciudad ideal
el amigo ideal

Para nosotros, un amigo ideal tiene que ser alguien que sea sincero y positivo. Además, sería una persona que supiera siempre qué decirte y que permaneciera a tu lado en los momentos difíciles.

3 La educación del siglo XXI

a En la pizarra, completad las siguientes frases.

EDUCAR EN EL SIGLO XXI
- Los estudiantes en la actualidad son más...
- Los estudiantes en la actualidad son menos...
- Solo se aprende si...
- Lo que la escuela necesita es...

b Una revista de actualidad recoge las opiniones de varias personas en relación con el aprendizaje y la educación. Léelas y relaciona los siguientes títulos con las diferentes opiniones. Atención: hay tres títulos de más.

- a Educar para descubrir lo que llevamos dentro. ☐
- b Enseñanza igual para todos. ☐
- c La educación formal no siempre pasa por un centro escolar. ☐
- d Los niños ya no necesitan aprender historia. ☐
- e Los nuevos sistemas educativos tienen que entretener. ☐
- f Una manera de educar también la parte emocional. ☐
- g ¿Un mal de nuestro siglo o una invención oportunista? ☐
- h Un sistema educativo sin reglas no sirve para nada. ☐

EDUCACIÓN **1**

Se dice que el diez por ciento de los niños en edad escolar sufren déficit de atención. Sin embargo, para algunos especialistas ese diagnóstico es equivocado y ficticio y dicen que se trata de "una moda médica para vender medicamentos". Y es que los niños siempre se han distraído mirando por la ventana o imaginando historias... La cuestión es: ¿existía antes la misma falta de atención en los niños? Si es así, ¿dónde está su origen? Tendríamos que empezar por responder estas preguntas. (Ana, México)

(Adaptado del artículo «El mejor profesor», *http://xlsemanal.finanzas.com*)

2 OPINIÓN

Esto que yo opino lo dicen los expertos: que el objetivo de la escuela debería ser identificar las aptitudes naturales y potenciarlas. Y siempre se pone el ejemplo de genios como Paul McCartney, George Harrison o Elvis Presley, a quienes la escuela les colgó el cartel de "zoquetes". ¿Es que nadie supo detectar su don para la música ni fomentarlo? La verdad es que todo eso provoca una pérdida de desarrollo de talento y deberíamos plantearnos si debemos seguir así... (Luis, Venezuela)

(Adaptado del artículo «El mejor profesor», *http://xlsemanal.finanzas.com*)

OPINIÓN **3**

El mundo entero se está transformando, pero en los colegios la educación no ha cambiado desde el siglo XIX. El modelo de profesor que suelta la lección a sus alumnos y luego los examina bajo un patrón estándar ha caducado. Los niños de hoy se están criando en el periodo de estímulos más intenso de la historia: internet, móviles, publicidad, televisión... y son penalizados en la escuela cuando se distraen. Pero ¿de qué se distraen? Pues de cosas aburridas, casi todo lo que se les enseña en el colegio. Por eso, una de las premisas básicas que debe plantearse cualquier reforma en los centros escolares es no aburrir. (Carlos, Chile)

(Adaptado del artículo «El mejor profesor», *http://xlsemanal.finanzas.com*)

4 EDUCACIÓN

Que la buena educación no está necesariamente en las aulas queda patente en la enumeración de algunas personas que jamás pisaron un colegio o escuela: Benjamin Franklin, Mozart, Dickens, Twain, Montesquieu... Todos ellos, y muchos más, fueron educados en sus casas. En el Reino Unido hay 50 000 niños cuyos padres pasan del sistema educativo; en Canadá, 80 000; en Estados Unidos, más de un millón. La cuestión es: ¿puede ser la educación en casa tan válida como la que reciben los niños en un centro controlado por un sistema educativo? (Sonia, España)

(Extraído de *http://www.20minutos.es*)

OPINIÓN **5**

Según algunos expertos, el yoga se debería incluir como asignatura en los colegios en busca de una educación integral, ya que consideran que la nueva sociedad demanda nuevas formas de enseñanza. Esta disciplina está en contra de la competitividad y busca integrar en los más pequeños conceptos de unidad, además de ayudar a solucionar problemas como el estrés, la hiperactividad, el miedo y la agresividad. ¿Se le puede pedir más? ¿Por qué algo que es en teoría tan beneficioso no ha llegado ya a todas nuestras escuelas? (Carla, Argentina)

(Extraído de *http://www.hoy.es*)

c En grupos, cada alumno elegirá una de las noticias anteriores y dará su opinión. Los demás dirán si están de acuerdo o no y por qué. Para ello, dedica unos minutos a preparar tu intervención, argumenta tus ideas y da ejemplos. Puedes utilizar las estructuras del cuadro de la derecha.

- *A mí me interesa lo de potenciar las aptitudes naturales. Me parece que eso es importante y me resulta raro que el sistema educativo aún no lo tenga en cuenta. Sería bueno que los nuevos sistemas educativos empezaran a incluir asignaturas que fomenten este tipo de aptitudes.*
- *Sí, es verdad; pero también es cierto que el sistema no puede ocuparse de cada estudiante de manera individual. Lo ideal sería que hubiera menos estudiantes por aula y esto permitiría que...*

d Cada grupo elige una de las noticias y escribe un texto breve para enviar su opinión a la revista.

EXPRESAR OPINIÓN Y PREFERENCIA

+ Indicativo
Creo que
Me parece que
La verdad es que
Es cierto que
Está claro que
Está demostrado que

+ Presente de subjuntivo
(A mí) Me parece importante / necesario / útil / raro / curioso / interesante que
Me parece mejor que
(No) Me parece buena idea que
Yo prefiero que

+ Imperfecto de subjuntivo
Sería bueno / interesante / mejor / importante que
Me gustaría que
Lo ideal / mejor / más útil sería que

4 Habilidades curiosas

a ¿Sabes qué significa *ser un manitas* y *ser un manazas*? Coméntalo con la clase.

2 **b** Escucha la siguiente conversación entre dos amigos, Luis y Marisa, en la que hablan de sus habilidades en el hogar, y completa la información que falta.

1 Marisa cree que es muy ....
2 A Marisa se le da bien ....
3 Luis tuvo que llamar a su cuñado para ....
4 A Luis le llama la atención la gente que ....

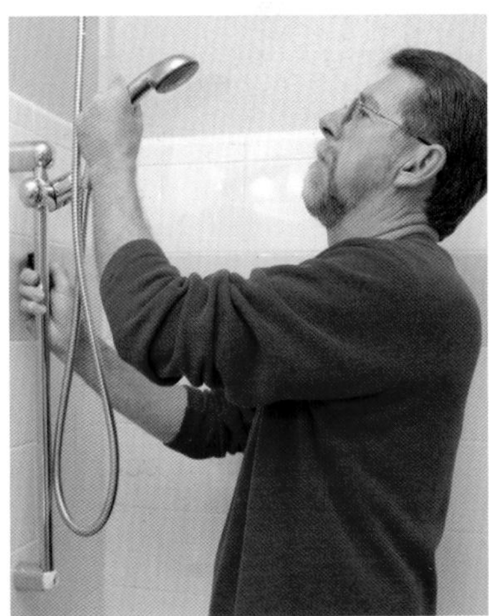

c La revista *Muy curioso* pide a sus lectores que cuenten sus habilidades. Subraya las expresiones que sirven para señalar que sabemos hacer bien algo.

Muy curioso

¿Sabes hacer algo especial?

Todos sabemos que hay personas que son muy buenas o hábiles para hacer algunas cosas; por ejemplo: memorizar nombres de personas o series numéricas; a otras personas se les dan muy bien los idiomas. Podemos también conocer a alguien a quien le resulta muy fácil contar chistes y hay gente que te arregla un enchufe en dos minutos, ¡y no es electricista! A eso se le llama ser mañoso. También hay gente que es capaz de escalar una montaña de 6000 metros de altura. ¿Y tú? ¿Sabes hacer algo especial? ¿Se te da bien cantar? Escríbenos y cuéntanoslo: queremos conocer tus habilidades. Puedes enviar tus respuestas a muycurioso@preguntas.com

(Texto adaptado de *http://autismoaba.org*)

d Estas son algunas de las respuestas de los lectores sobre sus habilidades. Sin embargo, en algunas frases faltan algunas palabras. En parejas, completa la lista con la ayuda de tu compañero.

ambidiestro • ~~bailar~~ • coso • idiomas • imitar • izquierda • memorizar
montar muebles • oído • orientarme • volteretas

1 Sé *bailar* muy bien.
2 Puedo .... sonidos de animales a la perfección.
3 No me cuesta nada ....: nunca me pierdo.
4 Soy capaz de .... cientos de matrículas de coche.
5 Soy muy manitas: se me da muy bien ....
6 Soy ....: escribo con las dos manos.
7 Tengo mucho .... y puedo tocar la melodía en el piano sin saber las notas.
8 Puedo escribir de derecha a ....
9 Se me da fenomenal la costura: .... mi propia ropa.
10 Se me dan muy bien los ....: hablo más de cinco.
11 Puedo dar .... hacia detrás estando de pie: soy bastante flexible.

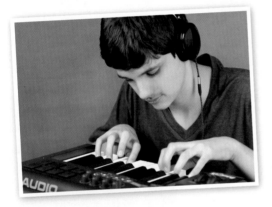

e ¿Y tú? ¿Puedes hacer alguna de esas cosas? ¿Eres capaz de hacer otras? En parejas, pregúntale a tu compañero y toma nota de sus habilidades. Utiliza las siguientes estructuras para contestar.

+		-	
Soy capaz de	+ INFINITIVO	Soy incapaz de Yo no podría	+ INFINITIVO
Soy muy bueno/a	+ en + SUSTANTIVO + GERUNDIO	Soy muy malo/a	+ en + SUSTANTIVO + GERUNDIO
Soy mañoso/a	+ con + SUSTANTIVO + GERUNDIO	Se me da(n) mal Me cuesta(n) mucho Me resulta(n) (muy) difícil(es)	+ SUSTANTIVO / INFINITIVO
Se me da(n) muy bien No me cuesta(n) nada Me resulta(n) (muy) fácil(es)	+ SUSTANTIVO / INFINITIVO		

- *¿**Se te da** bien bailar salsa?*
- *La verdad es que **no se me da muy bien** bailar en general, pero sé tocar la guitarra.*
- *¿Puedes imitar sonidos de animales?*
- *Bueno, **no se me da mal**...*

f Ahora cuenta al resto de la clase cuáles son las habilidades de tu compañero. Decidid entre todos quién es el más mañoso.

1 La clase ideal

a Lee los siguientes textos sobre diferentes tipos de escuelas. ¿Cuál te gusta más? ¿Por qué?

1 Tawhiti High School

Yo tuve la fortuna de conocer un centro excepcional, *Unlimited Paenga Tawhiti High School*: peceras, cristales gigantes en cada aula para disfrutar de la naturaleza exterior, sofás y cojines por todas partes. Salas de teatro, salas de ensayo de música, una cocina en cada planta compartida para profesores y alumnos, al igual que el baño, plantas, máquinas de pesas, un billar y un futbolín. Todo esto forma parte del paisaje del centro.

Los alumnos eligen cada cinco semanas las asignaturas que quieren. Sus títulos: "¿De qué están hechas las golosinas?", "Jardinería: cómo plantar árboles". En deporte, se elige entre varios, que también incluyen yoga o senderismo. De este modo, los alumnos son responsables de su vida. Se puede hablar por el móvil en clase, comer y beber. Cuando cierra el centro, hay que pedir a los alumnos que se vayan a sus casas, ya que se sienten como si estuvieran en ella.

(Adaptado de *El español en la maleta, Esquema Ediciones, de Susana García Mariño*)

2 Educación alternativa

Un centro de educación alternativa sigue un método singular de enseñanza: el centro, con 191 alumnos de 3 a 12 años, es un lugar donde no se aprende con libros de texto fijos ni se somete a los estudiantes a exámenes. Los niños fabrican sus propios libros, tesis escritas a lápiz, con dibujos y fotografías sobre la vida, el cuerpo humano... o cualquier tema que sugieran los estudiantes. Las clases arrancan con media hora de lectura y cada alumno elige su libro. La alimentación es también importante en este centro: "Aquí está prohibido traer bollería industrial", añade la directora. Otro punto fuerte de este colegio es la educación en el respeto por el medioambiente. Los alumnos de Primaria trabajan en un pequeño huerto donde plantan sus propias hortalizas, cuidan de gallinas y conejos y aprenden, en definitiva, a amar la naturaleza.

(Adaptado de *www.elpais.com*)

3 Un barco escuela

El *Sorlandet* es un imponente velero de tres palos y también un barco escuela en el que 54 jóvenes de distintas nacionalidades cursan sus estudios durante ocho meses. "La vida en el *Sorlandet* suena muy bien, aunque no todo es un cuento de hadas". Así lo aclara Ana Rode, una estudiante mexicana. No se trata únicamente de estudiar: los 54 alumnos también cocinan, limpian baños y hacen guardias nocturnas de dos horas para evitar choques o encuentros inesperados. A bordo hay gente de todos lados: México, Italia, Alemania, Estados Unidos... En la escuela flotante del *Sorlandet* se imparten las asignaturas clásicas (Matemáticas, Física, Química, Inglés, Francés e Historia...). Además, los estudiantes del navío también estudian Psicología, Ciencias Políticas y una asignatura sobre liderazgo, algo importante en este tipo de proyectos.

(Adaptado de *www.elmundo.es*)

A mí me ha gustado la escuela en la que los alumnos eligen las asignaturas que quieren porque eso ayuda a fomentar...

b Lee las siguientes preguntas relacionadas con los textos anteriores y, en parejas, comenta con tu compañero.

1 ¿Conoces algún colegio que tenga un huerto o animales?
2 ¿Has tenido alguna vez un profesor que fuera diferente? ¿Por qué?
3 ¿Conoces a algún niño que no vaya a un centro escolar y estudie solo en su casa?
4 ¿Conoces alguna escuela que no tenga exámenes?
5 ¿Has tenido alguna vez una asignatura que sea "original" o diferente?
6 ¿Conoces a alguien que estudie en un barco?

c Comparte con la clase algunas de las cosas que te ha contado tu compañero.

Pues Nathalie me ha dicho que no conoce ninguna escuela donde haya billares, pero...

Utiliza la siguiente estructura para responder:

- Conozco un lugar / una persona que + INDICATIVO
- No conozco a nadie que / ningún sitio (en el) que + SUBJUNTIVO

● *¿Has visto alguna vez una escuela que tenga billares?*
■ *No, no he visto nunca una escuela que tenga billares, pero una vez vi una que tenía una piscina olímpica.*

CIERRE DE EDICIÓN

Estamos en la primera unidad y vamos a decidir cómo queremos que sea nuestro curso de español.

PLANIFICA ▼

1 Hablad en pequeños grupos sobre qué os resulta más fácil o difícil en español y cómo ha sido vuestra experiencia de aprendizaje hasta ahora. Con esta información vamos a diseñar nuestro curso ideal. Ten en cuenta los siguientes elementos y añade otros.

- Hablar con hispanohablantes
- Recordar lo aprendido (gramática, léxico, cultura)
- Reaccionar ante lo que me dicen
- Comprender la gramática
- Comprender noticias de la tele...
- Entender diferentes acentos del español
- Usar nuevas estructuras de gramática
- Escribir textos o correos electrónicos formales
- Aprender léxico nuevo
- Tener fluidez

A mí lo que me cuesta más es entender a una persona que habla conmigo por teléfono, pero se me da bien memorizar las palabras nuevas.

ELABORA ▼

2 En grupos de tres o cuatro, redactad un documento que defina cómo queréis que sea vuestro curso de español. Negociad de qué puntos vais a hablar o si vais a incluir otros.

- El aula: decoración, colocación de sillas y mesas.
- El estudiante: características, qué papel tiene en clase.
- Comunicación con compañeros y profesor: blog, correo electrónico, etc.
- Actividades dentro del aula: tipos de ejercicios y actividades.
- Las actividades fuera de clase.

  Sugerencias:
  - Ver una película en español, hacer una sinopsis y opinar sobre ella.
  - Leer un libro en español, escribir un resumen y dar nuestra opinión.
  - Hacer un diario con los errores que cometo en la expresión escrita.
  - Reunirnos para hacer otras actividades: excursiones, ir al teatro...
- El profesor: características.
- Los exámenes. Los deberes.
- Las reglas en clase (ejemplo: móviles, salir de clase antes de tiempo...).

Usad estructuras como las siguientes:

- Mi clase ideal es un lugar donde...
- Me gustaría que la escuela...
- Quiero que el curso sea...
- Necesito un profesor con el que...
- Busco actividades que...
- Tengo un amigo que estudia / estudió en una escuela en la que...
- Me hacen falta ejercicios que...
- Quiero hablar de temas que / hacer actividades que...
- Me gustaría hacer actividades que...

Nosotros queremos un curso que sea muy dinámico: un curso en el que los estudiantes sean participativos y en el que hagamos actividades para llevarnos bien y conocernos...

PRESENTA Y COMPARTE ▼

3 Presentad a la clase vuestro curso ideal y, entre todos, elegid la propuesta más creativa y la más realista. Haced una propuesta final, si es necesario combinando ideas de los diferentes proyectos.

REFLEXIONA ▼

4 ¿Crees que el documento incluye todo lo que es importante para tu aprendizaje?

5 ¿Qué actividad de todas las señaladas crees que te ayudará más en tu aprendizaje?

6 ¿Qué condiciones son necesarias para que se cumpla este proyecto?

En esta unidad vamos a crear un grupo en una red social (puede ser Facebook o una red dirigida a estudiantes de idiomas como Fixoodle, Lang-8, SharedTalk, etc.) para compartir y debatir asuntos de la clase.

Entra en www.agenciaele.com para realizar esta actividad.

Inteligencias múltiples

1 Piensa en las diferentes actividades que hemos hecho en la unidad y elige la que más te haya gustado y la que menos. Luego compara con tu compañero.

2 Puntúa las siguientes habilidades del 1 (más baja) al 4 (más alta). Luego suma los puntos para cada apartado. En la página siguiente descubrirás en qué tipos de inteligencia destacas.

Nuestras preferencias en lo que aprendemos y en cómo lo aprendemos dependen en buena medida del tipo o tipos de inteligencia que tenemos más desarrollada(s).

Tipos de inteligencia

Inteligencia verbal y lingüística

1 Escribes mejor que la media. ☐
2 Cuentas bromas y chistes o inventas cuentos increíbles. ☐
3 Disfrutas con los juegos de palabras, rimas, trabalenguas, etc. ☐
4 Te gusta leer. ☐
5 Tienes mucho vocabulario. ☐

Total ____

Inteligencia lógica y matemática

1 Haces muchas preguntas acerca del funcionamiento de las cosas. ☐
2 Haces operaciones aritméticas mentalmente con mucha rapidez. ☐
3 Te gustan los juegos matemáticos y los que requieren lógica. ☐
4 Te gusta clasificar y jerarquizar cosas. ☐
5 Tienes buen sentido de la relación causa-efecto. ☐

Total ____

Inteligencia espacial

1 Lees mapas, gráficos y diagramas con mucha facilidad. ☐
2 Fantaseas más que las personas de tu entorno. ☐
3 Dibujas figuras complicadas. ☐
4 Haces dibujos en tus libros de texto, cuadernos, etc. ☐
5 Te gusta jugar con puzles y juegos de construcción. ☐

Total ____

Inteligencia física y cinética

1 Destacas en uno o más deportes. ☐
2 Te sientes inquieto cuando estás sentado mucho tiempo. ☐
3 Imitas muy bien los gestos y movimientos de otras personas. ☐
4 Apenas ves algo, lo tocas todo con las manos. ☐
5 Disfrutas con actividades táctiles como la artesanía. ☐

Total ____

Inteligencia musical

1 Recuerdas las melodías de las canciones. ☐
2 Tienes buena voz para cantar. ☐
3 Canturreas sin darte cuenta. ☐
4 Sigues el ritmo de la música con los dedos sobre una mesa. ☐
5 Respondes favorablemente cuando alguien pone música. ☐

Total ____

Inteligencia interpersonal

1 Disfrutas conversando con la gente. ☐
2 Tienes características de líder natural. ☐
3 Te gusta ayudar y enseñar a otras personas. ☐
4 Tienes dos o más buenos amigos. ☐
5 Perteneces a clubes, asociaciones, etc. ☐

Total ____

Inteligencia intrapersonal

1 Demuestras sentido de independencia o voluntad fuerte. ☐
2 Se te da bien trabajar o estudiar solo. ☐
3 Eres capaz de aprender de tus errores. ☐
4 Expresas acertadamente tus sentimientos. ☐
5 Demuestras un gran amor propio. ☐

Total ____

3 ¿En qué inteligencia(s) destacas? Vamos a buscar compañeros de clase que coincidan con nuestras preferencias de aprendizaje. ¿Han elegido ellos la misma actividad en la actividad **1**?

Inteligencia verbal. ¿Verdad que te resulta fácil seguir las explicaciones de tu profesor? ¿A que aceptas con gusto un reto gramatical? Disfrutas con actividades que incluyen historias, diálogos, chistes... Tu papel en clase es muy importante: además de aprender, puedes ayudar a tus compañeros explicándoles algo que no comprendan, gracias a tu facilidad para traducir conceptos complejos a un lenguaje sencillo.

Inteligencia lógica y matemática. Eres bueno en el análisis de la gramática, sobre todo, si el aprendizaje gramatical es inductivo (observar la lengua para luego formar las reglas). Disfrutas con actividades como ordenar palabras por grupos semánticos, analizar las causas y consecuencias de las acciones de los textos, resumir, ordenar informaciones en una línea de tiempo; hacer comparaciones espaciales y temporales...

Inteligencia espacial. Eres muy bueno transformando información textual en información gráfica, creando representaciones visuales de lo que lees y estudias. ¿Sabías que las imágenes son un recurso excelente para comprender los valores (algunos muy abstractos) de las estructuras lingüísticas? Aprovéchalo. Además, te irá muy bien trabajar con fotos y vídeos, con mapas conceptuales, esquemas...

Inteligencia física y cinética. Te gustan las actividades teatrales, la mímica, las simulaciones y los juegos en los que hay movimiento. Con tu habilidad para la mímica y el teatro, seguro que no tienes ningún problema para hacerte entender en cualquier lengua. Aprovecha ese gran potencial mímico y teatral que tienes y ¡a por todas con el lenguaje no verbal!

Inteligencia musical. ¿Verdad que nunca te ha costado reconocer y reproducir los sonidos del español, incluso aquellos que no existen en tu lengua? ¿A que no has tardado demasiado en comprender y emplear la pronunciación y la entonación características de las lenguas que has estudiado? No tienes miedo a las actividades de comprensión oral. Y, por supuesto, te encanta trabajar con canciones y con música.

Inteligencia interpersonal. Eres el socio perfecto para las actividades de grupo. Te encanta el trabajo cooperativo, importantísimo para desarrollar distintas competencias. En clase, eres un líder con todas las letras: sabes animar a tus compañeros y hacer a todos conscientes de su responsabilidad hacia el grupo y de la del grupo hacia cada uno.

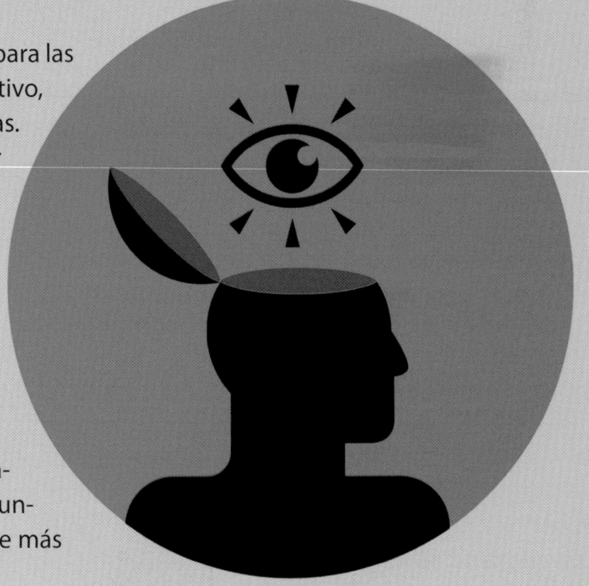

Inteligencia intrapersonal. ¿A que estás disfrutando con esta actividad? Te gusta conocerte a ti mismo. Sabes sacar partido de tus puntos fuertes y aprender de tus errores. Te gusta reflexionar y tienes mucha facilidad para convertir esas reflexiones en palabras. Ah, eres un portento construyendo tu biografía (aunque tal vez no sea el uso del pretérito indefinido lo que más te interese de esa actividad ;-)).

4 ¿Qué puedes hacer para desarrollar tus inteligencias para aprender español? Coméntalo con tu compañero.

2 Trámites

En esta unidad vamos a:

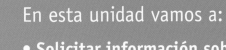

- **Solicitar información sobre trámites administrativos**
- **Reproducir lo que otros nos han dicho o explicado**
- **Hacer valoraciones y comentarios**
- **Reflexionar sobre estrategias de cortesía en contextos formales**

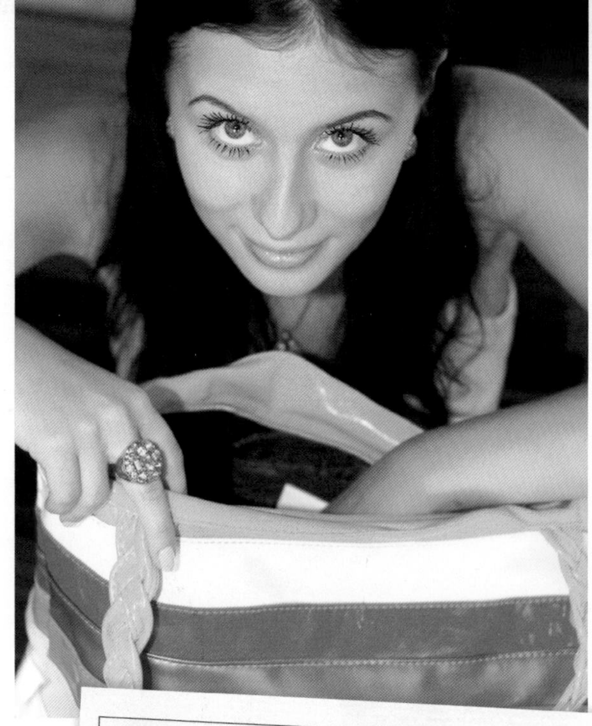

1 ¿Qué llevas en tu cartera?

a Enseña tu cartera, bolso o mochila a tu compañero y explícale brevemente su historia: si lo compraste (dónde) o te lo regalaron (quién), o -si tienes otros- por qué te gusta este, etc.

- *¡Qué bolso tan bonito, Ivelina! ¿Dónde lo has comprado?*
- *No lo compré yo, me lo regaló mi hermano. Lo compró en un viaje que hizo a Londres. ¿Te gusta?*

b Ahora piensa en tres objetos que llevas en este momento en tu cartera, bolso o mochila y que consideras que son importantes para ti.

c Enséñale ahora a tu compañero los tres objetos en los que has pensado y observa los suyos. Averigua por qué son importantes para él.

2 Todo en regla

a En unas semanas vas a marcharte de vacaciones a un país latinoamericano. ¿Cuáles de los siguientes documentos crees que vas a necesitar o te pueden ser útiles? Márcalos en la tabla.

abono transportes	☐
carné de conducir	☐
carné de estudiante	☐
carné de la biblioteca	☐
cartilla de vacunación	☐
DNI / NIE	☐
pasaporte	☐
permiso de residencia	☐
tarjeta de crédito / débito	☐
tarjeta sanitaria	☐

OBSERVA

DNI: documento nacional de identidad
NIE: número de identificación de extranjeros
CIF: código de identificación fiscal

b Compara tu lista con la de tu compañero y razona tus respuestas.

- *¿Tú crees que es importante llevar la cartilla de vacunación a Argentina?*
- *¿A Argentina? No creo...*

c ¿Hay algún otro documento que pueda ser necesario o importante para tu viaje? Coméntalo con tu compañero.

d Lee el cómic. Darío, el primo de Paloma, acaba de llegar a Madrid para estudiar. ¿Tiene todos los papeles arreglados?

Al final de la unidad...

En grupos, vais a solicitar y dar información sobre las normas del centro donde estudiáis español y de un servicio público de una ciudad que os interese.

Yo soy Darío, ¿y vos?

Darío, un primo argentino de Paloma que viene a estudiar a Madrid, acaba de llegar al aeropuerto.

1 ¿Estudiar fuera?

a Habla con tu compañero sobre las ventajas y desventajas que tiene, en tu opinión, estudiar en otro país. Anotad algunas ideas en los siguientes cuadros.

Ventajas	Desventajas

- *Yo creo que la mayor ventaja es que puedes aprender y practicar un idioma extranjero.*
- *Bueno, no siempre… A veces se habla el mismo idioma, como le ocurre a Darío…*

b En Agencia ELE están preparando un artículo con consejos para planificar un viaje de estudios en el extranjero. Lee el texto y redacta luego un titular (1) y una entradilla (2) de entre 30 y 50 palabras resumiendo el contenido.

(1) ....

(2) ....

....

¿Por qué estudiar en el extranjero?

En opinión de los expertos, existen multitud de motivos por los que tomar la decisión de estudiar en el extranjero, probablemente tantos como personas que deciden hacerlo: principalmente nos marchamos **a causa del** trabajo o cuestiones personales, aunque cada vez es más frecuente el caso de quienes se marchan una temporada **a** formarse. La posibilidad de conocer otra cultura **durante** un periodo largo de tiempo es uno de los factores fundamentales. A su vez, se aprende o perfecciona el idioma del país visitado, hecho importante **de cara al** futuro profesional de todo estudiante.

¿Dónde estudiar?

La primera pregunta que tienes que hacerte es qué idioma dominas y quieres perfeccionar o cuál es el que quieres aprender. A partir de ahí, hay diferentes aspectos a tener en cuenta **a la hora de** escoger un país u otro. A continuación tienes una lista con algunos de los puntos más importantes:

- Consultar de forma exhaustiva la oferta que existe en el mercado. La formación en el extranjero debe ser específica y adecuada **a** cada persona según el nivel de estudios, la edad, los recursos, los objetivos, la motivación y los intereses…
- Valorar la decisión desde el punto de vista personal, académico y profesional.
- Informarse de las condiciones de la estancia y el programa: condiciones de alojamiento, relación del número de alumnos **y** profesor, duración de las clases, perfil del alumnado, etc.
- Saber si hay algún tipo de becas o ayudas, o programas de intercambio de estudiantes de un país a otro.
- Conocer a fondo la cultura del país de destino: los horarios, el nivel de vida, el clima, el idioma, la vivienda, entre otros.

Trámites para estudiar en el extranjero

En función del país, del tipo de estudio y de la duración los trámites varían, pero en todos los casos hay que prepararlos con antelación, ya que la mayoría son lentos y hay que tener en orden todos los papeles antes de marchar **a** tu nuevo destino.

El mejor lugar donde dirigirte **si necesitas** informarte de todos los trámites legales es el consulado o embajada del país correspondiente, así como los centros de destino o de origen en los casos de estancias organizadas. Ellos te pueden asesorar sobre qué debes hacer y dónde dirigirte **a** solicitar los diferentes documentos.

Si no puedes acudir directamente, ponte en contacto con ellos **a través del** teléfono, **del** correo electrónico o **del** fax.

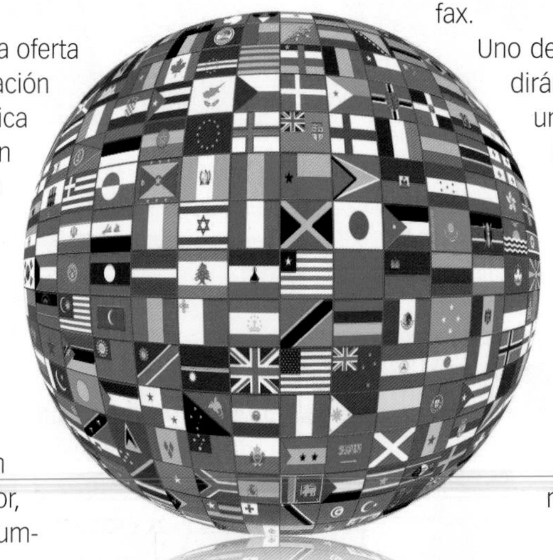

Uno de los primeros documentos que te pedirán (a excepción de si vas a aprender una lengua) será el dominio del idioma, ya sea haciendo pruebas, con los certificados de exámenes oficiales o cualquier otro documento que pueda acreditar tu dominio del idioma. También es importante el expediente o la titulación académica previa.

Cuanto antes empieces a organizar tu estancia, menos problemas tendrás en el momento de irte. ¡No lo dejes todo **sin** hacer **hasta** el último momento!

(Texto adaptado de *http://www.educaweb.com/*)

c La redacción de Agencia ELE quiere hacer algunos cambios en el texto anterior. Tienes que cambiar las palabras y expresiones señaladas en azul por las preposiciones *por* y *para*.

1 En opinión de: ______
2 A causa del: ______
3 A: ______
4 Durante: ______
5 De cara al: ______ el
6 A la hora de: ______
7 A: ______
8 Y: ______
9 A: ______
10 Si necesitas: ______
11 A: ______
12 A través del: ______
13 Del: ______
14 Del: ______
15 Sin: ______
16 Hasta: ______

d Aquí tienes un cuadro con los usos principales de *por* y *para*. Clasifica los ejemplos de la actividad anterior en el cuadro.

	Usos	Ejemplos
POR	indicar un periodo	-*Se casaron y fueron felices* **por** *muchos años.* - *La posibilidad de conocer otra cultura* **por** *un periodo largo de tiempo...*
	proporción	- *En Madrid viven 10 000 habitantes* **por** *kilómetro cuadrado.* - ______
	canal o medio (a través de)	- *Mándame las fotos* **por** bluetooth. - ______
	acción en proceso, sin terminar o no iniciada	- *Mañana es el examen y tengo aún dos temas* **por** *estudiar.* - ______
	causa	- *Los castigaron* **por** *pelearse durante el recreo.* - ______
PARA	expresión de la opinión	- **Para** *mucha gente la subida del precio del abono transportes es un abuso.* - ______
	finalidad	- *Tienes que estudiar mucho* **para** *conseguir esa beca.* - ______
	dirección, sentido	- *Mis abuelos se marcharon* **para** *Cuba antes de la Guerra Civil.* - ______
	plazo de tiempo	- *¿Tendrán mi traje listo* **para** *la semana que viene?* - ______
	destinatario	- *Esa cartera es ideal* **para** *tu marido.* - ______

e A continuación te mostramos otros usos de *por* y *para*. Relaciónalos con los ejemplos siguientes.

1 complemento agente (oraciones pasivas)
2 lugar indeterminado
3 causa de un movimiento
4 valor intensificador
5 concesión *(a pesar de / aunque)*
6 distribución de una unidad
7 cambio, precio

a *Te regalan este CD por 50 euros de compra.*
b *Ha sacado muy buenas notas para lo poco que ha estudiado.*
c *El proyecto de ley fue aprobado ayer por el Gobierno.*
d *He reservado una mesa para seis personas en el Ombú.*
e *Tú vives por el centro, ¿verdad?*
f *Para ricas, las croquetas que hace mi madre.*
g *Bajo un momento a la calle a por el periódico, ¿quieres algo?*

2 Buscarse la vida

a En parejas, imaginad que un compañero de clase quiere marcharse a trabajar a otro país. ¿Qué consejos le daríais? Coméntalo con tu compañero. Utiliza las siguientes expresiones.

<table>
<tr><th colspan="4">Expresiones valorativas (para dar consejo, expresar necesidad, obligación, etc.)</th></tr>
<tr><th colspan="2">Para hablar en general</th><th colspan="2">Haciendo referencia a un sujeto concreto</th></tr>
<tr><td>Es importante...
Es necesario...</td><td rowspan="4">infinitivo</td><td>Es importante que...
Es necesario que...</td><td>presente de subjuntivo</td></tr>
<tr><td>Sería conveniente...
Sería bueno...</td><td>Sería conveniente que...
Sería bueno que...</td><td>imperfecto de subjuntivo</td></tr>
<tr><td rowspan="2">Hay que...
Habría que...</td><td>Tienes que...
Tendrías que...
Debes...
Deberías...</td><td>infinitivo</td></tr>
<tr><td colspan="2">imperativo</td></tr>
</table>

- *Sería bueno que buscara ofertas de trabajo antes de marcharse, ¿no?*
- *Sí, y que tuviera concertada alguna entrevista.*

b Aquí tenéis un texto con diez consejos para las personas que se marchan a trabajar al extranjero. Leedlo y comparadlos con los vuestros. ¿En cuáles habéis coincidido? Comentadlo en pequeños grupos.

10 consejos para trabajar en el extranjero

Si estás pensando en buscar trabajo en el extranjero ahora es tu oportunidad. *Adecco*, la empresa especializada en recursos humanos, ha elaborado un decálogo que te ayudará a buscar trabajo:

1 Oriéntate: En primer lugar debes reflexionar: *¿Qué tipo de trabajo busco? ¿Cuáles son mis competencias y capacitaciones? ¿Necesito más formación?*

2 Para trabajar en el extranjero necesitarás algunas competencias laborales. El conocimiento del idioma del país es fundamental, pero también se requiere tener capacidad de adaptación al cambio, flexibilidad para trabajar con diferentes culturas, un carácter fuerte y abierto, etc.

3 A la hora de seleccionar el país donde quieres trabajar sería bueno que tuvieras en cuenta las siguientes cuestiones:

- **el idioma** (si no lo dominas, ¿puedes aprenderlo?)
- **las condiciones laborales**
- **los perfiles demandados**

4 Es importante que te informes de los requisitos legales y la documentación necesaria. Puedes dirigirte a la página web de su gobierno o bien directamente a la sede de su embajada o consulado. También es importante que averigües si trabajar en el país elegido cotizará a la seguridad social estatal.

5 Una vez has elegido el país, no olvides informarte de la validez de tus títulos. En algunos países es probable que las titulaciones universitarias requieran homologación.

6 Es aconsejable que busques ofertas de trabajo concretas. Para ello, consulta portales de empleo internacionales, servicios de empleo públicos y páginas especializadas de consultorías de recursos humanos. Te recomendamos que visites la página del Ministerio de Trabajo que cuenta con la Base de Datos de Demandas de Empleo Exterior (REDE), así como la Red EURES, que agrupa los servicios públicos de empleo de 31 países europeos.

7 Elabora una lista de multinacionales del sector que te interesan, que tengan sede en el extranjero para presentar una candidatura espontánea.

8 Utiliza las redes sociales profesionales. Amplía tu red de contactos a través de portales como Linkedin, ya que muchos reclutadores buscan perfiles especializados a través de estas páginas. Es muy importante que tu currículum público sea correcto e incluya toda la información relevante.

9 Sería conveniente que adaptaras tu currículum a las costumbres del país y al idioma. Te sugerimos que utilices el modelo Europass, que puedes rellenar *online* a través de una plantilla y que está reconocido internacionalmente.

10 Por último, ten en cuenta que quizá debas viajar para realizar entrevistas. Procura concentrarlas en un tiempo concreto para optimizar tus recursos y no perder el tiempo ni el dinero.

(Texto adaptado de *http://www.educaweb.com*)

c Volved a leer el texto y, en parejas, ordenad los consejos según la importancia que le deis. Luego, poned en común vuestra lista con otra pareja.

3 ¿En qué puedo ayudarte?

a Escucha la conversación que tiene Darío por teléfono con el secretario de la Oficina de Relaciones Internacionales de la Universidad y completa la ficha con los datos que oigas.

Nombre y apellidos: ____________________

Universidad de procedencia: ____________________

Estudios realizados: ____________________

Estudios que quiere realizar: ____________________

Fecha límite para tramitar / formalizar la matrícula: ____________________

b Vuelve a escuchar y marca qué trámites tiene que hacer Darío y en qué orden.

- **a** abrir una cuenta corriente ☐
- **b** alquilar un coche ☐
- **c** alquilar un piso ☐
- **d** matricularse en la Universidad ☐
- **e** pasar una revisión médica ☐
- **f** solicitar el NIE ☐
- **g** solicitar el permiso de residencia ☐
- **h** solicitar la tarjeta sanitaria ☐

c ¿Sabrías explicar qué tramites tiene que hacer un estudiante extranjero para estudiar en tu país? Coméntaselo a tu compañero.

4 Pero si me dijeron que...

a Lee las viñetas. ¿Puedes completar el último bocadillo?

Lunes
Tiene que traerme una fotocopia compulsada de su matrícula y del NIE.
14
Martes
Traiga dos fotos de carné, pida una copia del contrato de alquiler a la propietaria de la casa y fotocopie la página de su libreta donde aparecen los datos de su cuenta corriente.
Miércoles
Vaya, le faltan aún algunas cosillas. Rellene este formulario, ponga todos sus datos en letra mayúscula y no olvide firmarlo y sacar dos copias. Llévelo todo mañana a la ventanilla 26.
14
Jueves
¿Y todos estos papeles para qué son? Solo necesito que me digas tu NIE y ya está...
26
Pero si su compañera me dijo que________

Referir órdenes dadas por otros

- En el **discurso directo**, el modo habitual de dar órdenes o instrucciones es el imperativo *(traiga, pida, rellene)*. También puede utilizarse una estructura con un verbo modal *(tiene que, debe)* o una perífrasis introducida por un imperativo negativo *(no olvide firmar, no salga sin cerrar la puerta)*.
- En el **discurso indirecto** se utiliza subjuntivo en las instrucciones que en discurso directo van en imperativo. Con verbos introductorios en pasado, *decía / dijo / ha dicho que*, tenemos dos opciones:

a) si consideramos que la orden o instrucción se puede realizar en el presente o en el futuro, utilizamos el presente:

*Me dijo que **rellene** este formulario y que se lo **lleve** mañana.*

b) si consideramos que la orden o instrucción solo podía realizarse en el pasado, utilizamos el imperfecto:

*Me dijo que **rellenara** un formulario y que se lo **entregara** antes de las 14h.*

Las construcciones con verbos modales se mantienen en indicativo:

*Me dijo que **tengo / tenía que** rellenar un formulario y llevarlo al Registro.*

b Vamos a volver a oír la conversación entre el secretario de la Oficina de Relaciones Internacionales y Darío y a tomar nota de las instrucciones que le da. Luego, lo ponemos en común con nuestro compañero. Fíjate en el ejemplo.

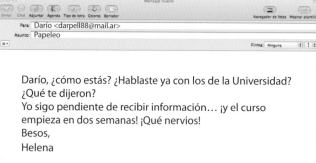

– solicitar el NIE en una comisaría

c Imagina que eres Darío y recibes un correo electrónico de Helena, una amiga tuya que va a hacer el mismo máster que tú, preguntándote por el curso. Con la información que has conseguido anteriormente, completa el correo que vas a mandar a Helena.

Mensaje nuevo

Enviar Chat Adjuntar Agenda Tipo de letra Colores Borrador Navegador de fotos Mostrar plantillas

Para: Darío <darpell88@mail.ar>

Asunto: Papeleo

Firma: Ninguna

Darío, ¿cómo estás? ¿Hablaste ya con los de la Universidad? ¿Qué te dijeron?
Yo sigo pendiente de recibir información… ¡y el curso empieza en dos semanas! ¡Qué nervios!
Besos,
Helena

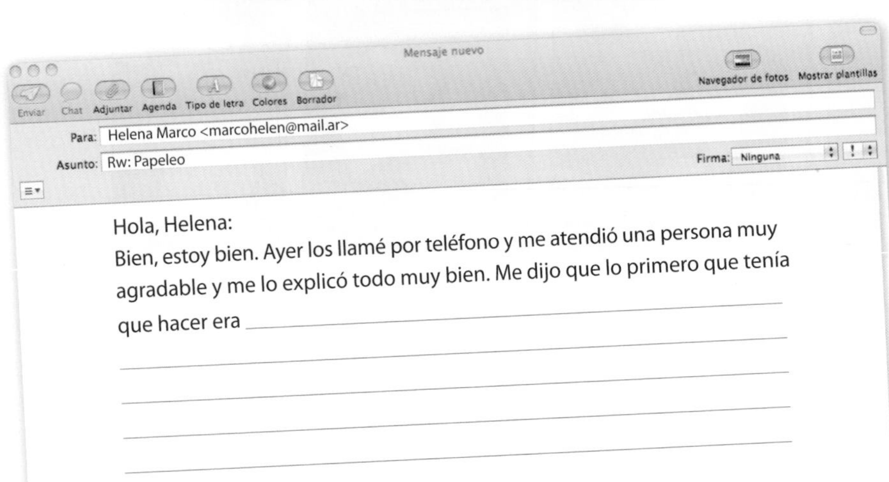

Mensaje nuevo

Enviar Chat Adjuntar Agenda Tipo de letra Colores Borrador Navegador de fotos Mostrar plantillas

Para: Helena Marco <marcohelen@mail.ar>

Asunto: Rw: Papeleo

Firma: Ninguna

Hola, Helena:
Bien, estoy bien. Ayer los llamé por teléfono y me atendió una persona muy agradable y me lo explicó todo muy bien. Me dijo que lo primero que tenía que hacer era ______________________

____

____

____

____

d Compara tu texto con el de un compañero. Elegid uno de los textos y añadid las modificaciones necesarias. Fíjate en los marcadores discursivos que tienes aquí al lado.

e Ahora, una pareja lee su versión. ¿Tenéis algún comentario o sugerencia? Entre toda la clase lo comentáis y escribís el texto definitivo.

Marcadores discursivos organizadores de la información:

- lo primero
- lo primero de todo
- antes de nada
- y luego ya
- por último

1 Foro de dudas

a ¿Conoces los Diplomas de Español Lengua Extranjera del Instituto Cervantes? ¿Qué sabes de ellos? ¿Has hecho alguno?

b En un foro de internet participan varias personas interesadas en presentarse al examen DELE. Lee las intervenciones. ¿Cuáles crees que pueden ser sus dudas? Coméntalo con tus compañeros.

Diplomas de Español Lengua Extranjera

Olivier Montero — 6 de mayo (18:32)

¡Hola! Soy Oli, un chico francés; nací en Calais, pero como mi padre es español, tengo la doble nacionalidad. En casa siempre hemos hablado francés, aunque es verdad que he pasado muchas vacaciones en España con mi familia. Ahora busco trabajo y por eso es importante para mí hacer este examen. (...) *Leer más*

Edik Vasiliev — 6 de mayo (10:04)

¡Muy buenas!
Me llamo Edvard, soy ucraniano y licenciado en Medicina. He homologado mis estudios en España, pero me falta pasar aún el examen de residentes y, por eso, me piden un certificado de español. (...) *Leer más*

Wei Cho — 3 de mayo (22:55)

Hola:
Soy una estudiante taiwanesa de Economía; estoy aprendiendo español y me interesa mucho este examen, sobre todo porque necesito acabar la carrera. (...) *Leer más*

Ferhat Alver — 26 de abril (11:22)

Hola a tod@s:
Mi nombre es Ferhat, soy turco y trabajo en una multinacional. Hace cuatro años que estudio español y este verano voy a hacer un curso intensivo en la Universidad de Salamanca. Quiero aprovechar la ocasión para hacer el examen DELE, porque he visto que hay una convocatoria en agosto. (...) *Leer más*

Luciana Guidotti — 26 de abril (10:05)

¡Buenas!
Yo quería haber hecho el examen de nivel C1 este año, pero se me pasaron las fechas (como siempre :P), así que tendré que esperar al año que viene... (...) *Leer más*

João de Asis — 22 de abril (19:20)

¿Cómo están?
Quería hacerles una pregunta. Verán, me he inscrito en el examen DELE para la convocatoria de mayo (el examen es justo dentro de tres semanas), pero acaba de salirme un viaje de trabajo justo para esos días y no lo puedo cancelar. En agosto tendría menos problemas para hacerlo, porque suelo tomarme vacaciones. (...) *Leer más*

c Fíjate en cómo continúa cada una de las intervenciones. ¿A quién pertenecen?

Nombre	Consulta
______	**1** El problema es que, como no conozco la ciudad, no sé dónde puedo examinarme (en una academia, en la universidad, etc.). ¿Alguien ha hecho este examen allí?
______	**2** No sé si podéis decirme cuántas convocatorias DELE hay, y si en todas las convocatorias se ofertan todos los niveles.
______	**3** Quisiera que me explicarais si hay algún problema para que me presente al examen, ya que en mi caso el español no es mi lengua materna.
______	**4** Quisiera saber si es posible anular la matrícula y si tengo derecho a la devolución del total o de parte de las tasas. ¡Muchísimas gracias!
______	**5** Si alguien sabe decirme si dan créditos universitarios por este examen, le estaré muy agradecida.
______	**6** Tal vez podríais indicarme qué nivel de español se exige para poder pasar mi examen y trabajar en un centro de salud u hospital. ¡Gracias!

d Aquí tienes parte de la normativa del Instituto Cervantes relativa al examen DELE. Busca la respuesta a las preguntas del foro y compara luego con tu compañero. No es necesario leer todo el texto, solo seleccionar la información más importante.

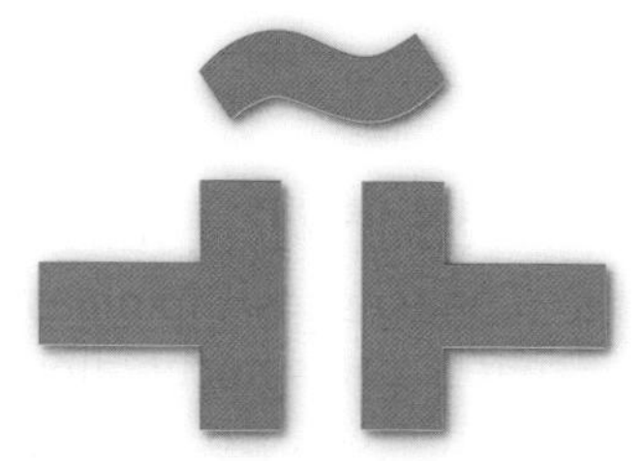

Reconocimiento internacional

Los Diplomas DELE están reconocidos a nivel internacional, y gozan de un gran prestigio, no solo entre instituciones y autoridades educativas públicas y privadas, sino también en el mundo empresarial y entre las cámaras de comercio. Son una garantía en la evaluación y valoración de las competencias lingüísticas en lengua española.

En muchos países, los DELE han sido adoptados por autoridades educativas y centros de enseñanza reglada como complemento a sus propios programas de evaluación. Son idóneos para facilitar la promoción laboral y el acceso a la educación tanto en España como en el resto de países donde se realizan las pruebas.

Si deseas obtener información sobre el reconocimiento de los Diplomas de Español en un país concreto, puedes contactar con los centros del Instituto Cervantes, con los centros de Examen en ese país o con el Instituto Cervantes.

Condiciones generales y requisitos

Los candidatos que deseen presentarse a los exámenes para la obtención de los Diplomas de Español como Lengua Extranjera deberán cumplir los siguientes requisitos:

1. Acreditar, en el momento de realizar la inscripción, su condición de ciudadanos de un país en el que la lengua española no sea lengua oficial.
2. Los ciudadanos de países hispanohablantes residentes en estados donde el español no es lengua oficial, podrán solicitar la inscripción si cumplen al menos dos de las siguientes condiciones:

- El español no es la lengua materna de alguno de sus progenitores.
- El español no es la primera lengua que aprendió.
- El español no es lengua de comunicación habitual.
- No ha cursado en español la totalidad o una parte de su educación primaria o secundaria.

Los candidatos a los que se refiere el apartado 2 anterior deberán declarar por escrito que cumplen al menos dos de las citadas condiciones. En este caso, el candidato debería rellenar y aportar con el resto de la documentación la declaración jurada disponible en el fichero adjunto al final de esta página.

Procedimiento de inscripción

La inscripción para las pruebas debe tramitarse a través de un centro de examen DELE dentro de los plazos establecidos para cada convocatoria. Para formalizar la inscripción para las pruebas es necesario aportar la siguiente documentación:

- Hoja de inscripción, que puede obtenerse en los centros de examen o a través de internet descargando el archivo adjunto al final de esta página, debidamente cumplimentado.
- Original y fotocopia de un documento de identificación con fotografía en el que consten los siguientes datos: identidad, nacionalidad, lugar y fecha de nacimiento. Los datos declarados por el candidato en la hoja de inscripción deberán corresponderse con los del documento de identificación.
- Documentación acreditativa de abono de los derechos de inscripción.
- Declaración firmada, según proceda, del cumplimiento de al menos dos de los supuestos descritos bajo el apartado 2 del epígrafe de Condiciones generales.

El Instituto Cervantes puede facilitar el acceso a las pruebas para la obtención de los Diplomas de Español como Lengua Extranjera en condiciones especiales a aquellos candidatos que, por estar en condiciones de confinamiento o por sufrir algún tipo de discapacidad, no puedan realizar dichas pruebas según las condiciones que vienen estipuladas en las instrucciones de administración de las mismas.

Documentación necesaria para realizar el examen

Los candidatos deben presentarse al examen provistos de:

1. Una copia sellada de la hoja de inscripción.
2. El pasaporte o el documento de identificación que hayan presentado en el momento de la inscripción.
3. La convocatoria oficial de examen, que habrán recibido del centro de examen.

Fechas de exámenes y plazos de inscripción

Se ha previsto la realización de tres convocatorias de examen, que tendrán lugar en los meses de mayo, agosto y noviembre, y que serán de aplicación en las condiciones y en los lugares que se especifican.

NOTA IMPORTANTE: El examen DELE B1-Escolar SOLO se administra en la convocatoria de mayo. En la convocatoria extraordinaria de agosto solo se administran los niveles B1, B2 y C2.

Se ruega consultar con los centros de los países sobre la disponibilidad de las pruebas.

Sanidad modifica los requisitos de competencia DELE

El Ministerio de Sanidad ha modificado los requisitos de nivel de competencia lingüística en español para los aspirantes a plazas de formación sanitaria especializada.

Desde el 26 de septiembre los aspirantes nacionales de estados cuyo idioma no sea el español deben acreditar el conocimiento suficiente del mismo mediante la presentación, entre otros documentos, del Diploma de Español (DELE) C1 o C2. **No se admitirá por tanto el DELE B2.**

Para más información puede consultar la Orden ministerial por la que se aprueba la convocatoria y visitar la web del Ministerio de Sanidad.

(Adaptado de *http://diplomas.cervantes.es/*)

e Busca en el texto sinónimos de las siguientes palabras.

1 padres ....
2 candidatos ....
3 enseñanza oficial ....
4 muy adecuados ....
5 demostrar ....
6 entregar / presentar ....
7 relleno / completo ....
8 coincidir ....
9 pago ....
10 establecidas / convenidas ....

CIERRE DE EDICIÓN

En grupos, vais a solicitar y dar información sobre las normas del centro donde estudiáis español y de un servicio público de una ciudad que os interesa.

PLANIFICA ▼

1 Vamos a dividir la clase en dos grupos; uno va a buscar y anotar las normas del centro donde estudiáis español (secretaría, biblioteca, etc.); el otro, las de un servicio público de la ciudad que os interesa (transporte, centro cultural, etc.). Aquí tenéis algunas ideas:

- **normas para obtener el carné joven / el carné de la biblioteca / el abono transportes...**
- **normas para ser socio de un club / de una asociación / de un polideportivo...**
- **normas para los usuarios de una mediateca / de un centro cultural...**

2 En grupos, leed las normas. Si están en español, aseguraos de que están claras. Si están en vuestro idioma, intentad traducirlas al español (no es necesario escribirlas, solo tomar nota de las palabras más difíciles o útiles).

ELABORA ▼

3 Ahora, en grupos, vais a decidir cuatro preguntas que queréis hacer sobre la información que tiene el otro grupo. Pensad en la situación de comunicación para elegir el estilo, los recursos lingüísticos, etc.

PRESENTA Y COMPARTE ▼

4 Formad parejas con miembros de los dos grupos para conseguir la información que necesitáis. Uno actuará como usuario del servicio; y el otro, como personal de Información.

- *Buenos días.*
- *Hola, buenos días. ¿En qué puedo ayudarle?*
- *Mire, estoy interesado en sacarme el carné de la biblioteca de la escuela, pero no sé qué tengo que hacer. ¿Tengo que traer algún documento?*
- *Sí, claro; necesita traer una fotocopia de...*

5 Ahora cambiad los roles.

6 Vamos a contar ahora a nuestro grupo la información que hemos obtenido.

Joanna me ha explicado cómo hace el carné de la biblioteca. Me ha dicho que le llevemos una fotocopia de...

REFLEXIONA ▼

7 Por último, vamos a evaluar la interacción:

- ¿Habéis conseguido la información?
- ¿Habéis sido capaces de mantener la conversación?
- ¿Qué dificultades o problemas han surgido?
- ¿Cómo podemos superar esos problemas?
- ¿Qué recursos de los que hemos trabajado en la unidad os han ayudado?

En esta unidad vas a elaborar una guía para estudiantes extranjeros en tu país. Entra en www.agenciaele.com para realizar esta actividad.

Fórmulas para pedir información, dar y recibir órdenes e instrucciones y pedir y dar consejos (cortesía verbal atenuadora)

En el ámbito público y de las relaciones entre ciudadanos e instituciones es habitual el intercambio de peticiones, órdenes e instrucciones para lograr los fines propuestos.

- Al entablar una conversación con un empleado público, lo habitual es usar fórmulas indirectas, que incluyen normalmente el condicional simple o el imperfecto de indicativo o subjuntivo:

  *Buenos días, **quería / quisiera** información sobre los programas de ayuda a jóvenes para comprar una vivienda.*
  *¿**Podría darme** información sobre las becas de comedor escolar?*

- Si la persona a la que queremos hacer una pregunta está muy ocupada, en su despacho, o está próxima la hora de cerrar, pedimos permiso, insistiendo en que vamos a ser breves:

  *¿Puedo hacerle **una preguntita**? **Solo quería saber** si...*
  ***Simplemente le quería preguntar** una cosa. ¿Puede atenderme cinco minutos, **si no es molestia**?*

- Por parte de quien nos atiende, es habitual el empleo del imperativo formal *(usted, ustedes)* cuando se trata de trámites necesarios:

  ***Dígame** su nombre y apellidos.*
  ***Rellene** este formulario y **entréguelo** en Registro antes del día 15 de este mes.*

- A la hora de negociar diferentes posibilidades –con sus ventajas y desventajas– lo habitual es el empleo del condicional o de formas impersonales para pedir y dar consejos:

  - *Entonces, ¿usted cree que **no debería matricularme** en esta asignatura?*
  - ***Sería mejor que esperaras** a ver si se va a ofertar en este curso. Recuerda que siempre **podrías ampliar** matrícula en febrero.*

- Es también muy frecuente que repitamos al interlocutor las indicaciones que nos ha dado, simplificándolas, para confirmar que las hemos comprendido, y que, después, recibamos algún tipo de comentario de aquel.

  - *Primero tiene que rellenar el impreso, luego puede ir a la copistería que hay aquí al lado y allí haga dos fotocopias. Por último, entregue todos estos documentos en la ventanilla 7.*
  - ***Entonces relleno el impreso, hago dos fotocopias y las entrego en la ventanilla 7, ¿sí?***
  - *Eso es. Y no olvide traer los originales del DNI y del libro de familia para que los puedan compulsar.*
  - *Muchas gracias.*

En tu lengua y tu cultura:

1 ¿Qué dirías tú en las distintas situaciones?

2 ¿Qué semejanzas y diferencias observas con el español?

3 Un final feliz

En esta unidad vamos a:

- **Hablar de nuestros deseos y sentimientos**
- **Dar consejos para alcanzar un objetivo**
- **Contar anécdotas sobre la vida de una persona**
- **Planificar nuestros objetivos futuros**
- **Reflexionar sobre los factores afectivos en la clase de español**

1 Momentos especiales

a Mira las siguientes imágenes. ¿Qué experiencias crees que están viviendo o que han vivido estas personas?

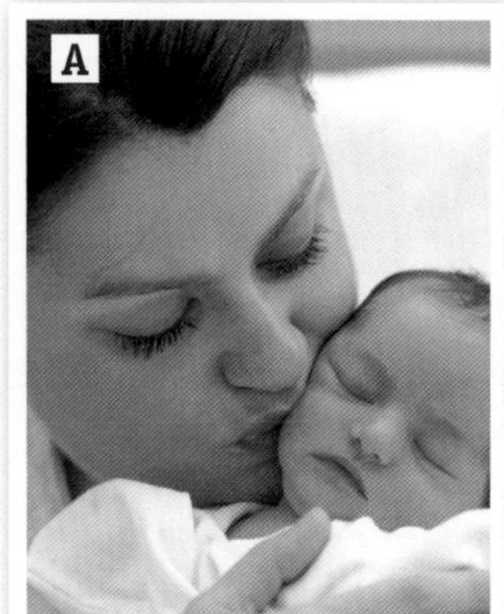

4-7 **b** Escucha los diálogos y relaciona cada conversación con una de las imágenes.

Conversación 1 ☐ Conversación 2 ☐ Conversación 3 ☐ Conversación 4 ☐

c Vuelve a escuchar las conversaciones y completa las tablas.

	¿Qué le ocurre / ha ocurrido?	¿Cómo se siente?
1		
2		
3		
4		

d Fíjate en los comentarios que les han hecho. ¿Con qué historia relacionas cada uno?

- **a** Espero que te adaptes pronto a tu nuevo trabajo. ☐
- **b** Ojalá le hayas gustado y quiera volver a verte. ☐
- **c** Me dio pena no haber ido al aeropuerto a despedirte. ☐
- **d** Me alegro de haberte llamado y de saber que estáis las dos tan bien. ☐

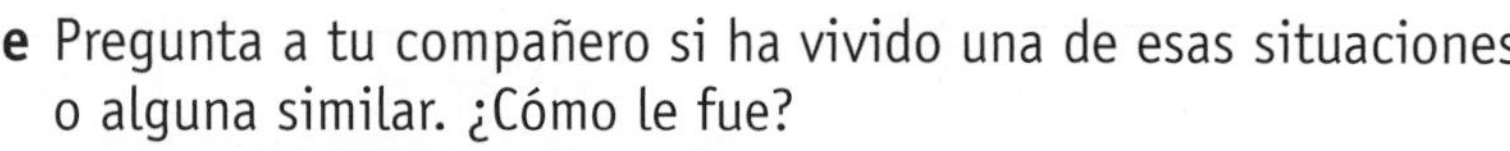

e Pregunta a tu compañero si ha vivido una de esas situaciones o alguna similar. ¿Cómo le fue?

Yo recuerdo que el primer día que empecé a trabajar...

2 Primer día en la universidad

Darío, el primo de Paloma, ha tenido un día muy especial. Lee el cómic y marca si las siguientes afirmaciones son verdaderas (V) o falsas (F).

	V	F
1 El profesor piensa que Darío es un poco raro.	☐	☐
2 Darío ha conocido a Lucía en la universidad.	☐	☐
3 Darío ha llegado pronto a casa.	☐	☐
4 Cuando Darío ha llamado por teléfono a Lucía, ella estaba durmiendo.	☐	☐
5 Darío y Lucía quieren volver a quedar.	☐	☐

Al final de la unidad...

Vas a contar una historia de superación personal.

Darío conoce a Lucía

Es el primer día de Darío en la universidad y allí conoce a Lucía.

1 Me alegro de haberte conocido

a Fíjate en las siguientes intervenciones de Darío y Lucía y completa la información que aparece más abajo.

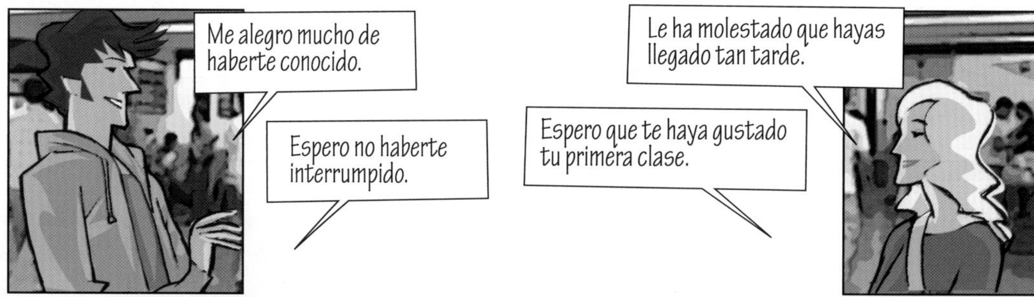
Me alegro mucho de haberte conocido.
Espero no haberte interrumpido.
Le ha molestado que hayas llegado tan tarde.
Espero que te haya gustado tu primera clase.

Para expresar deseos y sentimientos en el pasado usamos:

Infinitivo perfecto	
	trabajado
....	comido
	vivido

- Usamos el **infinitivo perfecto** cuando los dos verbos se refieren al mismo ....

  Me alegro (yo) *de haberte conocido* (yo).

Pretérito perfecto de subjuntivo		
yo	haya	trabajado comido vivido
tú	....	
él / ella / usted	haya	
nosotros/as	....	
vosotros/as	hayáis	
ellos / ellas / ustedes	....	

- Usamos el **pretérito perfecto de subjuntivo** cuando los verbos se refieren a diferentes ....

  Espero (yo) *que te haya gustado tu nueva clase* (tu nueva clase).

*

El **pretérito perfecto de subjuntivo** se usa en los mismos contextos que el presente de subjuntivo para referirnos a acciones pasadas con el verbo de la oración principal en presente o futuro. Observa:

- Expresar gustos y sentimientos:
  *Me gusta que vengas. / Me gusta que **hayas venido**.*
- Expresar deseos:
  *Espero que tengas suerte. / Espero que **hayas tenido** suerte.*
- Expresar opinión negativa:
  *No creo que sea así. / No creo que **haya sido** así.*
- Expresar valoración:
  *Es bueno que llueva. / Es bueno que **haya llovido**.*
- Expresar sucesión temporal:
  *Llámame cuando termines. / Llámame cuando **hayas terminado**.*

b Si un amigo te dice estas frases, ¿qué le contestas? Completa las respuestas.

1 ● Esta mañana operaban a mi cuñada, tengo que llamar a mi hermano a ver qué tal está.
  ■ Vaya, espero que ....

2 ● No sé si me dará tiempo de llegar a la cena, salgo tarde de la oficina y no tengo coche.
  ■ No te preocupes, empezaremos cuando ....

3 ● Hoy Inés estaba un poco rara, ¿sabes si le ha pasado algo?
  ■ No sé, quizá le ha molestado que ....

4 ● ¿Sabes dónde está Beatriz? Dicen que ha dimitido y que deja de trabajar.
  ■ No sé, pero no creo que ....

5 ● A mi hijo le han dado un premio en el colegio por sus buenas notas.
  ■ ¿De verdad?, ¡qué ilusión!, es genial que ....

6 ● ¿Qué? ¿Perdisteis ayer otra vez el partido? ¡Vaya equipo!
  ■ No pasa nada... No me importa que ....

c Darío lleva ya unos días en España. Lee los mensajes de su muro y escribe el verbo en infinitivo perfecto o *que* + pretérito perfecto del subjuntivo.

facebook Buscar personas, lugares y cosas — Darío — Buscar ar

Darío
Días de cambios… Todo es nuevo y familiar a la vez. Supongo que es necesario un tiempo de adaptación, pero confío en que todo vaya bien. ☺ — Hace 4 días

Cintia
¡Hola, cosita! Espero __________ **(llegar)** bien a España. Llamame cuando tengas un ratito. Te echamos mucho de menos. Un besito. Tu hermana que te adora. — Hace 2 días

Rosa
Oye, me dijeron que te habías ido para España y yo no sabía nada. Me choca mucho __________ **(no despedirse)** de mí, ¿estás enfadado? De verdad, siento __________ **(estar)** tan rara estos días, pero he tenido un montón de trabajo y estaba un poco estresada. Espero __________ **(no molestar, a ti)**. — Hace 2 días

Paloma
Primo, estoy encantada de __________ **(venir)** a España. Te tengo preparado un planazo para esta noche, te lo cuento cuando llegues a casa, ¿vale? Besos y suerte con las clases. — Hace 2 días

Sebastián
Hola, hijo, espero __________ **(recibir)** mi anterior mensaje, ya sabes que soy un desastre con la tecnología, pero al menos lo intento, ¿no? Mamá y yo estamos un poco tristes y nos preocupa mucho que estés tan lejos, así que, si puedes, llamá esta noche para que nos quedemos más tranquilos. Un beso. — Hace 2 días

Juan
¡Hola, chavalín! Realmente, me hace mucha ilusión __________ **(trasladarse)** a mi ciudad, ha sido un sorpresón. Llámame cuando estés instalado y salimos a tomar unas cañitas. — Hace 2 días

Lucía
Siento __________ **(el profesor llamarte la atención)** hoy en clase, ¡pobrecito! (aunque te lo tenías merecido ☺). Espero __________ **(no fastidiar, a ti)** mucho. Nos vemos mañana en clase. — Hace 2 días

Luis
Me da mucha pena __________ **(no ir)** a tu fiesta de bienvenida, pero estaba enfermo y no pude salir de la cama, ¡un rollazo! — Hace 2 días

8

d Sergio ha viajado a México y le ha sorprendido la forma que tienen de hablar allí. Escucha su conversación con Paloma y contesta a las preguntas.

1. Según Sergio, ¿qué tipo de terminaciones son comunes en México?; ¿en qué tipo de conversaciones se utilizan estas palabras?
2. Según Paloma, ¿qué terminaciones son comunes en Córdoba (Argentina)?; ¿en qué tipo de conversaciones se utilizan estas palabras?

Vuelve a escuchar la conversación y escribe los diminutivos y los aumentativos que se mencionan.

¿Existe este tipo de recursos en tu lengua? ¿Cómo traducirías algunas de las expresiones que has oído?

A menudo las palabras presentan un tipo de terminación especial que les da un nuevo significado. Estas terminaciones se pueden clasificar de la siguiente manera:

- **Diminutivos:** expresan que algo tiene un tamaño reducido. Asimismo, son típicos del lenguaje infantil y afectivo. En ocasiones, dependiendo del tono con que se usen, pueden resultar ofensivos. Las terminaciones más comunes son: *-ito, -illo, -ín (perr-ito, pel-illo, chiquit-ín)*.
- **Aumentativos:** expresan que algo tiene un tamaño grande o indican intensidad; pueden ser apreciativos (positivos) o despectivos (negativos), en función de la situación y del sustantivo. Las terminaciones más comunes son: *-ón, -azo (cabez-ón, oj-azos)*.
- **Despectivos:** indican desprecio o burla. Las terminaciones más comunes son: *-ajo, -ato, -ucho (pequeñ-ajo, niñ-ato, perr-ucho)*.

Estas terminaciones no se pueden aplicar a todas las palabras y algunas de ellas se usan con más frecuencia que otras. Por ejemplo, solemos decir *besito* y *besazo*, pero no **besacho* o **besón*. Las irás aprendiendo poco a poco a medida que vayas teniendo contacto con hablantes de español.

e Vuelve a mirar el muro y subraya los diminutivos, aumentativos y despectivos que encuentras. Después, compara con tu compañero.

f Divide un folio en ocho partes. Escribe en la primera fila tu nombre y deja un mensaje, como si fuera tu muro, contando algo que te ha pasado o que te está pasando, etc. Tus compañeros te responderán.

Tom:
Esta mañana he tenido un examen muy importante. Ayer estuve estudiando hasta las tantas...

2 ¿Qué te pasa?

a En español existen muchas expresiones verbales que hacen referencia a nuestros sentimientos. ¿Encuentras alguna en el muro de Facebook de Darío?

b Mira estas expresiones y clasifícalas según el tipo de sentimiento que expresan. ¿Puedes añadir otras al cuadro?

Me da pánico · Me choca · Me extraña · Me asusta · Estoy encantado de · Me hace ilusión · Me da rabia · Me indigna · Me fastidia · Me da pena · Me deprime · Me da lástima

ALEGRÍA	SORPRESA	MIEDO	TRISTEZA	ENFADO

c ¿Qué sientes en estas situaciones? Compara tus respuestas con las de tu compañero.

1 Llevas varios días intentando quedar con un amigo, pero él siempre te da una excusa.
Me da rabia que no me haya llamado.
2 Tienes un coche nuevo y en tu primer viaje se estropea en una carretera muy poco transitada.
3 En la calle te has encontrado 100 euros.
4 Tu compañero no ha ido a trabajar hoy y tienes que hacer el trabajo de los dos.
5 Acabas de llegar a casa. Ves que todo está muy desordenado y hay una ventana abierta.
6 Has ido al médico a recoger un análisis y te ha dicho que estás muy bien de salud.
7 Intentas sacar dinero de un cajero automático, pero no funciona.
8 Tu hijo ha aprobado un examen final, pero tú le has visto estudiar muy poco los últimos días.

d Los sentimientos son difíciles de transmitir, por eso los idiomas poseen varios recursos para poder expresarlos. Fíjate en cada grupo de palabras y tacha la que exprese un sentimiento diferente.

A		B		C		D		E	
alegría	☐	miedo	☐	sorpresa	☐	pena	☐	enfado	☐
euforia	☐	nostalgia	☐	asombro	☐	animación	☐	enojo	☐
satisfacción	☐	terror	☐	diversión	☐	tristeza	☐	disgusto	☐
apuro	☐	angustia	☐	ilusión	☐	melancolía	☐	irritación	☐
entusiasmo	☐	pavor	☐	desconcierto	☐	aflicción	☐	fascinación	☐

Ahora ordena los sustantivos de cada grupo en orden de intensidad, de mayor (1) a menor (4).

e En parejas, vais a tener que representar estas situaciones. Elegid vuestro papel (Alumno A o Alumno B) y pensad bien qué le vais a decir a vuestro compañero. No olvidéis usar las expresiones que hemos aprendido en la unidad.

SITUACIÓN 1

Alumno A Tu mejor amigo/a se ha marchado a estudiar a otra ciudad y lo / la echas de menos. Estás muy preocupado/a porque lleva una semana sin dar noticias. Llámalo/a por teléfono.

Alumno B Has empezado a estudiar en la universidad, estás muy estresado/a porque tienes muchas cosas que hacer y todo esto es nuevo para ti. Se te ha olvidado llamar a tus amigos durante la última semana. Recibes una llamada de uno de ellos.

SITUACIÓN 2

Alumno A Llevas mucho tiempo desempleado, hoy has tenido una entrevista, es una empresa importante y parece que todo ha ido bien. Un amigo/a te llama para preguntarte.

Alumno B Un amigo/a ha tenido esta mañana una entrevista de trabajo. Lleva mucho tiempo sin empleo y está muy desanimado. Llámalo/a por teléfono y pregúntale cómo ha ido la entrevista.

3 Nuevos retos

a En tu opinión, ¿eres una persona soñadora o conformista? ¿Te gusta asumir riesgos? Haz este test y lo sabrás.

1 ¿Te consideras una persona optimista?

a) Sí, a veces soy demasiado optimista y me hago demasiadas ilusiones.
b) Depende de la situación, pero en general me considero una persona realista.
c) No, soy muy pesimista, siempre espero lo peor, no lo puedo evitar.

2 ¿Te asusta asumir nuevos retos?

a) No, al contrario, necesito siempre tener nuevos retos y pongo todo mi esfuerzo en realizarlos con éxito.
b) Me gusta tener algún nuevo reto, pero no demasiados. Para mí, la vida no es una competición.
c) Me asustan los retos, siempre creo que no voy a superarlos, aunque muchas veces consigo realizarlos y me siento muy feliz.

3 ¿Estás dispuesto a cambiar de país o ciudad si te ofrecen un buen trabajo?

a) Sí, por supuesto, me encantaría poder trabajar en otro lugar.
b) No sé, me lo tendría que pensar. Creo que aceptaría si la oferta económica fuera muy buena.
c) No, no podría separarme de mi familia y mis amigos.

4 ¿Cómo te sientes cuando llegas a un lugar por primera vez?

a) Me encanta llegar a sitios nuevos y conocer gente diferente.
b) Al principio me siento un poco extraño, pero pronto empiezo a hablar con la gente.
c) Soy muy tímido y lo paso fatal en estas situaciones.

5 ¿Qué esperas de tu futuro?

a) Espero trabajar en una gran empresa, tener un buen coche y viajar mucho.
b) Sueño con una vida tranquila, no trabajar mucho tiempo y ganar el dinero suficiente para vivir.
c) No me gusta imaginar mi futuro, cada vez que pienso en mi futuro me da un ataque de nervios.

Mayoría de respuestas a: eres todo un soñador, no te dan miedo los nuevos retos y tienes confianza en tus posibilidades; sin embargo, tienes que tener cuidado con el exceso de optimismo porque en la vida también hay que saber enfrentarse a los fracasos.

Mayoría de respuestas b: eres una persona con los pies en la tierra, te dan miedo ciertas situaciones, pero sabes afrontarlas con seriedad y valentía. Con esos planteamientos seguro que tendrás éxito en el futuro, pero recuerda que a veces también es importante arriesgar.

Mayoría de respuestas c: necesitas mejorar la confianza en ti mismo, no conseguirás alcanzar tus metas hasta que no te des cuenta de todas tus virtudes. No pienses solo en tus puntos negativos, seguro que tienes muchas cosas buenas que la gente está deseando que compartas.

b ¿Estás de acuerdo con los resultados del test? ¿Crees que debes cambiar en algo? Coméntalo con tu compañero.

Pues, yo creo que soy una persona soñadora, pero también necesito sentir seguridad...

c A continuación, te mostramos una serie de consejos para lograr tus objetivos en la vida. Léelos y escribe un consejo a partir de lo que has leído en el texto.

1 Un amigo tiene miedo de afrontar una nueva situación.
Piensa en todas aquellas cosas que has conseguido en tu vida.

2 Un conocido ha cometido un error.
....
....

3 Un vecino tuyo quiere tener éxito en un proyecto que está desarrollando.
....
....

4 Un compañero está harto de que los demás le den consejos.
....
....

5 A tu mejor amigo le van muy mal las cosas.
....
....

6 Un familiar lleva años luchando para alcanzar su objetivo y finalmente lo ha conseguido.
....
....

7 Tu novio/a solo vive de los recuerdos.
....
....

Guía para alcanzar tus metas

Si quieres lograr tus objetivos, hay una serie de consejos que nunca puedes olvidar:

- El verdadero éxito no llega **hasta que** no hayas decidido que vas a luchar duramente por él. No te lo pienses más y empieza a luchar por aquello en lo que crees, no importa con quién tengas que enfrentarte.
- Es muy importante mantener un pensamiento positivo. **Cuando** todas las puertas se cierren, piensa que en algún momento se volverán a abrir.
- No tengas miedo de cometer errores. El éxito llega **después de que** hayas fracasado muchas veces.
- Piensa que siempre tienes que avanzar. **Cuando** miras al pasado, el futuro se escapa. Solo los perdedores sienten nostalgia.
- **Antes de** empezar un proyecto, debes creer que eres capaz de realizarlo. Lo más importante es confiar en ti mismo, no dejes que nada ni nadie destruya esa confianza. Tampoco aceptes los consejos de los demás, tu opinión es la única importante.
- **Cada vez que** tengas miedo a hacer algo, piensa en todas aquellas cosas que has conseguido en tu vida, ¿por qué esta vez va a ser distinto?
- **En cuanto** sientas que has conseguido lo que buscabas, párate y disfrútalo. Los buenos momentos pasan muy rápido y hay que saber vivirlos.

d Ahora fíjate en las frases extraídas de la guía e intenta completar las siguientes reglas.

Antes de / Después de + ______________ (los sujetos de las oraciones son el mismo)
*Antes de **empezar** un proyecto, debes creer que eres capaz de realizarlo.*

Antes de que / Después de que + ______________ (los sujetos de las oraciones son distintos)
*El éxito llega después de que **hayas fracasado** mil veces.*

Cuando / Tan pronto como* / En cuanto / Hasta que / Mientras / Cada vez que / Siempre que / Una vez que
- + ______________ (cuando se refiere a un momento en el futuro)
*En cuanto **sientas** que has conseguido lo que buscabas, párate y disfrútalo.*
- + ______________ (cuando se refiere a un momento en el presente o en el pasado)
*Cuando **miras** al pasado, el futuro se escapa.*

*Tan pronto como = En cuanto

e Lee el correo electrónico que escribe Carmen a su amigo Víctor y completa los espacios con los conectores que aparecen en el recuadro.

hasta que • mientras • tan pronto como • cada vez que • cuando • después de • antes de

Para: **Victor@mail.com**

Asunto: **Tu opinión**

☑ **Fotos.zip (152 KB)**

Adjuntar un archivo

Hola, Víctor:

Como ya sabes, hace mucho tiempo que le estoy dando vueltas a la idea de montar un pequeño negocio y creo que ha llegado el momento. Para mí, tu opinión es muy importante, así que no quería empezar todo este cambio [1] __________ tú me dieras tu punto de vista.

[2] __________ que entremos en más detalles, déjame que te cuente cómo surgió la idea. Desde hace mucho tiempo estoy descontenta en mi trabajo porque me da mucha rabia que no me hayan dado ninguna oportunidad para poder demostrar mis capacidades. Esta situación ha hecho que tenga muy poca motivación y, últimamente, me he sentido muy frustrada. Sin embargo, he seguido durante todos estos años porque es un trabajo fijo y el salario no está mal. El momento crítico fue el día que despidieron a Sonia, mi compañera durante todos estos años; el jefe apareció ese día pronto en la oficina y, sin más, le dijo que estaba despedida. No sabes cuánto me fastidia que la hayan echado de un día para otro, sin previo aviso y sin ningún tipo de consideración, me parece indignante. [3] __________ Sonia salía por la puerta, yo empecé a pensar que esto también me podía pasar a mí. Era el momento de empezar a buscar mi propio camino y hacer aquello que quería.

El negocio que quiero montar es un pequeño restaurante en la costa, siempre que me concedan el préstamo; si no, tendría que plantearme otra cosa. Llevo toda la semana buscando locales por la zona de Cádiz porque [4] __________ cobre el dinero de mi empresa, quiero empezar con la decoración del local. [5] __________ haber buscado mucho, he encontrado un lugar maravilloso junto a una playa espectacular. [6] __________ pienso en lo fantástico que es el lugar, me emociono. Te mando las fotos para que le eches un ojo y me digas qué te parece. Bueno, y [7] __________ tenga el local, empezaré a buscar proveedores para las bebidas y las comidas. Por cierto, ¿sigues en contacto con Guillermo? ¿Él era proveedor, verdad? Si es así, mándame su teléfono para que pueda ponerme en contacto con él.

Durante toda esta semana solo puedo pensar en lo feliz que sería si saliera bien este proyecto. Me imagino en mi restaurante, contemplando la puesta de sol en la playa, charlando con los clientes habituales del negocio y pensando con qué comida les voy a sorprender al día siguiente.

En fin, no sé qué te parece a ti toda esta idea, ¿crees que es una locura? Escríbeme pronto y dime qué te parece.

Muchos besos

Carmen

f Contesta el mensaje de Carmen. Explícale qué te parece su proyecto y dale algún consejo que le pueda ser de utilidad. No olvides incluir los conectores aprendidos en esta sección.

g Para que nuestra clase funcione mejor, vamos a crear una serie de normas que intentaremos seguir a partir de ahora. Escribe tu propuesta completando las frases que aparecen a continuación. Al final votaremos qué normas nos gustan más y las escribiremos en el tablón de la clase.

1 … antes de que el profesor…
2 … siempre que un compañero…
3 … cada vez que yo…
4 … hasta que no…
5 … mientras que…
6 … después de que la clase…

Antes de que el profesor entre en la clase, pondremos nuestras sillas formando un círculo. / Pondremos nuestras sillas formando un círculo, antes de que el profesor entre en la clase.

1 Finales felices

a A continuación te mostramos tres historias de personas que han conseguido superarse, a pesar de las dificultades. Vamos a trabajar en grupos de tres: cada uno de vosotros leerá una historia y completará el cuadro correspondiente en la página siguiente.

Manuela Carpio

La historia de Manuela demuestra que nunca es tarde para alcanzar nuestros sueños. Su madre murió cuando ella tenía ocho años, así que pasó su infancia cuidando de sus cuatro hermanos pequeños y ayudando en el campo. Antes de cumplir diez años, tuvo que dejar la escuela para ocuparse de la casa.

A los 19 años, se casó con Esteban, su vecino. Tuvo también cuatro hijos a los que crio. Siguió trabajando en el campo y por las tardes iba a casa de su padre para echarle una mano. Pese a todo, a Manuela no le gusta quejarse: "Ha sido una vida dura, pero me han dado mucho cariño a cambio", nos confiesa.

El momento más difícil fue hace quince años: tenía 60 años cuando su marido y uno de sus hijos murieron en un accidente de coche. Durante dos años estuvo encerrada en casa, no quería ver a nadie. Fue su hija Inés la

que tuvo la idea de matricularla en un centro de estudios para adultos: sabía que siempre había querido estudiar. Manuela empezó a asistir a las clases y pronto sorprendió a todos. En menos de diez años, completó todos los niveles educativos y se licenció en Historia del Arte. Dice que le gusta haberse convertido en un ejemplo para las personas de su edad y espera que en el futuro haya más mujeres que sigan su camino. Su actividad es inagotable: en cuanto termine con un proyecto que está realizando para el museo histórico de su localidad, quiere escribir su autobiografía y que la gente, cuando la lea, sepa que los deseos se pueden cumplir a cualquier edad.

Ahmed Ben Eslam

Ahmed nació en un pequeño pueblo del Sáhara. La vida era muy dura allí, por lo que sus padres decidieron atravesar el desierto, rumbo a Europa, en busca de un futuro mejor. Sin embargo, el precio que pagaron fue muy alto: la arena del desierto enfermó los ojos del pequeño Ahmed y, cuando llegó a Cádiz, estaba completamente ciego.

La nueva ciudad se convirtió en una jungla de obstáculos, pero todo cambió el día que Ahmed se encontró con Tomás Hernández mientras jugaba en la playa con uno de sus hermanos. Tomás se quedó impresionado con la ilusión y energía del niño. Viendo la fascinación por el agua que tenía, lo invitó a asistir a las clases de natación infantil de su club y pronto descubrieron que tenía un talento innato. "Para Ahmed, el agua es un símbolo de libertad, allí no encuentra los obstáculos con los que tropieza a diario", dice Tomás.

Confiesa que le molesta que en ocasiones hayan dudado de él, pero eso le ha ayudado a seguir luchando. Hoy en día, Ahmed vive en Madrid, ha ganado tres medallas de oro en diferentes competiciones y su sueño ahora es participar en las próximas olimpiadas representando a España. "Una vez que consiga la medalla olímpica, habré realizado mi sueño", dice ilusionado. Desde aquí queremos desearle lo mejor y esperamos verlo muy pronto en el pódium.

Alfonso Jiménez

Nadie podía presagiar el gran éxito de Alfonso Jiménez cuando salió de su México natal. Su vida fue un continuo trabajar, hasta que a los diecinueve años montó su primer negocio, una pequeña tienda de comestibles. En poco tiempo, amplió su negocio y abrió una pequeña empresa de distribución. Las cosas marcharon bien al principio, pero al cabo de dos años las ventas bajaron y, endeudado, tuvo que cerrar. "Fue un momento duro -nos asegura- pero creo que esa experiencia fue decisiva, supe analizar mis errores y entender el camino que debía tomar".

Casi sin dinero y con dos hijos a los que alimentar, decidió emigrar a EE.UU. y probar suerte allí. Los comienzos fueron difíciles, "no sabía el idioma y la situación laboral para un inmigrante es siempre complicada", recuerda. Se matriculó en un curso para nuevos emprendedores, asistía a clases de inglés y por las noches trabajaba en una cadena de hamburguesas. Con la ayuda de uno de sus profesores, montó un negocio de producción y distribución de alimentos típicamente mexicanos. En un par de años ya distribuía sus productos a más de cien restaurantes y supermercados y a día de hoy se ha convertido en uno de los más grandes distribuidores de productos mexicanos en EE.UU.

Cuando se le pregunta por su futuro, responde con una sonrisa: "Solo necesito tiempo libre, quiero devolverle a mi familia el tiempo que no les pude dar antes. Me da pena no haber visto crecer a mis hijos y espero que eso no ocurra con mis nietos. Cada vez que piensen en mí, quiero que se acuerden de su abuelo, no de un empresario de la hostelería".

Manuela Carpio	Ahmed Ben Eslam	Alfonso Jiménez
Deseo	Deseo	Deseo
....	....	....
Dificultades	Dificultades	Dificultades
....	....	....
En el futuro quiere...	En el futuro quiere...	En el futuro quiere...
....	....	....

b Completa ahora las otras dos tablas con la información que tienen tus compañeros. Luego, leed los textos para comprobar.

c Imagina que han pasado diez años desde que se publicaron estas historias. Junto con los compañeros que han trabajado tu mismo personaje, comenta qué le puede haber sucedido.

- la situación actual del personaje; si ha superado o no los retos que se planteó (cuándo, cómo, por qué...); nuevos planes de futuro.

CIERRE DE EDICIÓN

Vas a contar una historia de superación personal.

PLANIFICA ▼

1 Ahora vas a escribir la historia de una persona. Puedes tomar como referencia a alguien que conozcas y que haya vivido una situación parecida a las presentadas en la sección anterior. También puedes inventarte la historia. ¿Qué objetivo tenía?

- Montar un negocio
- Hablar español perfectamente
- Cambiar de trabajo
- Vivir en otro país

ELABORA ▼

2 Reflexiona sobre cómo llegó a conseguir su objetivo. Contesta a las preguntas.

Cambio que quería conseguir
- ¿Por qué quería este cambio?
- ¿Cómo surgió la idea?
- ¿Cómo se sentía?

Pasos que tuvo que dar para conseguirlo
- ¿Crees que le fue fácil conseguirlo?
- ¿Qué dificultades aparecieron?
- ¿Qué debió cambiar en su vida?

¿Cómo fue su vida una vez que lo consiguió?
- ¿Qué desafíos se planteó?
- ¿Qué dejó de hacer?

3 Redacta un texto donde se cuente cómo consiguió su objetivo. Cuando lo termines, entrégaselo a tu profesor.

PRESENTA Y COMPARTE ▼

4 El profesor te entregará uno de los textos de tus compañeros. Léelo e intenta adivinar quién lo ha escrito. Por último, escríbele tu opinión y el consejo que le darías a esa persona para su futuro.

En esta unidad vamos a ilustrar un relato autobiográfico con imágenes de Pinterest.
Entra en www.agenciaele.com para realizar esta actividad.

Factores afectivos en clase de español

1 Un grupo de alumnos nos ha contado cómo se siente a veces en clase de español. ¿Has tenido alguna vez sentimientos como estos?

Algunas veces me falla la confianza en mí misma. Creo que sé poquísimo y me parece que todo el tiempo invertido estudiando no ha servido para nada.
A veces me siento muy desmotivado. No sé para qué estoy estudiando español. Se me quitan las ganas de practicar.
Algunas situaciones me producen muchísima ansiedad. Tengo tanto miedo de cometer errores que prefiero no hablar…

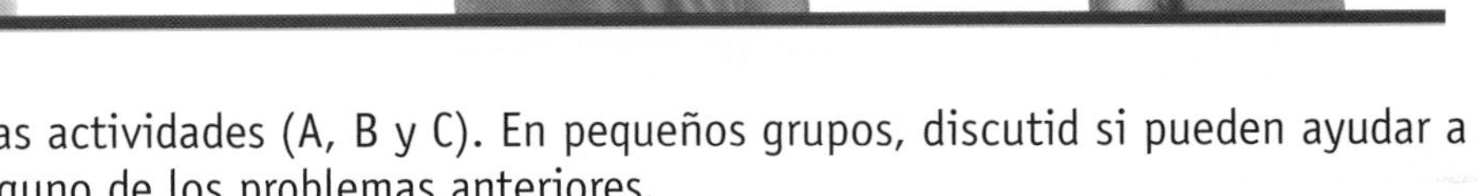

2 Fíjate en estas actividades (A, B y C). En pequeños grupos, discutid si pueden ayudar a solucionar alguno de los problemas anteriores.

A Enumera las ventajas de usar el español para resolver problemas concretos en la vida real, así como las posibilidades que se te abren con el aprendizaje de español y / o con la obtención de un certificado (DELE).

B Lee un texto en español y subraya en él todo lo que entiendes.

Los aspectos afectivos juegan un papel funda mental en el aprendizaje de una lengua extran jera. Todos los estudiantes de lenguas tienen al guna vez sentimientos de ansiedad al tener qu expresarse en una lengua nueva, ideas negativa sobre sus capacidades e incluso dudas sobre l utilidad de lo aprendido, etc. La clase puede se un espacio adecuado para hablar con los compa ñeros y el profesor sobre nuestros sentimientos compartir con ellos las situaciones que nos ge neran ansiedad, pedir ayuda cuando nos falla l motivación, etc.

C Vamos a compartir nuestros éxitos como hablantes de español. Lee esta breve anécdota que nos ha contado Jamie y cuéntanos una historia similar.

El otro día estaba tomando algo con un grupo de amigos españoles y me apeteció contarles un chiste. Dudé un poco porque en español los chistes me salen fatal. Pero, al final, me decidí y... ¡menudo éxito! Se rieron un montón y hasta me pidieron otro...

3 ¿Cuál de las tres actividades anteriores te resulta más atractiva y más necesaria para tu aprendizaje? Elígela y hazla. Comenta con tus compañeros por qué la has elegido y si te ha resultado útil.

4 Escribe en el globo de la derecha un sentimiento parecido a los de la actividad **1** que tengas o hayas tenido alguna vez.

5 Comparte esa dificultad con tus compañeros. Pensad ideas que os puedan ayudar.

4 De buen rollo

En esta unidad vamos a:

- **Hablar sobre el carácter de una persona y su estado de ánimo**
- **Expresar posibilidad y probabilidad**
- **Expresar certeza e incertidumbre sobre un acontecimiento**
- **Reaccionar ante un comentario en una conversación**
- **Halagar**
- **Reflexionar sobre la atenuación de las opiniones**

1 La cara es el espejo del alma

a Fíjate en las siguientes imágenes y comenta las preguntas con tu compañero.

- ¿Cómo crees que son estas personas?
- ¿Cómo crees que se sienten en este momento?
- ¿Crees que puedes decir cómo es una persona simplemente con mirarla a la cara?

b Relaciona estas palabras con la parte de la cara a la que se refieren.

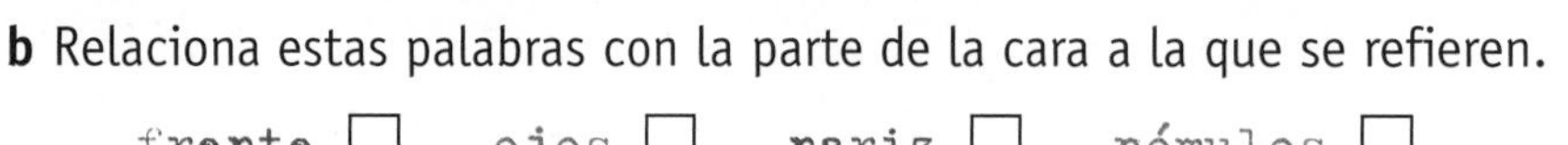

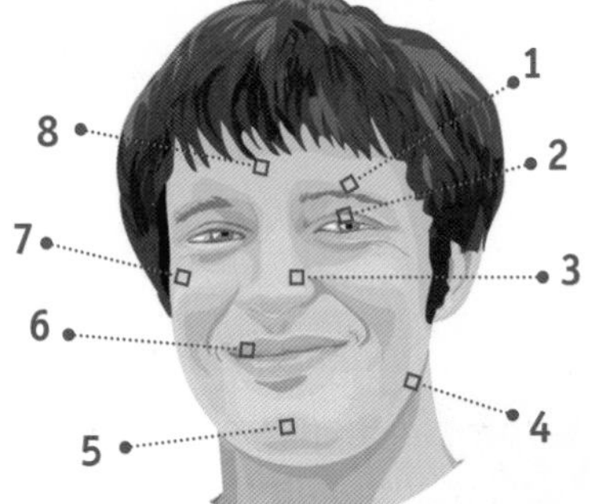

c Lee el texto y subraya los rasgos de carácter que se relacionan con cada parte de la cara.

La morfopsicología es una disciplina según la cual podemos saber cómo es una persona con solo mirarla a la cara. A continuación señalamos los rasgos más destacados y su interpretación.

Partes de la cara. La cara se divide en tres secciones: la parte superior (frente y ojos) se corresponde con la zona cerebral, la parte media (nariz y pómulos) se relaciona con la zona afectiva y la parte baja (boca, barbilla y mandíbula) es la zona instintiva. Dependiendo de qué parte predomine más de la cara, nos encontraremos con diferentes personalidades. Una parte superior predominante es señal de que nos hallamos ante una persona cerebral y reflexiva. Si observamos que la parte central tiene mayor extensión, sabremos que la persona es más afectiva y sensible. Por último, una parte baja más desarrollada es típica de personas intuitivas y pasionales.

Forma de la cara. Un rostro ancho y redondeado suele corresponderse con personas sociables, a las que les gusta rodearse de gente, aunque son muy influenciables y pasivas. Por el contrario, las caras finas y contraídas se relacionan con personas más individualistas, a veces introvertidas, pero con una gran capacidad de liderazgo.

La boca. La boca aporta mucha información personal. Una boca con labios gruesos es típica de una persona generosa, sensual, a la que le gusta gozar de los placeres de la vida. Por el contrario, una boca de labios finos indica que nos encontramos ante una persona detallista, ahorradora, con capacidad de administración y de adaptación a diferentes situaciones. Cuando el labio superior es más grande, la persona es más espiritual e idealista; mientras que aquellos que tienen el labio inferior predominante son más materialistas o están más interesados en las realidades concretas.

La nariz. Según su tamaño, podemos distinguir dos tipos básicos de nariz: la nariz larga es propia de personas soñadoras y pacientes; en cambio, la nariz pequeña se suele dar en personas prácticas y nerviosas. Si la punta de la nariz señala hacia arriba, sabremos que nos encontramos ante alguien autoritario, pero si la nariz se proyecta hacia abajo, la persona tendrá un carácter apasionado. Cuando los agujeros de la nariz son visibles, la persona está abierta a los sentimientos y nos será fácil entablar relación con ella. Unos agujeros no visibles a primera vista indican un carácter introvertido y precavido.

d ¿Coincide lo que dice la morfopsicología con tu verdadero carácter? Coméntalo con tu compañero.

Bueno, según el texto soy una persona individualista e introvertida, y a mí no me parece que sea así, porque siempre estoy con alguien: mi pareja, mis amigos...

e Vuelve a mirar las imágenes de la actividad **a** y escribe un pequeño texto sobre el carácter de esas personas basándote en el texto que acabas de leer.

f Rocío ha encontrado en internet a Edu, un antiguo amigo del instituto. Lee el cómic. ¿Qué sabe Rocío sobre la vida de Edu? ¿Cómo imagina su vida?

Al final de la unidad...

Vas a buscar en internet a un amigo que hace años que no ves y vas a contactar con él.

Rocío busca a un antiguo compañero del instituto en internet.

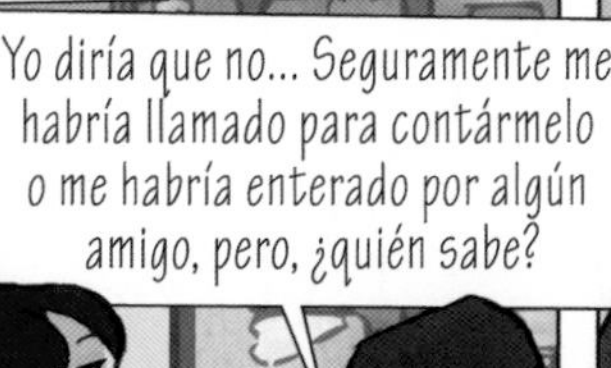

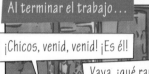

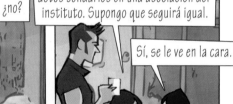

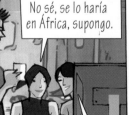

1 ¿Qué será, será?

a Lee el cómic y decide cuál de estas tres personas puede ser Edu.

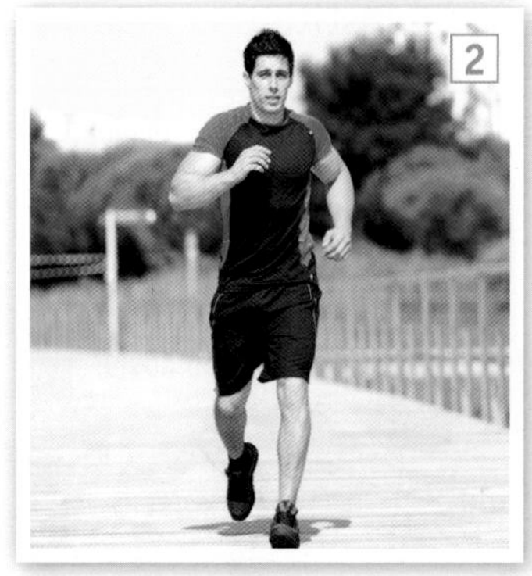

b Las frases de la columna de la derecha aparecen en el cómic. Completa los espacios de la tabla con los tiempos verbales que faltan.

Los hechos se presentan como algo real	Los hechos se presentan como algo posible o probable
Está *allí.* (Presente de indicativo)	***Estará*** *allí.* (Futuro simple)
Ha tenido *una vida muy interesante.* (____________________)	***Habrá tenido*** *una vida muy interesante.* (Futuro compuesto)
Se lo ***hizo*** *en África.* (____________________)	*Se lo* ***haría*** *en África.* (Condicional simple)
Me ***había enterado*** *por un amigo.* (____________________)	*Me* ***habría enterado*** *por algún amigo.* (Condicional compuesto)

c Así imagina Rocío la vida de Edu. Escribe una frase para cada imagen.

....
....
....

....
....
....

....
....
....

d Lee estas situaciones. ¿Qué piensas en cada caso? Díselo a tus compañeros.

1 Llegas a una reunión familiar, pero nadie te saluda, sus caras están serias y te miran raro.
¿Habré llegado tarde? *¿Estarán enfadados?* *¿Qué habrá pasado?*
2 Tu pareja salió ayer de viaje. Te dijo que te llamaría al llegar, pero aún no te ha llamado.
3 Sales de casa y hay muchos periodistas en tu puerta.
4 Últimamente, tu vecino te mira muy fijamente y sonríe de manera muy extraña.
5 Encuentras a una persona por la calle que te saluda muy efusivamente y te pregunta por tu familia, pero tú no sabes quién es.
6 Cuando entraste en la oficina, tu jefe fue rápidamente a saludarte de manera muy cordial, su cara estaba muy sonriente y te dijo que hoy tenía que hablar contigo.
7 Llegas a tu clase de español, pero el aula está vacía. Esperas un rato, pero no llega nadie.

e Aquí tienes algunas estructuras para expresar probabilidad. Busca ejemplos de estas y otras estructuras en el cómic y escríbelos en tu cuaderno.

GRADO DE PROBABILIDAD	EXPRESIONES	MODO VERBAL
ALTA (seguridad, certeza)	*Seguro que* *Me imagino que* *Supongo que* *Seguramente* *Para mí* *Yo diría que*	+ INDICATIVO
MEDIA (probabilidad)	*Es probable / posible que* *Puede ser que*	+ SUBJUNTIVO
BAJA (posibilidad)	*Quizá(s)* *Tal vez* *Probablemente / Posiblemente*	+ INDICATIVO (es más probable) + SUBJUNTIVO (es menos probable)

f Carmen no ha llegado a trabajar todavía. Lee los diálogos y completa las frases con el verbo en la forma adecuada.

- Recuerda que debemos usar el subjuntivo en pasado cuando queremos referirnos a una acción en el pasado.

  No sé dónde tengo la cartera. → *Es probable que me la* ***haya dejado / dejara*** *en casa.*

- Las expresiones que llevan indicativo pueden combinarse con los tiempos del futuro y del condicional para reforzar el sentido de probabilidad.

  Seguro que está en casa. → *Seguro que* ***estará*** *en casa.*

1
Carmen no ha llegado todavía, ¿qué le habrá pasado (pasar)?
Paloma

2
No sé, es posible que .... (encontrarse) con un atasco, había mucho tráfico esta mañana.
Carlos

3
Quizá .... (estar) enferma, ayer tenía mala cara.
Miquel

4
Bueno, no os imaginéis esas cosas, a lo mejor .... (ir) al banco y simplemente llega más tarde.

5
Es posible que .... (ser) estrés, lleva una semana con muchísimo trabajo.

6
Sí, o puede ser que .... (quedarse) dormida o tal vez .... (tener) una reunión con los directores. No hay que alarmarse.

7
Seguramente .... (llegar) en breve, así que empecemos a trabajar ya, que hay muchas cosas que hacer.

g Lee estos titulares publicados recientemente. ¿Qué crees que pudo pasar en cada caso? Completa las frases y compara tu respuesta con tus compañeros.

1 *Una camarera recibe 12 000 dólares de propina.*

2 Una pareja se encuentra con un cocodrilo en un parque de Extremadura.

3 *Un asteroide podría colisionar con la tierra en 2040.*

4 Un niño sobrevive tras quedarse solo en un bosque durante tres días.

5 Un ciudadano de Sri Lanka lleva tres meses atrapado en el aeropuerto de Caracas.

6 *Dos jóvenes se despiertan después de una fiesta con un pingüino en casa y no se acuerdan de nada.*

7 Un albañil descubre un tesoro de tres kilos de oro mientras reforma una cocina en Alemania.

1 Seguro que *ha sido un error, nadie dejaría una propina tan alta.*
2 Yo diría que...
3 Supongo que...
4 Es posible que...
5 Puede ser que...
6 Es probable que...
7 Quizá...

h Redacta ahora una de las noticias anteriores a partir de tus suposiciones.

2 Cotilleos

a Habla con tu compañero. ¿Te gusta conocer la vida de los famosos? ¿Lees revistas o ves programas que tratan sobre estos temas? ¿Suelen interesarte este tipo de noticias?

b Lee este foro de internet y di a qué persona se atribuyen los siguiente comentarios.

	Ana	Quique	Eva	Rosa
1 Mientras hablamos de la vida de los demás nos olvidamos de nuestros propios problemas.				
2 Tan solo hay que poner ciertos límites a la prensa del corazón.				
3 El cotilleo es un intento de tener el control sobre las vidas ajenas.				
4 Conocer la vida de los otros nos puede ayudar a estar más unidos.				

Cotilleos

24-jul-2012, 14:06 — Citar #1

Administrador

El cotilleo es una costumbre muy extendida en España, pese a que la mayor parte de la población confiesa no ser cotilla y le resulte una costumbre odiosa. Seamos honestos y confesemos que en alguna ocasión hemos querido saber a qué se dedicará ese vecino con el que nos encontramos todas las mañanas o con quién saldrá nuestra compañera del trabajo. **No hay duda de que** la práctica del cotilleo en nuestra sociedad va en aumento y basta con mirar durante un rato la televisión o leer la prensa del corazón para comprobar su importancia. La pregunta que cabe hacerse es qué efectos produce el cotilleo sobre nuestra sociedad. Envíanos tu comentario.

24-jul-2012, 14:09

#2

Ana

Creo que el tema merece un análisis más profundo. **Estoy absolutamente convencida de que** el cotilleo, aún con sus conductas más reprobables, puede favorecer las relaciones humanas. Nuestras ciudades se han convertido en lugares fríos, incomunicados, a menudo no conocemos a nuestros propios vecinos, no sabemos qué problemas pueden sufrir o qué vivencias nos podrían aportar. Sin duda, conocer a nuestros vecinos puede ayudarnos a crear lazos de unión más fuertes y recuperar la cohesión del grupo.

Cotilleos

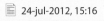

24-jul-2012, 15:16

 # 3

Quique

Siento disentir de lo que comenta Ana. **No es cierto que** el cotilleo favorezca de ninguna manera la integración de las personas. **Es obvio que** en los grandes núcleos urbanos la gente no tiene tiempo para las relaciones interpersonales, pero ¿qué derecho tenemos a invadir su intimidad? **Tengo mis dudas acerca de que** el cotilleo sea una muestra de preocupación por las vidas ajenas, más bien parece que responde a una necesidad de sentir que controlamos la vida de los demás.

24-jul-2012, 18:33

 # 4

Eva

Tengo la sensación de que nuestra sociedad se está extralimitando. **Está claro que** el ser humano siempre ha tenido curiosidad por conocer todo cuanto ocurre a su alrededor, pero lo que está sucediendo a día de hoy con el cotilleo trasciende los límites de la curiosidad. Nos adentramos en la vida de los famosos sin ningún pudor, buscamos cualquier excusa para conocer más datos de nuestros vecinos y llegamos en ocasiones a traspasar los límites de lo correcto. **Es dudoso que** con ello queramos ayudar a esas personas, la prueba está en que suelen ser personas totalmente desconocidas y que una vez obtenida esa información, perdemos el interés por ellas. Yo diría que en realidad el cotilleo responde a la frustración que sentimos en nuestras propias vidas. Son las personas más insatisfechas las que buscan conocer otras vidas y escapar así de sus propios problemas.

24-jul-2012, 21:45

 # 5

Rosa

A mí, personalmente, me encantan los cotilleos, especialmente aquellos que tratan sobre la vida de los famosos y **estoy segura de que** no hay nada de malo en ello. Todos hemos querido sentirnos alguna vez como esa estrella de cine que recoge un Oscar, salir con ese actor de ojos tan bonitos o escuchar cómo miles de aficionados corean nuestro nombre. **Efectivamente**, la prensa del corazón suele traspasar ciertos límites, pero no se trata de prohibir este tipo de noticias, sino de establecer unos límites claros entre lo que es legal y no lo es. No encuentro nada ofensivo preguntarle a un actor por su vida personal, pero me parece totalmente injustificado sacarles fotos cuando están en lugares privados o incomodarles con preguntas mientras disfrutan de su tiempo libre.

c Las siguientes palabras aparecen en el texto anterior. Relaciónalas con sus definiciones.

1 Reprobable
2 Disentir
3 Ajenas
4 Extralimitarse
5 Adentrarse
6 Frustración
7 Prensa del corazón

a No estar de acuerdo.
b Tipo de periodismo que trata las noticias de las celebridades.
c Condenable, que no tiene justificación.
d Entrar.
e Que no siente satisfacción.
f De otras personas.
g Sobrepasar, exceder.

d En el texto aparecen resaltadas unas expresiones que muestran certeza o inseguridad, clasifícalas y señala el modo verbal que las acompaña.

CERTEZA (SEGURIDAD)	INSEGURIDAD
No hay duda de que *la práctica del cotilleo* ***se extiende*** *con rapidez. (INDICATIVO)*	....
....	....
....	....
....	....

e Escucha estas conversaciones y completa la información.

Conversación 1: Una de las mujeres está convencida de que su vecina...
Conversación 2: Es posible que en la empresa de Paco...
Conversación 3: No es cierto que Catalina...
Conversación 4: Están seguros de que a Pilar...

f Todas estas expresiones aparecen en las conversaciones anteriores y sirven para reaccionar cuando nos cuentan una historia. Clasifícalas según su significado.

- Pero, ¿qué me dices?
- A mí me parece justo lo contrario.
- Sí, a mí también me lo parece.
- ¿En serio?
- Por supuesto.
- No, en absoluto.
- Creo que te equivocas.
- ¿De verdad?
- ¡Qué va!
- De eso nada.
- Pues sí.
- ¡No me digas!

Incredulidad	Acuerdo	Desacuerdo
Pero, ¿qué me dices?	*Sí, a mí también me lo parece.*	*A mí me parece justo lo contrario.*

g Piensa en un cotilleo sobre un personaje famoso o invéntatelo. Cuéntaselo a tus compañeros de clase y extiende el rumor: ellos deberán reaccionar a tu comentario.

- *¿Has visto que han fotografiado a Jennifer López en una playa junto a un chico? Estoy convencida de que es su novio.*
- *¡No me digas!, ¿de verdad? ¿Pero ella no está casada con Marc Anthony?*
- *No, ¡qué va! Se divorció de él hace algún tiempo.*

3 ¡Qué bien te queda!

a Los siguientes adjetivos están relacionados con los modales y las buenas maneras. Clasifícalos según tengan un significado positivo o negativo. ¿Puedes añadir otros?

diplomático • bruto • campechano
detallista • grosero • halagador
maleducado • atento • descarado
amable • discreto • brusco

Positivos		Negativos	
....	....	....	....
....	....	....	....
....	....	....	....
....	....	....	....

b Piensa con tu compañero en algún tipo de comportamiento que relacionas con los adjetivos anteriores.

- *Para mí, alguien que moja el pan en el plato o que se sirve la comida con los dedos es muy maleducado.*
- *Bueno, depende... A mí me puede parecer muy campechano mojar el pan en un plato, depende de con quién estés comiendo.*

c Fíjate en los siguientes halagos y relaciónalos con las situaciones comunicativas que aparecen más abajo. Puede haber más de una opción en cada caso.

a ¡Estás estupendo con eso!

b ¡Lo tenéis todo impecable!

c ¡Es precioso!

d ¡Te favorece mucho!

e ¡Te queda genial!

f ¡Qué mono!

g ¡Está para chuparse los dedos!

h ¡Cocinas de maravilla!

i ¡Está delicioso!

j ¡Pero qué grande está!

1 Vas al piso nuevo de un amigo. ....

2 Ves a un amigo con su hijo pequeño. ....

3 Un amigo estrena ropa nueva. ....

4 Cenas en casa de unos amigos. ....

d Escribe ahora tú un halago diferente para cada una de estas situaciones.

1 Un amigo se ha comprado un coche nuevo.

....

2 Tu prima te enseña el vestido de boda.

....

3 Un amigo te enseña su mascota.

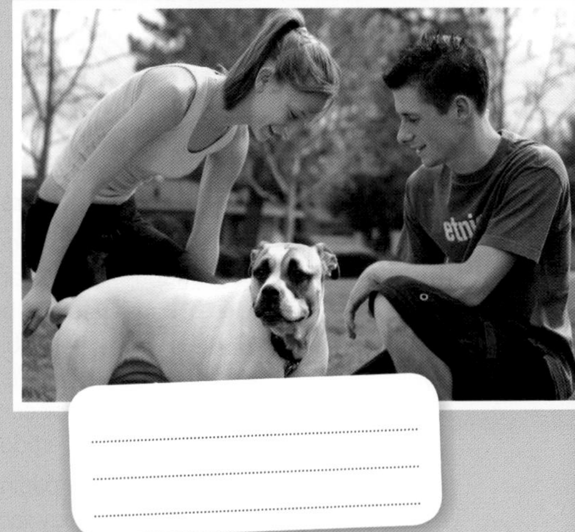

....

13 **e** Escucha la entrevista y anota las ventajas que tienen los halagos.

VENTAJAS

1 ....

2 ....

3 ....

f Habla con diferentes compañeros de clase para hacerles y recibir halagos. Cuando te guste lo que te ha dicho un compañero, coge un papel con su nombre. No se pueden interrumpir las conversaciones de los demás, hay que esperar.

g Contad los papeles que tenéis. ¿Quién ha hecho y quién ha recibido más halagos?

1 Recuerdos del pasado

a Lee el mensaje que le escribe Rocío a su amigo Edu y di si las siguientes afirmaciones son verdaderas (V) o falsas (F).

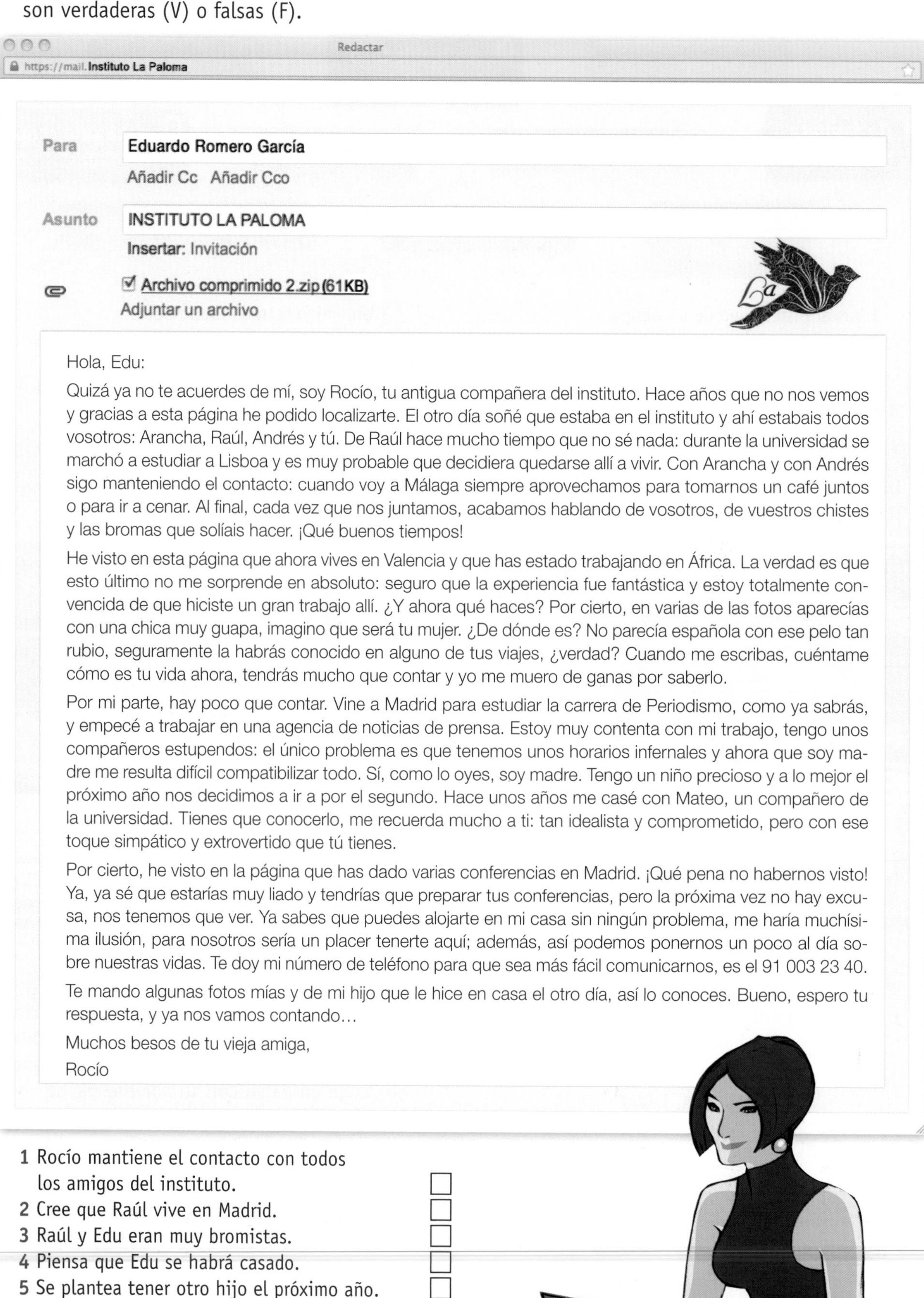

Redactar

https://mail.**Instituto La Paloma**

Para **Eduardo Romero García**

Añadir Cc Añadir Cco

Asunto **INSTITUTO LA PALOMA**

Insertar: Invitación

☑ Archivo comprimido 2.zip (61 KB)

Adjuntar un archivo

Hola, Edu:

Quizá ya no te acuerdes de mí, soy Rocío, tu antigua compañera del instituto. Hace años que no nos vemos y gracias a esta página he podido localizarte. El otro día soñé que estaba en el instituto y ahí estabais todos vosotros: Arancha, Raúl, Andrés y tú. De Raúl hace mucho tiempo que no sé nada: durante la universidad se marchó a estudiar a Lisboa y es muy probable que decidiera quedarse allí a vivir. Con Arancha y con Andrés sigo manteniendo el contacto: cuando voy a Málaga siempre aprovechamos para tomarnos un café juntos o para ir a cenar. Al final, cada vez que nos juntamos, acabamos hablando de vosotros, de vuestros chistes y las bromas que solíais hacer. ¡Qué buenos tiempos!

He visto en esta página que ahora vives en Valencia y que has estado trabajando en África. La verdad es que esto último no me sorprende en absoluto: seguro que la experiencia fue fantástica y estoy totalmente convencida de que hiciste un gran trabajo allí. ¿Y ahora qué haces? Por cierto, en varias de las fotos aparecías con una chica muy guapa, imagino que será tu mujer. ¿De dónde es? No parecía española con ese pelo tan rubio, seguramente la habrás conocido en alguno de tus viajes, ¿verdad? Cuando me escribas, cuéntame cómo es tu vida ahora, tendrás mucho que contar y yo me muero de ganas por saberlo.

Por mi parte, hay poco que contar. Vine a Madrid para estudiar la carrera de Periodismo, como ya sabrás, y empecé a trabajar en una agencia de noticias de prensa. Estoy muy contenta con mi trabajo, tengo unos compañeros estupendos: el único problema es que tenemos unos horarios infernales y ahora que soy madre me resulta difícil compatibilizar todo. Sí, como lo oyes, soy madre. Tengo un niño precioso y a lo mejor el próximo año nos decidimos a ir a por el segundo. Hace unos años me casé con Mateo, un compañero de la universidad. Tienes que conocerlo, me recuerda mucho a ti: tan idealista y comprometido, pero con ese toque simpático y extrovertido que tú tienes.

Por cierto, he visto en la página que has dado varias conferencias en Madrid. ¡Qué pena no habernos visto! Ya, ya sé que estarías muy liado y tendrías que preparar tus conferencias, pero la próxima vez no hay excusa, nos tenemos que ver. Ya sabes que puedes alojarte en mi casa sin ningún problema, me haría muchísima ilusión, para nosotros sería un placer tenerte aquí; además, así podemos ponernos un poco al día sobre nuestras vidas. Te doy mi número de teléfono para que sea más fácil comunicarnos, es el 91 003 23 40.

Te mando algunas fotos mías y de mi hijo que le hice en casa el otro día, así lo conoces. Bueno, espero tu respuesta, y ya nos vamos contando…

Muchos besos de tu vieja amiga,

Rocío

1. Rocío mantiene el contacto con todos los amigos del instituto. ☐
2. Cree que Raúl vive en Madrid. ☐
3. Raúl y Edu eran muy bromistas. ☐
4. Piensa que Edu se habrá casado. ☐
5. Se plantea tener otro hijo el próximo año. ☐
6. Cree que Edu no la ha visitado antes porque no le apetecía. ☐

b Con tu compañero vais a representar la conversación entre Rocío y Edu. Elegid un personaje, leed las fichas que os presentamos y preparad vuestra parte.

EDU	**ROCÍO**
1 Llama a Rocío. 2 Cuéntale cómo ha sido tu vida. 3 Pregúntale por algo de su vida. 4 Haz un halago de su hijo y de su piso. 5 Cuéntale cómo crees que le va la vida a Raúl. 6 Despídete y promete visitarla pronto.	1 Expresa alegría por la llamada. 2 Reacciona ante los comentarios que te hace sobre su vida. 3 Cuéntale algo de tu vida. 4 Agradece sus halagos. 5 Dile qué crees que estará haciendo Raúl. 6 Despídete y dile que esperas verlo pronto.

CIERRE DE EDICIÓN

Vas a buscar en internet a un amigo que hace años que no ves y vas a contactar con él.

PLANIFICA ▼

1 Han pasado algunos años en los que no has sabido nada de un buen amigo y quieres retomar el contacto. Toma notas sobre las siguientes cuestiones:

- ¿Qué recuerdos guardas de esa persona?
- ¿Cuándo la viste por última vez?
- ¿Por qué perdisteis el contacto?
- ¿Cómo crees que es su vida?

ELABORA ▼

2 A partir de las notas que has tomado, vas a escribir un mensaje para publicar en una web que se dedica a poner en contacto a antiguos amigos. Sigue los siguientes pasos para redactar tu mensaje:

1 Identifícate y explícale los motivos que te han llevado a escribir este mensaje.
2 Háblale de los recuerdos que tienes de él y de cómo crees que será su vida en la actualidad.
3 Interésate por su vida.
4 Cuéntale cómo es tu vida en la actualidad y los proyectos que tienes.
5 Exprésale tus ganas de verlo.

PRESENTA Y COMPARTE ▼

3 Una vez escrito tu mensaje, se lo pasarás a tu compañero. Entre los dos vais a representar una llamada de teléfono.

REFLEXIONA ▼

4 ¿Te ha parecido interesante la unidad? ¿Por qué?

5 ¿Qué cosas de las que has trabajado durante la unidad te han parecido más importantes para tu aprendizaje?

6 ¿Qué partes de la unidad te han ayudado más para realizar la tarea final?

7 Revisad vuestro proyecto y comprobad si hay contenidos (funciones, gramática, léxico) que no habéis incluido.

En esta unidad, vamos a hacer una nube de palabras sobre la personalidad de la clase, empleando la aplicación Wordle.

Entra en www.agenciaele.com para realizar esta actividad.

Suavizar opiniones

Ya hemos visto que en la cultura hispana son habituales los halagos. También es muy frecuente utilizar rodeos y otras estrategias para suavizar las opiniones negativas. Además, son habituales los recursos para suavizar o atenuar opiniones positivas sobre uno mismo. Son los **recursos de atenuación**.

1 Lee este cuadro y comenta con tu compañero cuáles de estos recursos (u otros) se usan en tu lengua para suavizar opiniones.

SUAVIZAR OPINIONES NEGATIVAS SOBRE OTROS		
Cuantificadores o partículas *(un poco, algo, como)*:		
• *Bueno, ¿te gusta mi vestido?* ▪ *Te queda **un poco** estrecho... ¿no?*	• *¿Qué te parece la tarta?* ▪ *Pues, está **como** muy dulce.*	• *¿Qué tal es el piso nuevo de Andrea?* ▪ *Está bien, pero para mí es **algo** pequeño.*
Diminutivos:		
• *Bueno, ¿qué tal el niño de Gloria?* ▪ *Mmmm, **feíllo**, como todos los bebés.*	*Chicos, ¿qué pasa? Estáis un **poquito** distraídos, ¿eh?*	
Negando lo contrario de lo que se quiere afirmar:		
*Yo, lo siento, pero a mí **no me cae bien**. (= me cae mal)*	*Pues si ha dicho eso es que **es poco listo**. (= es tonto)*	
Expresiones fijas, fórmulas estereotipadas, locuciones:		
***Siento decírtelo,** pero no me ha gustado nada tu libro.* ***A decir verdad**, me pareció fatal lo que hiciste.* *Es que eres un poquito bestia, **la verdad**.*	***No quiero molestar**, pero ¿ese vestido no es un poco viejo?* ***Que no te parezca mal**, pero tienes un montón de caspa.* ***Me temo que** no me gusta cómo te queda.*	
Formas verbales:		
1.ª persona del plural	**Impersonales**	
***Estamos** un poco distraídos hoy, ¿no?*	*Jorge, **hay que** estudiar más.*	

SUAVIZAR CUALIDADES POSITIVAS PROPIAS		
• *¡Anda, qué vestido más chulo!* ▪ *Jo, pues tiene mil años.*	*De pequeña, gané un par de concursos de redacción. No escribía mal yo... Nada del otro mundo, pero bien.*	• *Jo, qué simpático es tu hijo.* ▪ *Sí, es majete, a su edad son todos muy ricos.*

14

2 Ana está enseñándole a Laura las fotos de su boda. Escucha la conversación e indica, en la primera columna, qué aspectos de la boda critica Laura.

Laura critica...	¿Cómo lo dice Laura?	¿Cómo se puede suavizar?
el vestido.	*Parece de mi abuela.*	*Parece un poco antiguo.*
....	....	....
....	....	....
....	....	....

Ahora vuelve a escuchar la conversación y escribe en la segunda columna las frases que dice Laura. Por último, en la tercera columna, escribe cómo se pueden suavizar.

3 Comenta con tus compañeros algunos aspectos relacionados con este tema.

- *¿De qué depende el uso de estos recursos: de la personalidad, del país o entorno cultural, de la relación con el interlocutor...?*
- *¿Crees que en algunos países o entornos culturales se emplean más estos recursos que en otros?*
- *¿Por qué crees que los hablantes recurren a estas estrategias?*

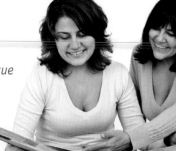

5 Viajes y aventuras

En esta unidad vamos a:

- **Describir deportes de riesgo**
- **Referirnos a otras personas o cosas, contar anécdotas y reaccionar**
- **Expresar acciones involuntarias**
- **Expresar hipótesis relacionadas con viajes**
- **Elaborar una guía con consejos para un viaje**
- **Desarrollar estrategias de aprendizaje: imágenes mentales**

1 Deportes... extremos

a Observa estas imágenes: ¿sabes qué deportes son? En pequeños grupos, escribid el nombre de cada uno de ellos. Elígelos entre los que aparecen en el recuadro.

motocrós - surf - *puenting* - *rafting* - ciclismo de montaña - submarinismo
esquí acuático - parapente - piragüismo - escalada - descenso de cañones - *snowboard*

b Clasifica en la tabla, de acuerdo con los deportes anteriores, las palabras del siguiente recuadro (algunas pueden utilizarse para varios). Puedes utilizar el diccionario. Todas estas palabras también aparecen en el texto de la actividad **c**.

río	casco	botiquín	planeador
acantilado	chaleco salvavidas	paracaídas	remo
balsa	corriente	pared vertical	traje de neopreno
barranco	cuerda	(una) pendiente	vela
cascada	desfiladero	pies de gato	guantes

DEPORTES... EXTREMOS					
1..................	2	3	4	5	6 ....

c Lee el texto. ¿De qué deportes de los anteriores habla?

DEPORTES EXTREMOS

¿Te llaman las emociones fuertes? ¿Pasas del gimnasio porque te aburres pero nunca te has lanzado a la aventura? Entonces ya va siendo hora de que te pongas al tanto de los deportes con más tirón del momento. Este verano ¡pasa de la crema bronceadora y apúntate a las aventuras de riesgo!

A ____________: consiste en deslizarse río abajo a bordo de una especie de balsa y sortear diferentes obstáculos. Debes remar solo cuando el monitor te lo indique. La sensación de dominar las aguas es realmente impactante (si es que ellas no te dominan a ti), y necesitarás algo de fuerza física para disfrutar plenamente. El equipo imprescindible es: un buen casco y un chaleco salvavidas.
Consejo de expertos: este es un deporte de alto riesgo, así que deberás practicarlo siempre acompañado por dos monitores y en grupos de diez personas. No olvides vigilar que los remos están bien atados a la balsa y si, desafortunadamente, caes al agua, no luches contra la corriente.

B ____________: consiste en bajar a pie por el cauce de un río atravesando diferentes obstáculos como rocas, desfiladeros, cascadas... Supone un contacto total con la naturaleza, aunque su elevado índice de peligrosidad (puedes herirte con alguna roca, resbalarte...) hace que sea necesario ir acompañado de una persona que se conozca bien el camino.
Consejo de expertos: aunque la edad mínima para practicar este deporte son diez años, es imprescindible saber nadar y tener conocimientos básicos en manejo de cuerdas, nudos y primeros auxilios. ¡No te la juegues y haz un cursillo para iniciarte! Te recomendamos que si no lo practicas en pleno verano, lleves un traje de neopreno.

C ____________: técnicamente, es un planeador ultraligero con una vela flexible. Eso quiere decir que no necesita motor para poder volar, simplemente planea. Tampoco necesitamos ruedas ni ayudas externas para despegar ni para aterrizar, es más, llevamos nuestro avión en la espalda y aprovechamos las corrientes de aire para viajar. ¡La sensación de libertad es insuperable! Para la práctica de este deporte necesitarás un casco adecuado para el vuelo, un paracaídas de emergencia, botas con protección para los tobillos y una vestimenta apropiada y cómoda, como pueden ser unos guantes.
Consejo de expertos: evita volar por sitios que representan un desafío excesivo a tus habilidades como piloto y vuela solo con condiciones de clima favorable.

D ____________: este deporte extremo consiste en descender o ascender paredes naturales muy altas, con una pendiente muy prolongada, con la única ayuda de tu fuerza física y de cuerdas. Te harán falta también unos pies de gato: es el calzado básico para practicar este deporte, ya que contienen una suela antideslizante que se adhiere muy bien a la roca y hace que no te escurras. Este deporte extremo puede ser practicado por cualquier persona a menos que le tema a las alturas. Y si te gusta el mar, ¿por qué no probar con un acantilado? Te aseguramos que es una maravillosa experiencia.
Consejo de expertos: nunca practiques solo y elige un compañero en el que confíes y sepas que es realmente responsable. Deporte de riesgo no significa arriesgarse. Tampoco debes olvidar llevar un pequeño botiquín, ya que es muy común hacerse pequeñas heridas con la pared.

d Subraya en el texto los verbos más importantes relacionados con cada actividad.

e Como ves, hay dos deportes que no se describen en el texto: ¿cuáles son? En parejas, pensad qué lugares, objetos y verbos necesitáis para definirlos.

f Ahora escribid la definición de esos dos deportes utilizando el vocabulario que habéis seleccionado y dad también vuestros «consejos de expertos».

g En pequeños grupos, contestad a las siguientes preguntas.

- ¿Has practicado ya alguno de estos deportes? Cuéntanos tu experiencia.
- Si no es así, ¿qué deporte elegirías? ¿Cuál no? Explica por qué.
- ¿Por qué crees que estos deportes atraen a algunas personas?

Al final de la unidad...

Vamos a elegir un viaje de aventura y a elaborar la guía de viaje.

¡Qué mala suerte!

Paloma y Sergio charlan tomando un café después de acabar el día.

¡Qué día más horrible! Además, estoy superestresada porque pasado mañana me voy por fin de vacaciones.

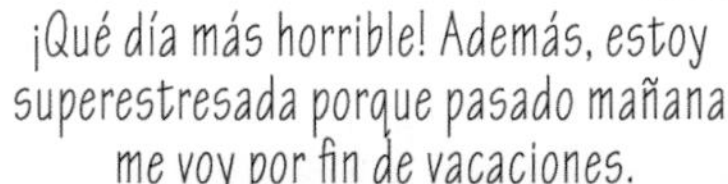

Pues mira qué casualidad, yo tampoco he tenido un buen día... Bueno, cuéntame, ¿qué te ha pasado?

Que esta mañana, al salir de casa, se me han olvidado las llaves dentro. Y justo cuando estaba llamándote para contártelo, se me ha caído el móvil al suelo y se me ha roto. Vamos, un desastre.

¿Y qué has hecho? Porque hoy era la reunión con el director de publicidad, ¿no?

Pues mira, he ido a casa de mi vecino y le he pedido que me permitiera usar su teléfono. He llamado al director, le he dicho que no podía ir y le he pedido disculpas.

Parece que lo ha comprendido. También he llamado al seguro y les he explicado todo.

¿Y no tienes otras llaves de casa?

Sí, tengo unas siempre en la oficina pero justo las cogí antes de ayer y las dejé en casa de mi hermana: la he llamado para pedírselas pero no estaba.

¡Vaya... qué mala suerte!

No hablemos más del tema... ¿Y a ti qué te ha pasado hoy?

Ya sabes que se me estropeó el coche la semana pasada... Pues nada, todavía no lo han reparado. Les dije que lo necesitaba para esta semana, se lo recordé el lunes y hoy he ido y dicen que no lo tendrán hasta el viernes.

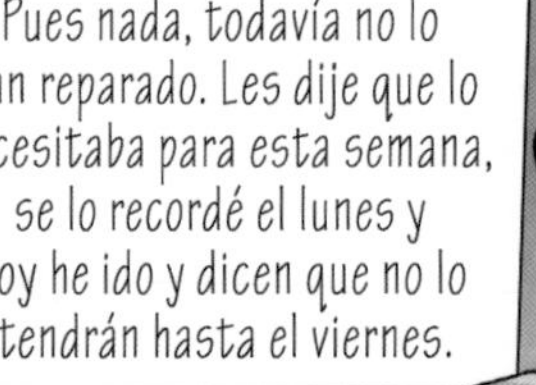

¿Y qué vas a hacer?

Pues... nada, aguantarm ¿Puedo hacer otra cosa

Oye, yo, si quieres, te presto el mío. Te lo dejo sin problemas. Yo no lo necesito.

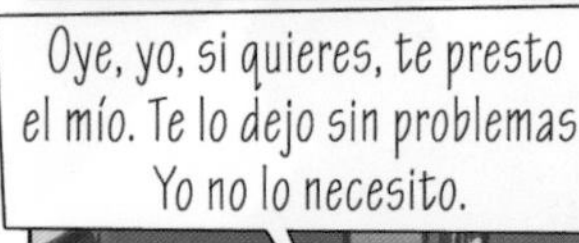

Te lo agradezco un montón porque viene de Venezuela mi amiga Sonia y quería recogerla en el aeropuerto.

Pues ya está, te lo llevas hoy y ya me lo devolverás, yo no lo voy a usar. ¡Por fin me voy de vacaciones!

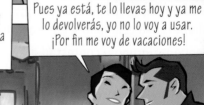

1 Un mal día lo tiene cualquiera

a En el cómic, Paloma y Sergio hablan de diferentes personas y objetos. Señala a qué o quién se refieren con los pronombres señalados en estas frases.

1. Paloma

(...) he ido a casa de mi vecino y **le** he pedido que me permitiera usar su teléfono.

- LE se refiere a ....

2. Sergio y Paloma

Hoy era la reunión con el director de publicidad.

(...) **le** he dicho que no podía ir y **le** he pedido disculpas. Parece que **lo** ha comprendido...

- LE se refiere a ....
- LE se refiere a ....
- LO se refiere a ....

3. Sergio y Paloma

¿Y no tienes otras llaves de casa?

Sí, tengo unas siempre en la oficina pero justo **las** cogí antes de ayer y **las** dejé en casa de mi hermana, **la** he llamado para pedír**selas** pero no estaba.

- LAS se refiere a ....
- LAS se refiere a ....
- LA se refiere a ....
- SE se refiere a .... y LAS se refiere a ....

4. Sergio

(...) se me estropeó el coche la semana pasada... Pues nada, todavía no **lo** han reparado. **Les** dije que **lo** necesitaba esta semana, **se lo** recordé de nuevo...

- LO se refiere a ....
- LES se refiere a ....
- LO se refiere a ....
- SE se refiere a .... y LO se refiere a ....

b Como has visto, usamos diferentes pronombres dependiendo del tipo de complemento:

Hay muchos verbos que tienen complemento de persona o cosa; a veces admiten un único complemento, y otras, dos. Fíjate en el caso de ***llevar***:

- llevar algo: *Marta lleva siempre pantalones vaqueros. (Marta los lleva siempre.)*
- llevar a alguien: *Llevé a Patricia al aeropuerto. (La llevé al aeropuerto.)*
- llevar algo a alguien: *Llevé la tarta a Sofía. (Le llevé la tarta. > Se la llevé.)*

Completa la siguiente tabla marcando las opciones posibles y escribe ejemplos.

	... ALGO	... A ALGUIEN	... ALGO A ALGUIEN
Comprar...	*X (Compré un libro)*		*X (Compré un libro a Ana)*
Llamar...		*X (Llamé a Luis)*	
Creer...			
Dar...			
Enviar...			
Esperar...			
Conocer...			
Recoger...			
Pedir...			
Querer...			
Ver...			

c Elige alguno de los ejemplos que has escrito y sustituye los complementos por pronombres.

Objeto directo / Objeto indirecto

	LO / LA / LOS / LAS (complemento directo)	LE / LES (complemento indirecto)
Masculino	*Llamé a Luis.* > ***Lo*** *(le)* * *llamé.*	*Compré un regalo a Luis.* > ***Le*** *compré un regalo* (a Luis).
Femenino	*Llamé a Ana.* > ***La*** *llamé.*	*Compré un regalo a Ana.* > ***Le*** *compré un regalo* (a Ana).

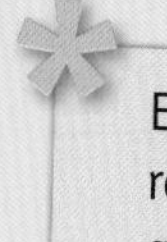

Está admitido ***le*** si se refiere a una persona de género masculino.

En el caso de los verbos que tienen dos complementos, podemos usar doble pronombre:

Di el dinero a Luis. > ***Se*** (a Luis) ***lo*** (el dinero) *di.*

PRONOMBRES	
me te se nos os se	+ lo / la / los / las

d Observa las siguientes frases del cómic y completa la tabla.

Iré a recogerla al aeropuerto.

Estaba llamándote para contártelo.

Se las dejé a mi hermana.

Díselo.

	POSICIÓN DEL PRONOMBRE	
	DELANTE	DETRÁS
Con verbo conjugado		
Con infinitivo		
Con gerundio		
Con imperativo		

En el caso de perífrasis con infinitivo o gerundio, el pronombre puede ir después del infinitivo o gerundio o antes del verbo conjugado:

*Voy a dejár**selas**.* / ***Se las*** *voy a dejar.*

*Estaba comprándo**selo**.* / ***Se lo*** *estaba comprando.*

e ¿A qué se refieren los pronombres en las siguientes frases?

1 Un mal día **lo** tiene cualquiera. ....

2 A mis amigos **los** veo con frecuencia. ....

3 A Ana **le** dije la verdad. ....

FÍJATE

En español es obligatorio utilizar el pronombre cuando el complemento aparece delante del verbo.

Es incorrecto ~~Un mal día tiene cualquiera.~~

f Completa las frases con los elementos que aparecen entre paréntesis.

1 ● Normalmente tomo la sopa fría.
■ Pues yo, la sopa .... (preferir / muy caliente).

2 ● Le diste la carta a María.
■ La carta .... (dar / a José) porque María no estaba.

3 ● ¿Han abierto ya la tienda?
■ No, la tienda .... (inaugurar / la próxima semana).

4 ● Hoy voy a salir tardísimo del trabajo… ¿Te puedes ocupar tú de los niños?
■ No te preocupes, a los niños .... (recoger / yo / en el colegio).

5 ● Me encantar viajar: visitar museos, recorrer las calles de las ciudades, ver exposiciones…
■ ¡Qué estrés! Yo, las vacaciones .... (querer / para descansar y dormir).

6 ● ¿Qué sabes de Laura y Pedro?
■ A Laura .... (escribir / un correo / todavía no contestar). De Pedro no sé nada.

2 Se me olvidó

a ¿Recuerdas qué les pasó a Paloma y a Sergio con algunas cosas? Vuelve a leer el cómic y anótalo.

A PALOMA

- con sus llaves: ____ le ______ en casa.

- con su teléfono: ______ al suelo.

A SERGIO

- con su coche: Se ______ y tuvo que llevarlo al taller.

b Lee la siguiente información sobre el uso del pronombre *se*.

Expresión de involuntariedad con *se*

Verbos como *romper, perder, olvidar* se pueden usar con o sin el pronombre ***se*** para transmitir informaciones diferentes.

- Sin pronombre ***se***, el sujeto realiza la acción:

  A *(yo) He roto el vaso.* (porque me he enfadado)
  sujeto

- Usamos construcciones con ***se*** para expresar involuntariedad. El sujeto es una cosa u objeto.

  B *Se ha roto un vaso.* (porque lo ha tirado el viento)
  sujeto

Con esta construcción transmitimos la idea de que algo ocurre sin nuestra intervención o eludimos nuestra responsabilidad.

El uso de pronombres personales indica:
- la persona implicada en la acción o responsable de ella:

  C *Se me ha quemado la comida.* (porque yo me he despistado)

- de quién es la cosa que recibe la acción:

  C *Se me han olvidado las llaves.* (= mis llaves)

Ahora observa las siguientes frases y señala si se corresponden con A, B o C.

1 Arrugué la camisa. Está de moda llevarla así. ☐
2 Se me rompió el portátil en el peor momento. ☐
3 No encuentro la cartera, ¿se habrá perdido? ☐
4 Ayer tenía invitados y se quemó la comida. ☐
5 El portátil se ha roto y no sé cómo. ☐
6 Metí la cartera en este bolsillo. ☐
7 Se me ha perdido un pendiente... ¡Qué rabia! ☐
8 Estaba fumando y quemé la cortina. ☐

c Observa las siguientes imágenes: ¿qué crees que les pasó a estas personas? Coméntalo con tu compañero.

1 Perder(se) las maletas
En su último viaje, se perdieron sus maletas y pasó cuatro días con la misma ropa.

2 Romper(se) las gafas

3 Mojar(se) los zapatos

4 Ensuciar(se) la camiseta

5 Quemar(se) las tostadas

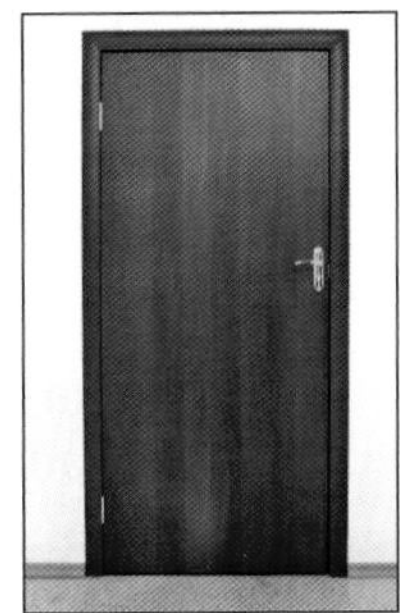

6 Cerrar(se) la puerta

d Cuando nos cuentan una anécdota, solemos reaccionar y expresar nuestros sentimientos. Relaciona las expresiones de la tabla con la reacción correspondiente.

A Expresar sorpresa
B Expresar algo negativo
C Expresar algo positivo

Reaccionar ante lo que nos cuentan

Expresión		Expresión	
1 ¡Qué buena idea!		8 ¡Increíble!	
2 ¡Qué detalle!		9 ¡Vaya sorpresa!	
3 ¡Vaya misterio!		10 ¡Vaya lío!	
4 ¡Qué estrés!		11 ¡Qué me dices!	
5 ¡Qué faena!		12 ¡Vaya corte!	
6 ¡Qué mala suerte!		13 ¡Qué casualidad!	
7 ¡Menos mal!		14 ¡Qué guay!	

¿Puedes añadir con la ayuda de tu compañero alguna expresión más de cada tipo?

15-16

e Dividimos la clase en parejas (A y B). Los alumnos B salen del aula.

Estudiante A: escucha la historia 1, toma notas y cuéntasela luego a tu pareja, utilizando los pronombres necesarios.

Estudiante B: reacciona ante lo que te cuenta tu pareja (usa las expresiones de **d**).

Estudiante A: *Pues en esta historia una chica cuenta que era el cumpleaños de su hermano y que le quería hacer un regalo. Le compró unas... y las envolvió...*
Estudiante B: *¡Vaya lío!*

Después, los alumnos B escuchan la historia 2 y se lo cuentan a sus compañeros, que tienen que reaccionar.

f Observa de nuevo las imágenes de la actividad **c**. ¿Alguna vez se te ha roto o se te ha estropeado algo? ¿Has olvidado algo importante? ¿Se te ha perdido algo? ¿Se te ha caído algo? Prepara tu historia en unos minutos. Habla con tu compañero y cuéntale qué te ocurrió. Tu compañero reaccionará con las expresiones de la actividad **d**.

Yo un día compré un jarrón de cristal como regalo de boda a una amiga mía: iba por la calle, me tropecé, me caí y se me cayó el regalo al suelo. Claro, se rompió completamente... La boda era al día siguiente y...

g Comenta con la clase la anécdota que te ha contado tu compañero.

3 ¿Qué harías si estuvieras en un viaje de aventura?

a La revista de viajes *Un viaje, una aventura* ha realizado un cuestionario para saber si los viajeros saben actuar en diferentes situaciones de peligro. Aquí tienes algunas preguntas: ¿tú qué responderías?

PREGUNTAS	RESPUESTAS
1 ¿Qué harías si te atacara un oso?	*Me tumbaría en el suelo y...*
2 ¿Qué harías si te picara una abeja?	
3 ¿Qué harías si te perdieras dentro de la selva?	
4 ¿Qué harías si alguien sufriera una insolación?	

b Leed ahora en pequeños grupos los cuatro textos y comprobad si vuestras respuestas son acertadas o no.

OSOS

En algunos bosques, la presencia de osos puede depararnos sorpresas. En general, el oso suele eludir al hombre y por lo general no ataca, pero si te atacara, deberías tener en cuenta esta información: en los encuentros con osos la mayoría de la gente sale corriendo o se queda quieta y eso incentiva al animal a atacar. Cuando la gente se queda de pie frente al oso, el oso ataca porque para ellos el estar parado es una provocación a una pelea, y si salieras corriendo sencillamente te alcanzaría. Por eso, lo mejor que puedes hacer es tirarte al suelo: el oso te olerá un rato y después se irá. Eso sí, hay que tener la sangre fría de quedarse tendido en el suelo.

(Adaptado de *http://es.answers.yahoo.com*)

PICADURAS

Si te picara una avispa o una abeja, podrías saber qué ha sido: la avispa conserva el aguijón y puede volver a picar mientras que la abeja lo deja clavado en la piel. En este caso, quítalo raspándolo hacia fuera con el borde de una tarjeta de crédito o similar. No utilices pinzas ni presiones con los dedos, ya que se puede apretar el saco de veneno y aumentar la cantidad inoculada. Lava bien la zona afectada, con agua y jabón y aplica sobre la picadura hielo envuelto en un trozo de tela durante diez minutos. Si vieras que la situación se complica, deberías llamar a los servicios de emergencia.

(Adaptado de *http://www.taringa.net*)

c Vuelve a leer los textos y completa las frases que faltan.

ORACIÓN SUBORDINADA (*Si* + imperfecto de subjuntivo)	**ORACIÓN PRINCIPAL (condicional)**
• Si te atacara un oso,	***deberías*** *tumbarte en el suelo.*
• ________________,	*el oso te alcanzaría.*
• Si te picara una avispa,	________________.
• ________________,	*lo ideal sería controlar con exactitud la temperatura.*
• Si no tuviéramos un mapa,	________________.

En español, para hablar de una situación hipotética poco probable o una situación irreal en el presente o en el futuro, usamos ***SI* + pretérito imperfecto de subjuntivo** en la cláusula subordinada y **condicional** en la principal.

Si *yo* ***fuera*** *un animal,* ***me gustaría*** *vivir en la selva.* (situación irreal)

Cavaría *un agujero en la tierra* ***si me quedara*** *sin agua en el desierto.* (situación hipotética poco probable)

d Completa las frases con uno de los verbos del recuadro.

estar
quedarse
ver
perderse
tener

1 ¿Qué harías si no .... agua para beber en el desierto?
2 ¿Dónde dormirías si .... en medio de la jungla?
3 ¿Qué comerías si .... sin comida?
4 ¿Cómo buscarías el norte si ....?
5 ¿Cómo reaccionarías si .... una araña en la camisa de tu amigo?

e ¿Qué harías tú en las situaciones anteriores? En pequeños grupos, contestad a las preguntas y comentad qué haríais en las situaciones anteriores.

f Poned en común las respuestas con el resto de la clase.

Si viera una araña en la camisa de mi amigo, se la quitaría con un periódico o revista.

PERDERSE EN LA SELVA

En caso de estar perdidos, siempre es bueno dejar algún tipo de marca en el terreno para asegurarnos de no dar vueltas en círculo inútilmente (filas de piedras o ramas que indiquen nuestra dirección, cortes en ramas o troncos, etc.). Si no tuviéramos un mapa, quizá podríamos identificar algún rasgo característico del terreno que hayamos visto antes de perdernos. En el caso de que nuestra situación sea extrema, no sepamos cómo orientarnos ni veamos la posibilidad de ser rescatados, no debemos desesperar. Busquemos una fuente, un arroyo: nos conducirá a un río cuyo curso nos llevará antes o después a una zona habitada.

(Adaptado de: *http://www.gruponacionaldemontana.es.tl*)

LAS INSOLACIONES

Una persona que sufre una insolación puede padecer mareos, dolor de cabeza, desorientación, fiebre con temperatura por encima de los 39 ºC (si tuvieras cerca un termómetro, lo ideal sería controlar con exactitud su temperatura)... Para ayudarla, lo primero que tienes que hacer es bajarle la temperatura corporal y evitarle daños orgánicos. Para esto, llévala inmediatamente a la sombra o a un lugar fresco, quítale la ropa y pon sus pies en una posición elevada. Intenta bajarle la temperatura corporal aplicándole paños fríos en la cabeza. Dale bebidas preferentemente transparentes a temperatura ambiente: no bebidas muy frías ni alcohol.

(Adaptado de: *http://encasodeque.blogspot.com.es*)

4 ¿Nos vamos de crucero?

a Viajar en un crucero tiene ventajas y desventajas. Coméntalas con tus compañeros y después ponlas en común con el resto de la clase.

b Un especialista en viajes ha escrito un blog en el que ofrece información para personas interesadas en hacer su primer crucero. Completa el texto con las siguientes frases.

1 ... pero este servicio solo suelen proporcionarlo las navieras de lujo...
2 ... No todo el mundo aguanta bien el movimiento del barco...
3 ... Si llegas tarde, perderás el barco, y no hay reclamación posible...
4 ... por ello sería interesante hacernos un seguro sanitario que la cubra...
5 ... Y no te compliques con tacones incómodos...

¿TU PRIMER VIAJE EN CRUCERO? ¡TOMA NOTA!

La indumentaria en el barco no tiene que ser sofisticada ni cara. Simplemente no se puede acudir a los restaurantes en bañador. Lleva un vestido largo o traje de chaqueta para la famosa «cena del Capitán», una cena de gala.

En todos los barcos viaja un equipo médico cuya asistencia no está incluida en el precio, **a** ____.

No cargues con todo el armario. Una maleta por persona sobra. A bordo hay secador de pelo, champús, toallas, etc. Solo se debe llevar lo indispensable: gafas de sol, gorra, una mochila pequeña para las excursiones... **b** ____: hay mucha escalera y muchas distancias para recorrer.

En los barcos se puede comer 24 horas al día, sin parar. No cargues la bandeja con la comida, el postre, los embutidos, el pan...

Otro elemento que suele aparecer inesperadamente en la factura es la propina de los camareros y los asistentes de camarote. Se suelen cargar entre ocho y doce dólares diarios por persona según este concepto. Pueden no pagarse si uno no está conforme con el servicio.

c ____: si te mareas, come manzanas, ya que son ideales para quitar el mareo. Nada de pastillas: las manzanas, aparte de llenarte el estomago, actúan como la mejor de las pastillas para el mareo y encima son sanas.

Respeta las normas básicas: recuerda que un crucero es durante siete días como una "pequeña ciudad" de 2500 personas.

Si vas solo, aprovecha la fiesta de solteros que se celebra todas las primeras noches en la discoteca para conocer otras personas que buscan pareja y compartir el viaje, las excursiones...

Los barcos salen a la hora prevista; no esperan nunca a los pasajeros que están en tierra. **d** ____. Te dejarán equipaje y pasaporte en la comisaría del puerto.

Precio: pregunta bien qué conceptos están incluidos en el paquete. Si pagas un "todo incluido", te olvidarás del dinero, **e** ___ o las de cinco estrellas Gran Lujo. En el resto se deberá pagar bebidas, propinas, tratamientos de belleza y lo que se compre a bordo.

Turno de cena: es uno de los mayores problemas y por el que más quejas presentan los pasajeros españoles a las agencias de viaje. Hay dos turnos: a las 19:00h y a las 21:00h (que está siempre lleno). Si se reserva con tiempo hay que pedir el horario de las 21:00h, porque a bordo siempre está la alternativa de cambiarlo.

Y esto es todo, espero haberos ayudado. No se me ocurre nada más... **¡Feliz crucero!**

(Adaptado de http://www.dooyoo.es)

c Con tu compañero, haz una lista de los consejos que da el texto y utiliza las siguientes estructuras.

... + INFINITIVO	... + PRESENTE DE SUBJUNTIVO	... + IMPERFECTO DE SUBJUNTIVO
Aconsejan Recomiendan Sugieren Lo mejor es / Es mejor Es recomendable / aconsejable Es necesario / bueno	Aconsejan que Recomiendan que Sugieren que Lo mejor es que Es recomendable / aconsejable que Es necesario / bueno que	Sería aconsejable que Sería recomendable que Sería bueno que Lo mejor sería que Yo te recomendaría que Yo te aconsejaría que

Si vas a ir de crucero, ...

+ INFINITIVO	+ PRESENTE DE SUBJUNTIVO	+ IMPERFECTO DE SUBJUNTIVO
es mejor no llevar demasiada ropa.	....	....
....	....	....

d En grupos, elaborad un decálogo para un turista que quiere visitar el lugar donde estudias español.

1. Sería recomendable que contratara un guía para hacer algunas excursiones o que viajara en grupo. Hay lugares que es mejor que no los visite solo, porque pueden ser peligrosos...

1 ¿Qué tipo de viajero eres?

a En parejas, leed el siguiente anuncio de viajes y definid cómo creéis que es el viajero ideal para esta aventura.

¡VEN A ECUADOR!

¡UN VIAJE DIFERENTE!

- Viaja con nosotros a la selva y aprovecha la hospitalidad de las comunidades nativas Kichua, Shuar y Waorani: te alojarás en sus cabañas y aprenderás su cultura y tradiciones con los guías nativos especializados.
- Una **experiencia inolvidable** en la selva, en diferentes medios de transporte: avioneta para acceder a la selva, lancha motora, todoterreno...
- Disfruta de numerosas **actividades al aire libre**: viajes en canoa, pesca deportiva, caminatas por la selva, observación de los animales –como papagayos y tucanes–, senderismo, ascensión al volcán Chimborazo...
- **Un viaje diferente para viajeros** ____________________.

¿Quieres vivir una experiencia diferente y tener sensaciones que nunca olvidarás?

¡Atrévete y viaja con nosotros!

Un viaje diferente para viajeros a los que les gusta...

b En el blog «Hay un viaje para cada viajero» se clasifican los siguientes tipos de viajeros. En pequeños grupos, elegid cada uno un tipo de viajero y dad una definición de cómo creéis que es.

El camaleón	**El mochilero extremo**	
El coleccionista	**El intrépido**	**El fotógrafo**
El consumista	**El pastor**	

Pues yo creo que el viajero fotógrafo es el que está todo el día haciendo fotos: lleva varias cámaras y diferentes objetivos y se pasa el día viéndolo todo a través de su cámara. Lo mismo te hace una foto con zoom de un avión que tú ni ves a simple vista, o fotografía a un insecto diminuto que tiene delante de él y que, cuando te lo enseña, parece un dinosaurio.

c Lee este blog y relaciona cada tipo de viajero de la actividad **b** con su descripción.

VIAJEROS POR EL MUNDO

Viajar es conocer a los demás y conocerse a uno mismo. Dando vueltas por el ancho mundo uno podrá ver muchos tipos de viajer@s y nunca dejará de sorprenderse con la gran variedad de formas que tenemos de hacer turismo. Aquí os dejo mi listado de tipos de viajer@s. Por cierto, ¿de qué tipo eres tú?

Inicio | Categorías | Nosotros | Buscar

1 *El fotógrafo:* este tipo de viajer@ ha podido evolucionar con la era digital (hace más fotos), pero sigue siendo reconocible por llevar cinco kilos de peso al cuello y un macuto lleno de cosas supuestamente útiles. Sabe que ha estado en Egipto porque al llegar a casa y descargarse las fotos ve por primera vez las pirámides. Nosotros sabemos que ha estado porque nos lo dice, pero nunca lo vemos en las fotos...

2 ___________________: tiene un listado con las "cosas que hay que ver" y las va tachando según avanza el viaje. Consulta blogs para saber qué es digno de ver y qué no. Tiene en casa entradas y *tickets* de todos los lugares y una foto delante de cada edificio ilustre que ha visitado. Por otra parte, sabe perfectamente a cuántos países ha viajado y tiene un mapa en el que marca qué lugares ha visto.

3 ___________________: siempre controla la situación y toma decisiones incluso cuando no tiene ni idea de lo que está haciendo. Habla con todo el mundo en cualquier idioma, interpreta mapas indescifrables y confía en su instinto para llegar a su destino (aunque prefiere prescindir de los mapas y de la gente). Si este viajero te hace dar un rodeo es para que conozcas mejor la zona.

4 ___________________: su equipaje pesa 5 kilos a la ida y 32 a la vuelta. Le encanta acumular recuerdos y le gusta comprar cosas a buen precio: ropa, zapatos, pieles, sedas, alfombras e incluso algún cacharro de nueva tecnología. Todos sus amigos y familiares tienen algún detalle de él.

5 ___________________: no teme a nada ni a nadie. Su principal objetivo es evitar al resto de turistas y cualquier foco de interés público en general. La calle realmente bonita siempre es la de detrás y los mejores lugares para comer son los que no recomiendan las guías. Se abre paso en las selvas amazónicas sin ayudarse siquiera de un palo y se come esos platos de bichos que los demás no se atreven ni a mirar.

6 ___________________: son viajeros que se sumergen en la cultura y costumbres lugareñas con absoluta facilidad, llegando a cambiar de vestuario, lengua y color de piel si es necesario. Después de una semana de viaje es imposible distinguirlos de los nativos. Son especialmente sensibles a esos detalles que suelen pasar desapercibidos para los demás: la mirada perdida de un anciano, la lagartija que cruza la calle...

7 ___________________: estos viajeros no quieren gastar poco, simplemente, no quieren gastar en nada. Buscan todo el tiempo acceder a servicios sin aportar un centavo; prefieren dormir en la calle o cualquier lugar con tal de no pagar unos pocos pesos por un *camping* o una cama de hotel; no usan un solo transporte público y son capaces de estar días en la ruta con tal de ser llevados a dedo. Hay un cierto orgullo en este tipo de acciones.

Ofertas
Destinos
Foros
Direcciones
Vacunas

d En parejas. ¿Qué tipo de viajero crees que corresponde con el viaje de Ecuador? ¿Se parece al que vosotros habíais definido?

e Lee las siguientes preguntas, prepara tus respuestas durante unos minutos y comenta con el resto de la clase.

- ¿Conoces algún viajero de los tipos señalados en la actividad **c**? Comenta tu experiencia.
- Y tú, ¿qué tipo de viajero eres? Si crees que no se corresponde con ningún tipo de los anteriores o que es una mezcla, crea tu propia categoría y coméntalo con la clase.

Yo creo que soy un viajero...

CIERRE DE EDICIÓN

Vamos a elegir un viaje de aventura y a elaborar la guía de viaje.

PLANIFICA ▼

1 Formad tres grupos en la clase. Cada uno debe elegir uno de los siguientes viajes propuestos.

LA LUNA A TU ALCANCE

Viajar al espacio ya es posible. Una compañía aérea ha creado un avión con el que se dará la vuelta al mundo sin escalas. El viaje ofrece la experiencia de ir a la frontera con el espacio para que sus viajeros experimenten la sensación de ingravidez y aventura espacial durante unos minutos. Antes de salir de viaje, los viajeros pasan una semana en un destino que simula las características de la luna.

VIAJES SOLIDARIOS

Hacer un viaje de turismo solidario es una experiencia educativa. Como voluntario no vas a "ayudar", sino más bien a aprender, a integrarte en las comunidades que necesitan tu ayuda. Con esta experiencia se pretende que cada participante adquiera una cultura de justicia e igualdad y pueda contribuir al desarrollo de un mundo más sostenible y participar en proyectos de cooperación en América Latina y en la India en el ámbito educativo, sanitario y medioambiental, en beneficio de comunidades que viven en situaciones de pobreza y exclusión social.

LA ANTÁRTIDA: EL CONFÍN DE LA TIERRA

Te acompañamos a la Península Antártica en su parte más septentrional del continente. Viajamos a bordo de un barco de tres mástiles como en la época dorada de las expediciones polares.

Icebergs, glaciares, una abundante vida salvaje: focas solitarias que dormitan sobre bloques de hielo, la cola de una ballena que se levanta a pocos metros, miles de pingüinos con su polluelo entre las patas... La Antártida es uno de los paraísos del naturalista. Pero no creas que serás solo un viajero observador: turnos de guardia, manejo de las velas y timón... la colaboración con la tripulación del velero es un atractivo a tener en cuenta.

ELABORA ▼

2 Elaborad un esquema con las ideas que queráis que aparezcan en la guía de viaje. Tened en cuenta que debe constar de las siguientes secciones:

* DESTINO Y BREVE DESCRIPCIÓN DEL VIAJE:
El viaje y sus principales atractivos.

* TIPO DE VIAJERO:
Viajero ideal para este viaje.
(ayúdate de la sección "Línea a línea")

* QUÉ HARÍAS SI...:
Imagina tres situaciones que podrían darse en este tipo de viajes y qué harías en estos casos.

* CONSEJOS:
Los cinco consejos más importantes para conseguir que el viaje sea un éxito.

3 Ahora elaborad la guía de viaje.

PRESENTA Y COMPARTE ▼

4 Compartid con vuestros compañeros vuestra guía de viaje. Después, dejad algún tipo de comentario en las otras dos guías de viaje (cosas que os gustan, cosas que faltan, nuevas ideas, etc.).

En esta unidad vamos a participar en la web social de viajes www.minube.com, recomendando un lugar interesante para visitar.

Entra en www.agenciaele.com para realizar esta actividad.

Estrategias de aprendizaje: imágenes mentales

¿De qué color tiene los ojos tu madre? ¿Cuántos armarios hay en tu casa? ¿De qué color visten los deportistas de tu equipo preferido? Para responder a estas preguntas seguramente has empleado imágenes mentales: has visualizado el rostro de tu madre, has visualizado tu casa y te has movido mentalmente por ella, has traído a la mente la imagen de los jugadores de tu equipo... Las imágenes mentales nos pueden ayudar mucho en el aprendizaje de una lengua. Nuestra mente contiene una cantidad inagotable de imágenes que podemos utilizar para mejorar nuestras destrezas orales y escritas, recordar vocabulario e incluso para ganar confianza y seguridad al hablar español.

17

1 ¿Crees que tienes poca imaginación? Ponte a prueba. Escucha la siguiente historia y después contesta a las preguntas.

1 ¿Cuántos años tiene María?
2 ¿Qué lleva puesto?
3 ¿Cómo es la habitación en la que está?
4 ¿De qué color es el sofá?
5 ¿Cómo es María?
6 ¿Y Pablo?

2 Las imágenes mentales pueden ayudarnos a mejorar nuestras estrategias de aprendizaje. Lee las instrucciones y relaciónalas con la tarea que crees que pueden facilitar.

INSTRUCCIONES

1 Visualiza un éxito que hayas tenido en el pasado. Párate en los detalles, disfruta recordando cómo te sentiste, repasa las capacidades que te ayudaron a triunfar.
2 Recuerda una anécdota de tu infancia. Dedica unos minutos a visualizar la situación. ¿Dónde estabas? ¿Cómo era ese lugar? ¿Con quién estabas? ¿Qué ropa llevabas?
3 Imagina un objeto cumpliendo su función habitual: unas tijeras cortando un papel; una sombrilla protegiéndonos del sol...
4 Visualiza situaciones que reflejen relaciones gramaticales: imagínate en la playa un día de lluvia *(Aunque llovía, fuimos a la playa)*.

TAREAS

a Aprender y recordar vocabulario.
b Escribir un texto narrativo sobre algún momento de tu vida.
c Llevar a cabo una actividad difícil e importante, por ejemplo, una entrevista de trabajo en español.
d Reconocer el valor de marcadores *(porque, como, de este modo...)*.

3 En grupos, compartid ideas sobre cómo podemos usar imágenes mentales para abordar las siguientes tareas.

- Escribir un texto sobre una persona importante para ti.
- Enfrentarte a un examen oral.
- Aprender y recordar léxico relacionado con sentimientos.
- Comprender y expresar instrucciones para llegar a un sitio.
- Generar ideas para escribir.

4 Pensad en un aspecto relacionado con el aprendizaje y uso de la lengua española que os suponga mucha dificultad. ¿Cómo os pueden ayudar las imágenes mentales a enfrentaros a él?

6 Hablando se entiende la gente

En esta unidad vamos a:

- **Hablar de conflictos entre vecinos, parejas, padres e hijos**
- **Quejarnos de lo que nos molesta**
- **Protestar por lo que no consideramos justo**
- **Hacer propuestas y sugerencias para mediar en discusiones**
- **Reflexionar sobre la convivencia**

1 ¡A tu cuarto sin cenar!

a Observa las siguientes imágenes. ¿Qué tienen en común? ¿Qué situaciones reflejan?

A

B

C

b Decide con tu compañero a qué contexto de los que aparecen en la actividad anterior pueden pertenecer los siguientes temas de discusión.

	A	B	C
1 El desorden en el cuarto			
2 El exceso de ruido			
3 El rendimiento académico			
4 El reparto de las tareas domésticas			
5 La hora de regreso a casa los fines de semana			
6 Las obras y reformas			
7 Los celos			
8 Los impagos			
9 Los animales de compañía molestos			
10 Olvidar fechas importantes			

c Aquí tienes otras situaciones de conflicto. Escribe debajo de cada imagen posibles causas de discusión.

1 *No ha entregado el informe a tiempo.*
....
....

2 ....
....
....

3 ....
....
....

d ¿A qué situación de la actividad **c** se refiere cada una de las frases siguientes?

a ¡Que me des el mando! ☐
b ¡No podemos permitirnos más retrasos! ☐
c ¡A ver si miras! ☐
d ¡Ahora me toca a mí! ☐
e ¡Mira por dónde vas! ☐
f ¡Tiene que estar hoy sin falta! ☐

2 Mis adorables vecinos

a Vas a escuchar una entrevista radiofónica a Eduardo Gil, experto en conflictos vecinales. Completa las siguientes frases con la información dada en la audición.

1 Según la locutora, en los casos más extremos, algunos vecinos optan por...
2 En España, la principal fuente de discusión entre vecinos es...
3 El ruido que genera más problemas entre vecinos es...
4 Según Eduardo Gil, la mejor forma de solucionar los conflictos vecinales es...
5 Cuando se trata de un conflicto muy grave la gente suele...
6 Para Eduardo Gil, el inconveniente de pedir ayuda profesional es...

b En pequeños grupos, elaborad un «Decálogo del buen vecino».

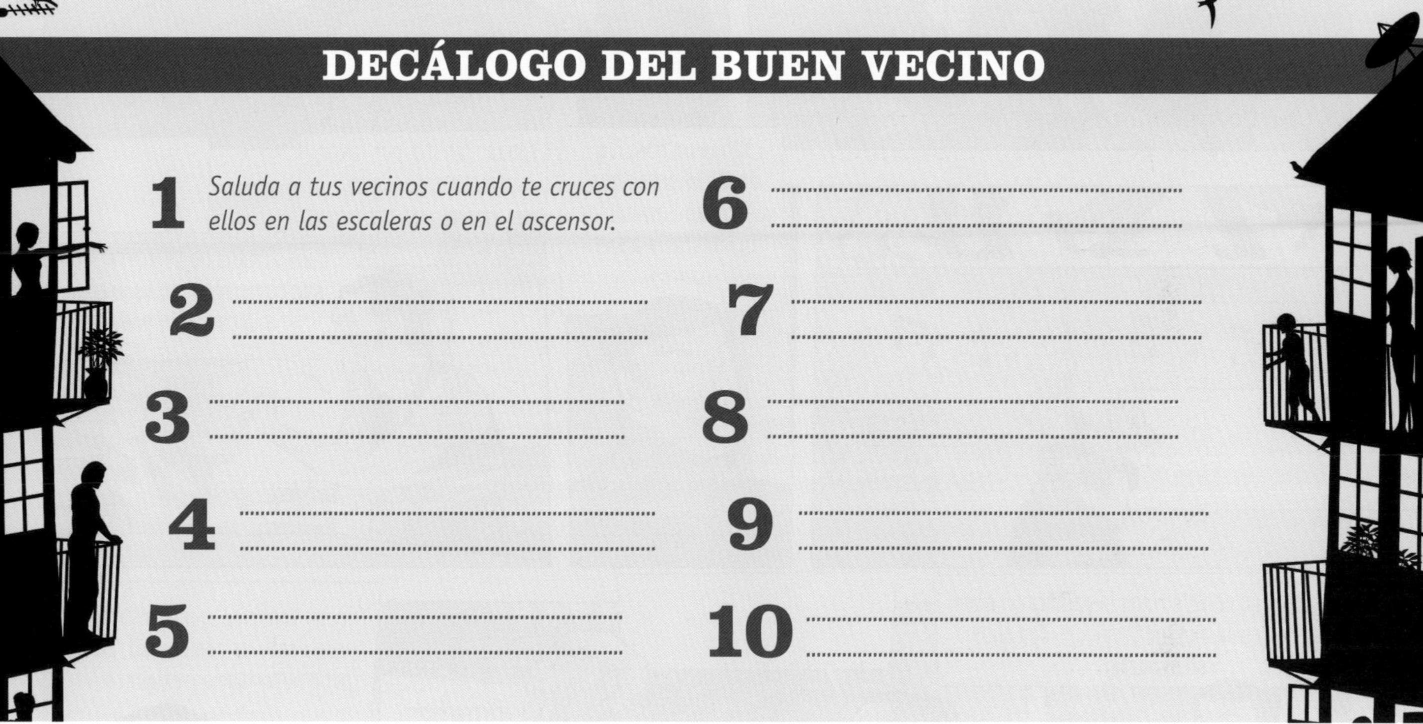

DECÁLOGO DEL BUEN VECINO
1 Saluda a tus vecinos cuando te cruces con ellos en las escaleras o en el ascensor.
2
3
4
5
6
7
8
9
10

3 La comunidad

a Lee el cómic y coloca las siguientes intervenciones en el lugar adecuado.

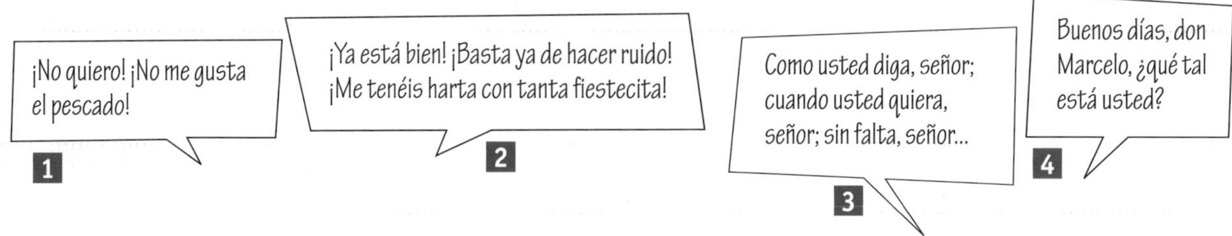

¡Ya está bien! ¡Basta ya de hacer ruido! ¡Me tenéis harta con tanta fiestecita!

Como usted diga, señor; cuando usted quiera, señor; sin falta, señor...

Buenos días, don Marcelo, ¿qué tal está usted?

b ¿Cómo definirías el ambiente en la comunidad de vecinos de la calle Desengaño? ¿Es especialmente conflictivo? Coméntalo con tus compañeros.

Al final de la unidad...

Vas a participar en una conversación para solucionar conflictos entre personas.

Sergio y Paloma van a realizar un reportaje sobre la convivencia entre vecinos y entrevistan a don Ricardo, conserje de un edificio situado en la calle Desengaño.

Don Ricardo, usted es el conserje de este edificio, ¿no? Cuéntenos, ¿qué tal se llevan los vecinos?
Pues en general se llevan bien, aunque, claro, hay algunos problemas, como en todas las comunidades.
¿Y cuáles son esos problemas?
Lo de siempre: alguna que otra persona mayor con un poquito de mal genio, que se queja continuamente del ruido que hacen los vecinos de arriba...
Niños un poquito desobedientes que disfrutan llevándoles la contraria a sus padres...
Venga, Pablito, por favor, cómete el pescado...
Pues aunque no te guste, tienes que comerlo. Si no te lo comes, a la cama sin postre.
Vecinos que no te dirigen la palabra y hacen que no te ven aunque tropieces con ellos en el portal.
¡Brrrgrrrrrr!
Y luego tenemos, claro, al típico presidente de comunidad, un poco autoritario y exigente.
No olvides llamar al fontanero para que arregle la gotera del tercero. Y cambia la bombilla de la escalera, que se ha fundido. Y dile a doña Ramona que lleva dos meses sin pagar los gastos de comunidad. Y...
Y cuénteme, ¿hay mascotas en este edificio?
Pues sí, hay algunos...

1 ¡Aunque no te guste!

a Fíjate en estas frases extraídas del cómic y elige la opción más adecuada.

> Sergio: Cuéntenos, ¿qué tal se llevan los vecinos?
> Don Ricardo: Pues en general se llevan bien, aunque, claro, hay algunos problemas, como en todas las comunidades. **1**

- [ ] A Hay problemas, pero no importan demasiado.
- [ ] B No es verdad que los vecinos se lleven bien.

> Pablito: ¡No quiero! ¡No me gusta el pescado!
> Padre: Pues aunque no te guste, tienes que comerlo. **2**

- [ ] A Pablito es un mentiroso: en realidad sí le gusta el pescado.
- [ ] B Tiene que comerse el pescado tanto si le gusta como si no le gusta.

> Don Ricardo: Vecinos que no te dirigen la palabra y hacen que no te ven aunque tropieces con ellos en el portal. **3**

- [ ] A Algunos vecinos no saludan nunca.
- [ ] B Algunos vecinos solo saludan cuando te los encuentras.

> ***Aunque*** introduce un obstáculo que no impide la realización de la acción principal.

b Observa de nuevo los ejemplos anteriores y marca la opción más adecuada.

1 La información "hay algunos problemas" **es / no es** nueva para Sergio.
2 La información "a Pablito no le gusta el pescado" **es / no es** nueva para su padre.
3 Encontrarse a un vecino en el ascensor **es / no es** suficiente para que te salude.

AUNQUE + INDICATIVO / SUBJUNTIVO

- **El hablante conoce la información**
- El hablante supone que toda la información **es nueva** para el oyente.
  Se proporciona información tanto en la oración principal como en la oración subordinada.

AUNQUE + INDICATIVO

- *¿Al final fuisteis al teatro?*
- *Sí, sí, **aunque** había muchísima gente y llegamos un poco tarde, conseguimos entradas.*

- El hablante recupera en la oración introducida por *aunque* información que ya ha sido mencionada o que se presupone por el contexto. Esta información **no es nueva** para el oyente.
  Se proporciona información nueva solo en la oración principal.

AUNQUE + SUBJUNTIVO*

- *¿No es muy mayor para jugar con niños tan pequeños?*
- ***Aunque** sea mayor que los niños, se lo está pasando muy bien, ¿no crees?*

- *Marisa me ha dicho que ayer al final llegasteis tarde al teatro...*
- *Sí, pero... **aunque** llegáramos tarde, conseguimos entrar.*

- *¡Madre mía! ¡El espectáculo ha durado nada más y nada menos que dos horas!*
- *Pues **aunque** haya durado dos horas, a mí el tiempo se me ha pasado volando.*

- **El hablante desconoce la información**
- El hablante plantea hechos en la información introducida por *aunque* que no sabe si se han realizado o se realizarán (cumplimiento posible o muy difícil).

AUNQUE + SUBJUNTIVO

- *¿Vas a hacer algo especial este fin de semana?*
- *Pues llevo un montón de tiempo queriendo ir al teatro, y entre unas cosas y otras, no he encontrado el momento. Así que de este fin de semana no pasa: **aunque** esté* enfermo, llueva* o sea* el fin del mundo, yo este fin de semana voy al teatro.*
- *Uff, a mí no me gusta nada de nada el teatro, fíjate que, **aunque** me pagaran* todo el oro del mundo, no iría.*
- *¡Qué exagerada eres!*

* En ocasiones, el hablante utiliza INDICATIVO en estas situaciones.

* El imperfecto de subjuntivo expresa menor grado de probabilidad de realización en el futuro que el presente de subjuntivo.

c Lee estos mensajes publicados en distintos foros. ¿Qué vecinos de los que aparecen en el cómic pueden haberlos escrito? (De momento, no te preocupes por las formas verbales que aparecen en negrita).

Compras ❶

HOME TEMAS DE HOY AYUDA ENLACES

Mis compañeros de piso y yo estamos pensando en comprar un equipo de música potente, aunque a la vecina de abajo no le **hace / haga** gracia la idea. ;-) El caso es que hemos mirado precios por internet y el que más nos gusta (modelo SOUNDMASTER con Bluetooth y base iPOD) es un poco caro, nada más y nada menos que 225 euros. ¿Merece la pena comprarlo aunque **cuesta / cueste** tanto? Otra cosita, vivimos en la c/ Desengaño, y aunque el barrio **tiene / tenga** muchos centros comerciales, no hemos encontrado ninguna tienda especializada. ¿Algún consejo? ¿Quizá es mejor comprarlo por internet?

COMUNIDAD DE VECINOS ❷

Aunque **sigo / siga** este foro desde hace tiempo, es la primera vez que intervengo. Tengo varias dudas relacionadas con la gestión de comunidades de vecinos, a ver si alguien puede ayudarme. En el edificio en el que vivo estamos pensando en poner ascensor, pero no hay unanimidad. ¿Es posible sacar el proyecto adelante aunque no todo el mundo **quiere / quiera**? Y una última consulta. El hijo de un vecino ha roto un espejo del portal jugando con la pelota, ¿los gastos del nuevo espejo debe pagarlos toda la comunidad, aunque no **somos / seamos** culpables? Muchas gracias de antemano.

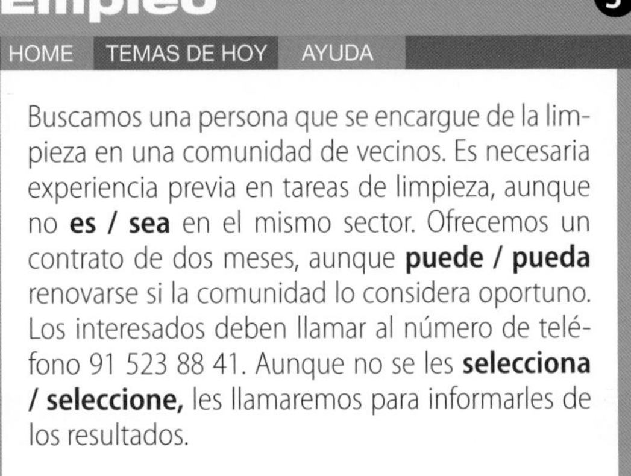

Empleo ❸

HOME TEMAS DE HOY AYUDA

Buscamos una persona que se encargue de la limpieza en una comunidad de vecinos. Es necesaria experiencia previa en tareas de limpieza, aunque no **es / sea** en el mismo sector. Ofrecemos un contrato de dos meses, aunque **puede / pueda** renovarse si la comunidad lo considera oportuno. Los interesados deben llamar al número de teléfono 91 523 88 41. Aunque no se les **selecciona / seleccione,** les llamaremos para informarles de los resultados.

d Ahora elige las formas verbales que consideres más adecuadas. Como verás en el siguiente ejemplo, a veces *aunque* puede ir tanto con indicativo como con subjuntivo.

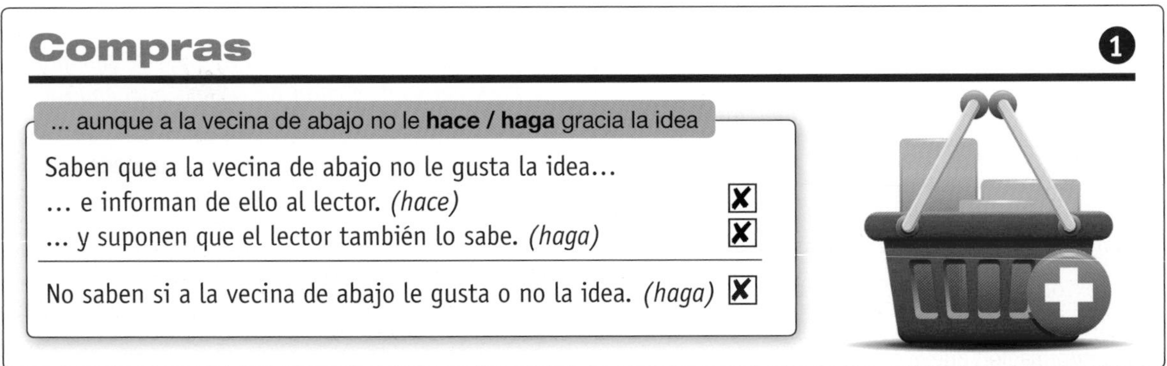

Compras ❶

... aunque a la vecina de abajo no le **hace / haga** gracia la idea

Saben que a la vecina de abajo no le gusta la idea...
... e informan de ello al lector. *(hace)* ☒
... y suponen que el lector también lo sabe. *(haga)* ☒

No saben si a la vecina de abajo le gusta o no la idea. *(haga)* ☒

e El fin de semana pasado estuviste en la boda de unos amigos. Comenta con tu compañero las siguientes informaciones. Fíjate en el modelo.

La ceremonia fue larguísima.
Aunque *la ceremonia fuera larguísima, me resultó muy emotiva.* (A alguien que estuvo en la boda)
Aunque *la ceremonia fue larguísima, me resultó muy emotiva.* (A alguien que no estuvo en la boda)

Hablas con alguien que estuvo en la boda	Hablas con alguien que no estuvo en la boda
1 La madrina no paraba de llorar.	5 El traje de la novia era de alquiler.
2 El novio llegó tarde.	6 Hubo poca comida en el convite.
3 Nadie gritó «¡Vivan los novios!».	7 El restaurante estaba demasiado lejos.
4 Durante la sesión de fotos llovió sin parar.	8 Mi pareja no fue a la boda.

f Trabaja con tu compañero. El estudiante A defiende los proyectos de 1 y propone dos inconvenientes para los proyectos de 2. El estudiante B defiende los proyectos de 2 y propone dos inconvenientes para los proyectos de 1. Fíjate en el modelo.

1
- Recorrer España en bicicleta
- Montar un grupo de teatro
- Abrir una librería

2
- Crear un partido político
- Abrir un restaurante de comida española
- Recorrer Argentina en coche

1 *Estudiante A: Pues este verano quiero recorrer España en bicicleta.*
Estudiante B: Pero... tú no tienes bicicleta, ¿no?
Estudiante A: Bueno, pero aunque no tenga, puedo alquilar una o pedirla prestada o comprarme una que no sea demasiado cara...

2 *Estudiante B: Estoy pensando en crear un partido político.*
Estudiante A: ¡No me digas! Pero si nunca te ha gustado la política...
Estudiante B: Aunque nunca me haya gustado, la verdad es que ahora empieza a interesarme.

CONSEJO: antes de interactuar, planifica individualmente tu discurso. Toma nota de los inconvenientes que vas a plantear e imagina cuáles van a plantearte a ti.

2 ¡Ya está bien!

a Lee las siguientes noticias. ¿Qué tienen en común? Con ayuda de tu compañero, redacta los titulares correspondientes.

La Unión de Pequeños Agricultores y Ganaderos (UPA) repartirá hoy, de forma gratuita, en la plaza de Callao de Madrid, unos 15 000 kilogramos de frutas de verano. Con esta iniciativa la UPA pretende manifestar su indignación ante la situación de los agricultores españoles, que cobran por sus productos seis veces menos de lo que cuestan en los comercios. Además de denunciar ante la sociedad los desequilibrios en los precios, la UPA quiere solidarizarse con las miles de familias madrileñas que tienen dificultades para llenar cada día la cesta de la compra.

Ayer, los jugadores del Granada Club de Fútbol protagonizaron un acontecimiento insólito: convirtieron un campo de fútbol en un escenario de protestas. En cuanto el árbitro pitó el comienzo del partido contra el Melilla, los jugadores del Granada se arrodillaron durante un minuto, mirando hacia el palco donde estaba sentado el presidente del club, para reclamar los cuatro meses de salario que se les debe. El público asistente aplaudió a los jugadores por su actitud. La ovación se repitió al finalizar el partido, esta vez para celebrar el triunfo del Granada, que venció al Melilla 1–0. Más allá del resultado, el partido (retransmitido en televisiones nacionales e incluso internacionales) puso en evidencia la precaria situación económica en la que se encuentran numerosos equipos de fútbol que no son de primera división.

Antonio Manfredi, director del Museo de Arte Contemporáneo de Casoria, cerca de Nápoles (Italia), quemó ayer, en público, un cuadro de la colección para protestar por la precaria situación del museo y la falta de apoyo económico. El cuadro devorado por las llamas era una obra de la artista francesa Séverine Bourguignon, quien se mostró a favor de la protesta y la siguió por internet. Manfredi considera la quema «un acto simbólico» para hacer visible el abandono institucional en el que se encuentra el centro de arte que dirige. Manfredi planea quemar tres cuadros a la semana a partir de ahora, en una protesta que ha denominado 'Guerra del Arte'.

Cientos de estudiantes se reunieron en la plaza de Armas de Santiago de Chile para reivindicar una educación igualitaria, gratuita y de calidad. Bajo el lema «Con pasión por la educación», los asistentes participaron en una original protesta llamada «besatón», consistente en besarse simultáneamente a una orden de los organizadores. El evento no pasó desapercibido entre los transeúntes, que no dudaron en detenerse a mirar, aplaudir, e incluso a sumarse a la iniciativa. La maratón de besos duró 1800 segundos en referencia a los 1800 millones de dólares que se necesitan para financiar el coste de la educación. Los estudiantes habían protagonizado anteriormente dos masivas manifestaciones que, según los organizadores, reunieron a unos 80 000 universitarios, estudiantes de secundaria y profesores.

b ¿Cuál de las protestas anteriores te parece más curiosa? ¿Conoces más ejemplos de protestas curiosas? Coméntalo con tu compañero.

19-21

c Escucha los siguientes testimonios y relaciónalos con las noticias anteriores. A una de las noticias no le corresponde ningún testimonio.

1 Agricultores y ganaderos ☐

2 Jugadores de fútbol ☐

3 Estudiantes ☐

4 Directores del museo ☐

d Lee la transcripción de los testimonios anteriores (ver transcripción) y añade ejemplos a la tabla.

PROTESTAR, EXPRESAR ENFADO E INDIGNACIÓN	PEDIR Y RECLAMAR
• *Ya está bien / Basta ya de* + sustantivo / infinitivo *¡**Basta ya** de familias endeudadas!* • *Ya está bien / Basta ya de* + *que* + subjuntivo .... • *Estar harto / cansado de* + sustantivo / infinitivo (mismo sujeto) ***Estamos hartos de** tanta injusticia.* • *Estar harto / cansado de* + *que* + subjuntivo (diferentes sujetos) .... • *Nos indigna / Es indignante / Nos da rabia* + sustantivo / infinitivo ***Nos da rabia** trabajar tanto y no poder llegar a fin de mes.* • *Nos indigna / Es indignante / Nos da rabia* + *que* + subjuntivo	• *Querer / Pedir / Exigir* + sustantivo / infinitivo (mismo sujeto) .... • *Querer / Pedir / Exigir* + *que* + subjuntivo (diferentes sujetos) ***Queremos que** los medios de comunicación se hagan eco de nuestras demandas....* .... • *Nos gustaría* + infinitivo ***Nos gustaría** llegar a un acuerdo cuanto antes.* • *Nos gustaría* + *que* + imperfecto de subjuntivo ....

e Escribe ahora un testimonio que recoja las quejas y reclamaciones correspondientes a la noticia que falta. Sigue los modelos presentados en la actividad **d**.

3 Hablando se entiende la gente

a ¿Qué mecanismos conoces para resolver conflictos? ¿Sabes lo que significan las palabras «mediación» y «mediador»?

b Estas son algunas de las características que debe tener un buen mediador. Con tu compañero, ordenadlas de más a menos importante. Presentad vuestra lista al resto de la clase y justificad vuestra elección.

☐ a Formación adecuada
☐ b Imparcialidad
☐ c Creatividad
☐ d Facilidad para la comunicación
☐ e Flexibilidad
☐ f Empatía
☐ g Capacidad de generar confianza
☐ h Saber escuchar

Nosotros creemos que lo más importante es tener una formación adecuada para saber cómo actuar, cómo comportarse y qué herramientas se deben utilizar en un proceso de mediación.

c Carolina y Javier acuden a un mediador. Primero ordena la conversación, después escucha y comprueba.

A ☐

Mediador: Fíjense que, a pesar de las diferencias que hay entre ustedes dos, ambos tienen una cosa en común: su prioridad es Gabriela. Es un buen punto de partida para llegar a un acuerdo, ¿no? Dígame, Carolina, ¿qué cantidad de dinero necesita usted para cubrir los gastos de su hija y de qué forma quiere recibir y gestionar esa cantidad?
Carolina: Pues solo pido lo necesario para pagar la alimentación. Una posibilidad es abrir una cuenta bancaria a nombre de Gabriela y que Javier nos ingrese el dinero mensualmente. Otra posibilidad sería que Javier se encargara directamente de hacer la compra una vez a la semana. Personalmente, prefiero la primera opción, pero como él quiera.

B ☐

Mediador: Ya veo. Nos encontramos entonces con dos conflictos. Por un lado, el pago de una ayuda económica para mantener a Gabriela y, por otro lado, recuperar la relación padre–hija. Imagino que si los dos han buscado la ayuda de un mediador es porque están dispuestos a ceder, ¿no es así?
Carolina: Sí, por supuesto.
Javier: Claro, claro.

C ☐

Mediador: Les propongo entonces que expliquen qué es lo que quiere cada uno y qué es lo que le piden al otro.
Carolina: Por mi parte, yo lo único que quiero es lo mejor para mi hija. Estoy dispuesta a que Javier pase el mayor tiempo posible con Gabriela y quede con ella donde quiera y cuando quiera, si accede a pagar el dinero que le corresponde.
Javier: Al igual que Carolina, para mí lo más importante es mi hija y lo que más me preocupa es su bienestar. Aunque mi situación económica no sea muy buena, haré los sacrificios que sean necesarios, pero ella debe asegurarme que voy a poder ver a mi hija con regularidad.

D *1*

Mediador: Bueno, se ha convocado esta reunión a petición de ustedes dos, Javier y Carolina. Empecemos por el principio. Cuéntenme cuál es la situación. Si les parece bien, puede comenzar usted, Carolina.
Carolina: Javier y yo estamos separados desde hace dos años. Tenemos una hija en común, Gabriela, que vive conmigo. Javier se niega a pasarnos la ayuda económica que me corresponde para poder mantener a mi hija.
Mediador: Gracias, Carolina. Y usted, Javier, ¿qué tiene que decir al respecto?
Javier: Pues la verdad es que en estos momentos mi situación económica no es demasiado buena. Pero es que, además, hay otro problema: Carolina no me permite ver a mi hija.

E ☐

Mediador: ¿Qué le parece, Carolina?
Carolina: Estoy de acuerdo, aunque también habría que consultarlo con Gabriela.
Mediador: Bueno, pues, a pesar de ser una situación bastante compleja y difícil, los dos han hecho un gran esfuerzo por alcanzar un acuerdo y parece que lo han conseguido. Hemos llegado casi al final de este proceso de mediación.

F ☐

Mediador: ¿Qué le parece, Javier?
Javier: Me parece justo. Lo haré tal como ella prefiere, o sea, les ingresaré mensualmente la cantidad que acordemos, siempre y cuando me permita ver a mi hija, claro.
Mediador: Y díganos, Javier, ¿con qué frecuencia le gustaría a usted ver a su hija?
Javier: Pues, no sé, como ella quiera. Para empezar, no estaría mal pasar algunos fines de semana juntos y, quizá, parte de las vacaciones.

d En tu opinión, ¿qué rasgos de los citados en la actividad **b** posee el mediador de Carolina y Javier? ¿Cuáles le faltan?

e Fíjate en las estructuras que te presentamos a continuación. Todas tienen la misma función. ¿Para qué sirven?

Sirven para:

- PEDIR CONSEJO ☐
- HACER PROPUESTAS ☐
- AMENAZAR ☐

Si les parece bien pueden / podrían… (+ infinitivo)
Les propongo… (+ sustantivo / infinitivo / *que* + subjuntivo)
Una / Otra posibilidad es / sería… (+ infinitivo / *que* + subjuntivo)
No estaría mal / Estaría bien… (+ infinitivo / *que* + subjuntivo)
Habría que… (+ infinitivo)

f Con tu compañero, redacta tres posibles propuestas de Gabriela a sus padres. (Ideas: cómo le gustaría que fuera la relación entre sus padres; con qué frecuencia le gustaría ver a su padre...).

g Observa estos fragmentos extraídos de la conversación. ¿En qué casos Carolina y Javier **saben / no saben** dónde, cuándo o cómo? Marca con una cruz. ¿Qué modo verbal se utiliza en cada caso?

	Saben	No saben
Carolina: Estoy dispuesta a que Javier (...) quede con ella donde diga y cuando diga.		
Javier: Lo haré tal como ella prefiere, o sea, les ingresaré mensualmente la cantidad que acordemos.		
Mediador: ¿Con qué frecuencia le gustaría ver a su hija? Javier: Pues, no sé, como ella quiera.		
Modo verbal: ¿indicativo o subjuntivo?		

Usamos subjuntivo detrás de *el / la / los / las que, cuando, cuanto, como, donde* y *quien* si nos referimos a algo o alguien no conocido, que no se puede especificar o a lo que no se concede importancia.

- *¿Vamos al cine o al teatro?*
- *Donde tú **quieras**, me da igual.*

h Completa estas conversaciones de pareja con el tiempo y el modo verbal que consideres adecuados.

1

- Si es niño, le llamaremos Enrique, como yo.
- Vale, pero si es niña, Carmen, como .... (querer) mi madre.

2

- ¿Dónde te apetece ir a cenar? ¿Pizzería, tapeo o prefieres quedarte en casa?
- No sé, donde tú .... (querer), a mí me da igual.

3

- Para llegar a casa de Isabel, cogemos la calle Damas y después nos metemos por Manigua.
- No, no, mejor coger la avenida Trafalgar, es más rápido.
- No, cariño, como yo .... (decir) es mejor, porque en Trafalgar siempre hay atascos.

4

- Para el cumpleaños de Pablito había pensado organizar una fiesta de disfraces, ¿qué te parece?
- Hombre, como a él le .... (apetecer), para eso es su cumpleaños.

5

- ¿Dónde has metido la botella de vino que compramos el otro día?
- Donde me .... (decir), en la nevera.

6

- Recuerda que este fin de semana tenemos que ir a casa de Manuel y Alejandra para tomar café... ¿qué día les digo que vamos?
- Pues no sé, cuando .... (proponer) ellos estaba bien... creo que era el domingo. Llámalos para confirmar.

1 No te enfades, que es peor

a ¿Sabes controlarte cuando te enfadas? Elabora una lista de consejos y estrategias para dominar la ira en situaciones de conflicto.

b Lee el texto y compara estos consejos con los de tu lista.

Controla tu ira

La mayoría de las personas pasamos demasiado tiempo enfadadas. Nos enfadamos con los hijos, con los amigos, con la pareja, con los compañeros de trabajo e **incluso** con la vida. El problema es que, al igual que el odio, el enfado es "como una piedra ardiendo, que a quien primero quema es a quien la lanza". **Es decir**, además de afectar a nuestras relaciones personales, el sentimiento generado cuando nos enfadamos influye directamente en nuestro estado físico y mental, pudiendo provocar además problemas de salud. Es conveniente, **por lo tanto**, controlar nuestros ataques de ira. Los expertos en la materia proponen las siguientes estrategias de autocontrol:

- En situaciones conflictivas aconsejan, **en primer lugar**, inspirar tres veces profundamente. Cuando estamos enfadados, nuestro cuerpo se pone tenso, y este tipo de respiración ayuda a disminuir esta tensión.
- Cambiar de entorno, pasear durante cinco minutos y tomar un poco de aire fresco **también** ayuda a tranquilizarnos, o poner la radio en medio del tráfico y cantar a pleno pulmón.
- Es imprescindible, **además**, averiguar por qué estamos enfadados. Debemos actuar como detectives y encontrar aquellos tipos de situaciones, personas o eventos que nos despiertan la ira. Así podremos evitarlos más fácilmente.
- **Asimismo**, es conveniente explicar a los demás cómo nos sentimos, pero de forma tranquila y comunicativa, **o sea**, sin excesos, controlando nuestro disgusto. **De hecho**, si nuestro enfado puede tener consecuencias graves, por ejemplo un despido o un divorcio, es mejor calmar nuestra ira contándoselo a un amigo antes de hablar con la persona que nos ha enfadado.
- Para relativizar nuestros problemas, los psicólogos proponen, **por un lado**, mirar las cosas como una graduación de grises, y no como blanco o negro; y **por otro**, no preocuparnos en exceso por lo que está fuera de nuestro control. Después de todo, solo podemos cambiar nosotros mismos y nuestras respuestas frente a los demás, no lo que los otros nos hagan.
- Y **por último**, quizá la estrategia más difícil, pero sin duda la más eficaz: el perdón.

En definitiva, se trata de tener presente que enfadarse, además de no solucionar el problema, nos hace sentir peor.

Las palabras que aparecen en azul en el texto se llaman **marcadores discursivos** y sirven para organizar, estructurar y guiar el discurso.

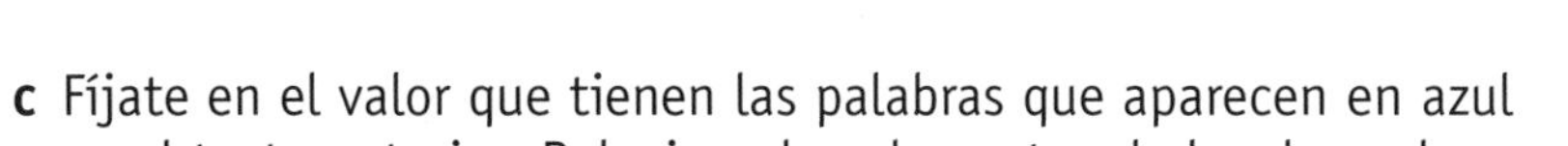

c Fíjate en el valor que tienen las palabras que aparecen en azul en el texto anterior. Relaciona los elementos de las dos columnas.

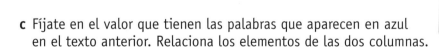

1 Añaden más ideas.
2 Ejemplifican.
3 Expresan consecuencia.
4 Introducen aclaraciones
5 Introducen conclusiones.
6 Introducen una idea que refuerza y confirma con mayor intensidad o concreción lo que se ha dicho antes.
7 Ordenan el discurso.

a *En primer lugar, por último, por un lado, por otro lado…*
b *De hecho,…*
c *Incluso, además, asimismo, también…*
d *Por lo tanto, así pues…*
e *En definitiva, en conclusión, en resumen…*
f *Es decir, o sea…*
g *Por ejemplo, en concreto, en particular…*

d Elige el marcador discursivo más adecuado para completar el siguiente texto. En algunos casos hay más de una posibilidad.

APRENDER A DECIR "NO"

¿Alguna vez te has encontrado en una situación en la que aceptas hacer algo que en realidad no querías? No es nada excepcional, de hecho / por lo tanto a todos nos pasa con mayor o menor frecuencia: por ejemplo / además, te invitan a una boda a la que no tienes ganas de asistir, pero dices "sí, claro, ahí estaré"; o tus compañeros del trabajo organizan una cena y, aunque prefieres irte a descansar a tu casa, no sabes cómo negarte y terminas asistiendo.

Entre las muchas razones por las cuales nos cuesta trabajo decir "no" se encuentra, por un lado / en primer lugar, el miedo a no ser aceptados: creemos que si decimos "no" seremos rechazados y marginados; y por otro lado / en segundo lugar, el miedo al conflicto, es decir / por ejemplo, si sabemos que negarnos va a generar una situación problemática para nosotros. En concreto / Así pues, es lo que suele ocurrir en el entorno laboral: es difícil decir "no" si nuestro jefe nos pide que hagamos horas extra. Además / Por otro lado, en ocasiones no nos atrevemos a decir "no" por no hacer sentir mal al otro, o sea / además, imaginamos que la otra persona va a sentirse mal con nuestra negación, y preferimos no hacerle pasar por eso.

Existen algunos trucos y consejos para poder decir "no". El más importante es no dejarse llevar por el impulso de decir "sí" y reflexionar antes de responder. En primer lugar / Asimismo, pregúntate si lo que te están pidiendo es algo que tú realmente quieres hacer y, en segundo lugar / en conclusión, analiza si tienes tiempo para hacerlo. De hecho / Incluso, muchas veces no es que no queramos complacer al otro, es que simplemente no tenemos tiempo.

En definitiva / Por lo tanto, lo más importante es saber reconocer cuáles son tus prioridades, tus deseos e intereses y actuar en consecuencia, aunque eso signifique decir "no" de vez en cuando.

2 ¡Aquí no hay quien viva!

a *Aquí no hay quien viva* fue una serie de televisión española que narraba la vida de una peculiar comunidad de vecinos. Estos son algunos de sus personajes. ¿Tienes algún vecino que se parezca en algo a ellos?

23 **b** Los vecinos de la serie *Aquí no hay quien viva* se reúnen para hablar de una antena parabólica que ha puesto Lucía. Escucha la conversación y toma nota de las siguientes cuestiones.

1. ¿Qué razones dan los vecinos a favor y en contra de quitar la antena parabólica?
2. ¿De qué forma se llega al acuerdo?
3. ¿Cómo reacciona Lucía ante la decisión de la comunidad?
4. ¿Cómo finaliza la reunión, de forma pacífica o violenta?

c Organizad la clase en grupos. Simulad la misma reunión de vecinos que habéis escuchado, pero en una versión pacífica y conciliadora, con final feliz para todas las partes. Escuchad las simulaciones de otros grupos y decidid cuál os parece mejor.

PERSONAJES

Emilio Delgado: Portero de la comunidad de vecinos. Su objetivo en la vida: vivir sin preocupaciones y tener una novia fija. Es un poquito cotilla. Vive con su padre, Mariano Delgado, un hombre mentiroso, presumido y caradura que le saca de sus casillas constantemente.

Belén López: Mantiene una tormentosa relación amorosa con Emilio, el portero. A pesar de estar enamorados, se llevan como el perro y el gato, y no paran de discutir, de forma que acaban rompiendo.

Marisa y Vicenta Benito: Dos hermanas de avanzada edad que comparten piso. Son las cotillas del edificio y se pasan la vida espiando a los vecinos. Aunque sean hermanas, son la noche y el día: Marisa fuma y bebe sin parar, está divorciada y tiene un pasado oscuro, y Vicenta, por el contrario, siempre ha estado soltera, es educada, inocente e ingenua.

Lucía Álvarez: Es una joven atractiva y trabajadora, hija de un constructor rico. Trabaja en la empresa de su padre. Es tan perfecta que las mujeres del edificio no la tragan y no pueden ni verla.

Mauri y Bea: Compañeros de piso y grandes amigos. Son uña y carne. Él, un periodista paranoico, desenfrenado, celoso, aunque también sensible, creativo y muy inteligente. Ella, una veterinaria de carácter abierto, optimista y segura de sí misma. Es la única mujer del vecindario que hace buenas migas con Lucía.

Juan Cuesta: Presidente de la comunidad. Es un hombre pacífico que vive bajo el dominio de su mujer. En las reuniones de vecinos siempre da discursos grandilocuentes y exageradamente adornados, que sacan de quicio a los demás vecinos.

CIERRE DE EDICIÓN

Vas a participar en una conversación para solucionar conflictos entre personas.

PLANIFICA ▼

Te aconsejamos que imagines lo que van a decir tus interlocutores y prepares posibles reacciones.

1 Organizad la clase en tres grupos: A, B y C. Recordad la letra que os ha correspondido porque es importante para la realización de la tarea.

2 Formad un grupo de tres (A, B, C) y preparad individualmente las intervenciones para la siguiente situación (SITUACIÓN 1). Tenéis dos minutos. Piensa y toma notas de qué vas a decir y cómo vas a decirlo.

SITUACIÓN 1: CONFLICTO VECINAL: RUIDOS

A El vecino de arriba no te deja dormir porque suele ver la televisión hasta muy tarde y con el volumen muy alto.
B Por las noches, tienes la costumbre de quedarte dormido viendo la tele. El vecino de abajo se ha quejado en varias ocasiones.
C Eres el presidente de una comunidad de vecinos. Dos vecinos están enfrentados por un problema de ruidos. Ayúdalos a llegar a un acuerdo.

ELABORA ▼

3 Tenéis cinco minutos para representar la situación anterior (SITUACIÓN 1). Recuerda las estructuras y las expresiones presentadas en esta unidad.

- **Protestar y expresar enfado:** *Ya está bien, basta ya, estoy harto / cansado, es indignante, me fastidia...*
- **Pedir y reclamar:** *Queremos, pedimos, exigimos, nos gustaría...*
- **Proponer:** *Si te parece bien podríamos, otra posibilidad sería, no estaría mal, habría que...*
- **Reaccionar ante lo que otras personas nos plantean:** *Aunque, a pesar de que...*
- **Organizar el discurso:** *En primer lugar, por un lado, por último, además, de hecho, en definitiva...*

4 Pasados los cinco minutos, buscad nuevos compañeros y formad un nuevo grupo. Repetid la dinámica anterior para estas otras dos situaciones (SITUACIÓN 2 y SITUACIÓN 3).

SITUACIÓN 2: PADRES E HIJO

B Estás muy enfadado con tu padre porque no te deja ir de acampada con tus amigos el fin de semana.
C Tu hijo ha suspendido varias asignaturas. Como castigo, le has prohibido ir de acampada con sus amigos el fin de semana, y él se ha enfadado.
A Tu marido y tu hijo no se hablan. Ayúdalos.

SITUACIÓN 3: DISCUSIONES DE PAREJA

C Has discutido con tu marido / mujer porque ha vuelto a olvidar el aniversario de vuestra boda.
A Tu marido / mujer está muy enfadado/a contigo porque no te has acordado del aniversario de boda.
B Un matrimonio muy amigo tuyo está enfadado por una fecha de aniversario. Ayúdalos a hacer las paces.

PRESENTA Y COMPARTE ▼

5 Elegid una de las situaciones en las que habéis trabajado y representadla delante de los compañeros. Escuchad las representaciones de otros grupos y tomad nota de:

1 Cuál es el problema.
2 Cómo se soluciona.
3 Qué estructuras de las presentadas en esta unidad han utilizado los compañeros.
4 Quién ha solucionado mejor el conflicto y cómo lo ha conseguido.

Agencia ELE digital

En esta unidad vamos a crear un Google Docs sobre buenas prácticas en la red. Entra en www.agenciaele.com para realizar esta actividad.

Convivir

1 Nuestro comportamiento social depende de muchos factores, entre ellos nuestro país de origen. Señala en la casilla 1-4 del siguiente cuestionario la opción más adecuada de acuerdo a las costumbres de tu país.

1 = No se hace nunca **3 = Es relativamente frecuente**

2 = Es poco frecuente **4 = Es lo normal**

En la casilla ☺ puedes añadir ideas que aclaren más tu respuesta, por ejemplo: *normalmente, los hombres / las mujeres / los jóvenes..., depende...*

	1-4	☺
1 En tu nuevo trabajo, te presentan a un compañero. Lo saludas dándole dos besos.		
2 Coincides en el ascensor con una pareja y su bebé. Repites varias veces lo bonito que te parece el niño.		
3 Haces una cena en casa para un grupo de compañeros de clase. Les enseñas todas las habitaciones del piso.		
4 Una amiga te invita a comer a su casa. Le llevas un ramo de flores.		
5 Te interesa saber cuánto paga de alquiler tu vecino. Se lo preguntas.		
6 Tu compañera de trabajo se ha cortado el pelo. Le dices que está muy guapa.		
7 En una cena en tu casa, tus invitados han terminado su plato. Aunque dicen que no quieren más, insistes para que repitan.		
8 Un amigo te invita a comer con su familia. Tratas a los padres de usted.		
9 Vas con un amigo a una fiesta en la que no conoces a casi nadie. Esperas que tu acompañante pase todo el tiempo contigo.		
10 Te encuentras con un antiguo compañero de colegio. Ha engordado muchísimo. Se lo dices.		

2 En grupos de tres o cuatro comentad vuestras respuestas: si sois del mismo país, comprobad si habéis coincidido; si sois de países distintos, hablad sobre las diferencias y las similitudes.

Fijaos en la casilla ☺. ¿Cómo afectan factores como la edad, el sexo, etc., a nuestro comportamiento social?

3 Ahora vamos a ver lo que ocurre en los países hispanohablantes. Repasad las situaciones de la actividad **1** y, con ayuda del profesor y de acuerdo con vuestro conocimiento o experiencia en España u otro país hispanohablante, consensuad la respuesta más adecuada.

7 ¿Estudias o trabajas?

En esta unidad vamos a:

- **Elaborar folletos informativos**
- **Expresar nuestro punto de vista sobre el trabajo**
- **Hacer propuestas para conciliar vida familiar y laboral**
- **Intercambiar opiniones sobre cuestiones laborales**
- **Desarrollar estrategias para el aprendizaje en grupo**

1 ¿Eres un adicto al trabajo?

a Comenta con tu compañero las siguientes frases.

Lo ideal es trabajar para vivir en lugar de vivir para trabajar.

El trabajo es un medio y no un fin.

El trabajo es salud.

En mi opinión, el trabajo debería ser un medio para realizarse, y no un fin en sí mismo, pero por desgracia no siempre es así. Por ejemplo, conozco el caso de...

b Aquí tienes una lista de comportamientos propios de adictos al trabajo. Reconstruye las frases relacionando los elementos de los dos recuadros. ¿Se te ocurre alguno más? Trabaja con tu compañero.

_f_ **1** Eres altamente competitivo,...
___ **2** Eres impaciente y miras...
___ **3** La gente cercana a ti te suele acusar de dedicarle...
___ **4** Normalmente te despiertas varias veces durante la noche porque tu mente...
___ **5** Permaneces en todo momento atento...
___ **6** Prefieres estar solo y dedicarte a trabajar...
___ **7** Sientes que, si no haces tú el trabajo,...
___ **8** Te encuentras pensando en el trabajo todo el tiempo,...
___ **9** Tus conversaciones suelen tratar...
___ **10** Juzgas a las personas por...
___ **11** Nunca estás satisfecho con tus logros laborales porque...

a ... las cosas no saldrán como deben.
b ... el valor que tienen para tu negocio o actividad.
c ... siempre tienes la sensación de que deberías haber hecho algo más.
d ... que pasar tiempo con otra gente.
e ... más tiempo y atención al trabajo que a ellos.
f ... incluso en actividades puramente lúdicas como los deportes en familia.
g ... sobre asuntos de trabajo.
h ... incluso cuando haces actividades que no tienen que ver con él.
i ... con frecuencia el reloj.
j ... está ocupada pensando en temas de trabajo.
k ... al móvil o al correo electrónico, incluso fuera del trabajo.

c ¿Qué consecuencias concretas tiene este tipo de adicción para las personas que la padecen? Coméntalo con tus compañeros.

Sugerencias:

vida familiar, amistades, ocio y tiempo libre, estado físico y mental, productividad en el trabajo, ambiente laboral...

Yo creo que las personas adictas al trabajo, como no encuentran tiempo para dedicar a sus amigos, acaban quedándose solos y aislados del mundo exterior.

24 **d** Vas a escuchar un espacio radiofónico en el que la locutora entrevista a una persona adicta al trabajo y a un psicólogo especialista. Marca si las siguientes frases son verdaderas (V) o falsas (F). Intenta justificar tu respuesta.

	V	F
1 Los adictos al trabajo están obsesionados con la idea de ganar grandes cantidades de dinero.	☐	☐
2 Las vacaciones eran el único momento que Raúl Yagüe dedicaba a su familia.	☐	☐
3 La adicción al trabajo está relacionada con la manía de tener todo bajo control.	☐	☐
4 Un adicto al trabajo es el perfil ideal para las empresas puesto, que dedican más tiempo al trabajo.	☐	☐

e Estos eslóganes pertenecen a campañas contra diferentes adicciones. Relaciónalos con la que les corresponde.

1 No caigas en la trampa. La nicotina te atrapa.

2 Porque la vida no es un juego. *¡Disfrútala!*

3 Sabes dónde empieza la diversión, pero no dónde puede acabar.

4 Ten cerebro. Pasa de la coca.

- a Alcohol ☐
- b Drogas ☐
- c Tabaco ☐
- d Videojuegos ☐

f Con ayuda de tu compañero, proponed un eslogan para una campaña de concienciación sobre la adicción al trabajo.

2 Asamblea de trabajadores

a ¿A qué crees que se refieren estos dos grupos de palabras? Te damos una pista: se mencionan en el cómic de la página siguiente.

1	2 ....
Indefinido, temporal, en prácticas, de obra o servicio	Reducida, intensiva, partida, parcial, completa

b Comenta con tus compañeros en qué consiste cada uno de los conceptos mencionados en el apartado anterior (consulta el diccionario si es necesario). Utiliza este vocabulario para describir tu situación laboral o la de algún familiar.

Mi hermano trabaja en una empresa informática. Tiene .... indefinido con .... completa. En verano tiene jornada intensiva y sale antes.

c ¿Qué ventajas y desventajas tiene el teletrabajo (trabajar a distancia)? Coméntalo con tu compañero. Comparad después vuestras opiniones con las del equipo de Agencia ELE. ¿Hay muchas coincidencias?

Al final de la unidad...

Vas a elaborar un folleto informativo de buenas prácticas laborales.

La plantilla de Agencia ELE se reúne para hablar sobre la posibilidad de integrar el teletrabajo en la jornada laboral.

Bueno, chicos, la dirección me ha pedido que convoque una reunión con la plantilla para hablar de ciertos cambios...
Huy, huy, huy... me temo lo peor. ¿Despedir al becario? ¿Ampliar la jornada laboral? ¿Recortar los salarios?
No, tranquilos, al contrario. Están pensando en incorporar el teletrabajo a la jornada laboral y quieren saber vuestra opinión. ¿Cómo lo veis?

Pues ya iba siendo hora. A mí me parece genial porque puedes gestionar tu jornada laboral como quieras y te permite dedicarle más tiempo a la familia.
Completamente de acuerdo, Rocío. Además, te ahorras un montón de tiempo y dinero en desplazamientos, ¿no os parece?
Bueno, ya, pero también tiene inconvenientes, por ejemplo, la falta de entorno de trabajo puede hacer que te sientas un poco aislado, ¿no?

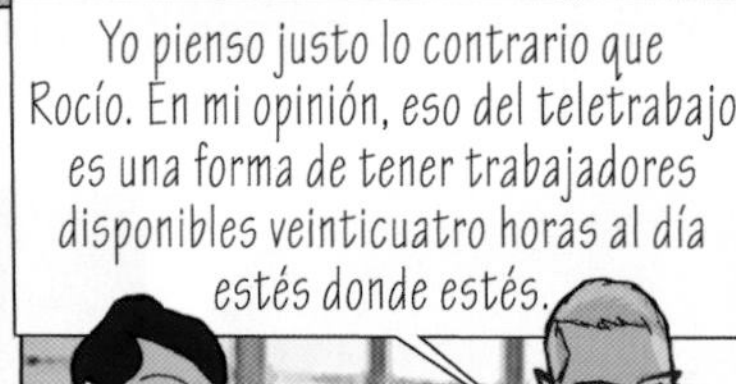

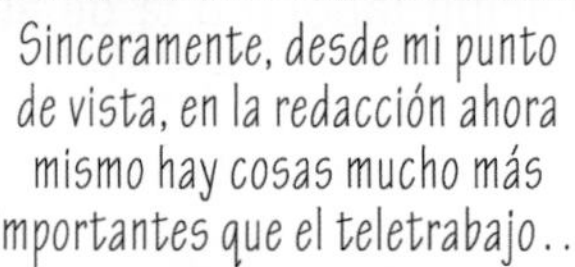

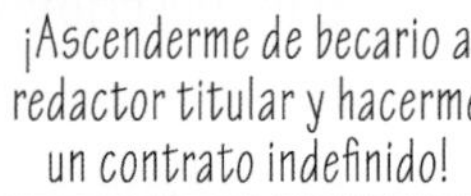

¿Aislado? Pero si ahora con los chat y las videoconferencias puedes comunicarte con los compañeros de trabajo como si estuvieras en la oficina...
Bueno, ¿y los demás qué pensáis?
Yo pienso justo lo contrario que Rocío. En mi opinión, eso del teletrabajo es una forma de tener trabajadores disponibles veinticuatro horas al día estés donde estés.
Yo, en líneas generales, opino lo mismo que tú, Luis, pero reconozco que en muchas ocasiones resulta más cómodo trabajar desde casa.

Pues, a mi modo de ver, lo ideal es combinar jornadas presenciales con sesiones desde casa, dependiendo de si el trabajo es individual o en equipo.
La verdad es que yo también lo veo así, Miquel. Bueno, ¿alguna sugerencia u opinión más para transmitir al equipo directivo?
Sinceramente, desde mi punto de vista, en la redacción ahora mismo hay cosas mucho más importantes que el teletrabajo...
¿Por ejemplo?
¡Ascenderme de becario a redactor titular y hacerme un contrato indefinido!

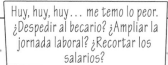

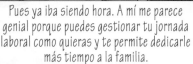

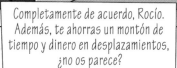

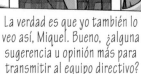

1 ¿Y tú qué piensas?

a ¿Qué te parece el ambiente en el que se desarrolla la reunión de Agencia ELE? Marca los adjetivos de la lista que te parezcan más adecuados y añade alguno más si lo consideras necesario.

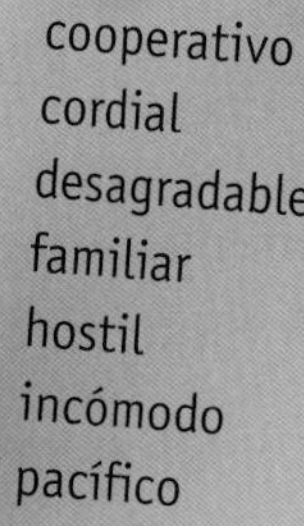

cooperativo	positivo
cordial	respetuoso
desagradable	violento
familiar	fluido
hostil	tenso
incómodo	....
pacífico	....

b En la reunión se utilizan diferentes recursos para intercambiar puntos de vista. Relaciona las siguientes etiquetas con el cuadro que les corresponda.

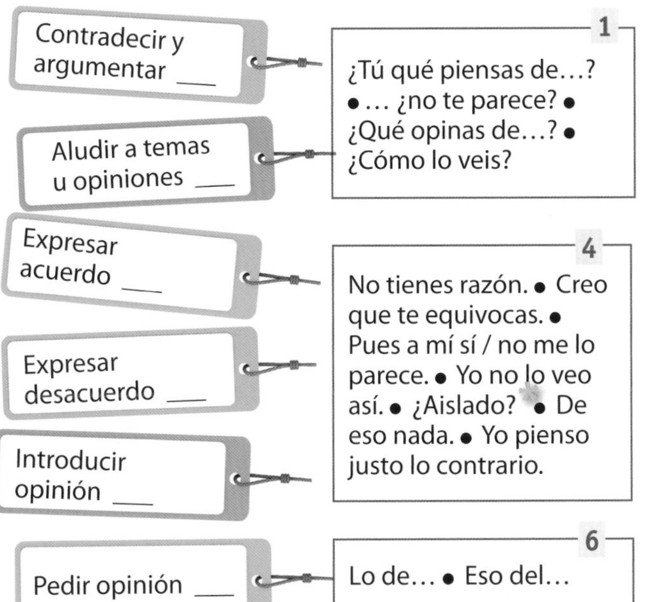

1 ¿Tú qué piensas de...? • ... ¿no te parece? • ¿Qué opinas de...? • ¿Cómo lo veis?

2 En mi opinión... • Para mí... • Tal como lo veo yo... • Desde mi punto de vista... • A mi modo de ver... • A mí me parece...

3
Total
Yo lo veo como tú. • A mí también / tampoco me lo parece. • Yo opino lo mismo. • Completamente de acuerdo.
Parcial
Estoy de acuerdo con casi todo. • Estoy de acuerdo en parte. • En líneas generales, opino lo mismo que tú.

4 No tienes razón. • Creo que te equivocas. • Pues a mí sí / no me lo parece. • Yo no lo veo así. • ¿Aislado?* • De eso nada. • Yo pienso justo lo contrario.

5 De acuerdo, pero... • Puede que tengas razón, no obstante... • Bueno, ya, pero... •

6 Lo de... • Eso del...

* Repetir preguntando lo que ha dicho nuestro interlocutor es una forma muy frecuente de expresar desacuerdo en contextos conversacionales.

c A Sofía le gusta llevar siempre la contraria. Lee sus reacciones e imagina de qué está hablando y cuál es la opinión de su interlocutor. Fíjate en el ejemplo.

¿De verdad? Pues yo pienso justo lo contrario. Hay que ser estrictos. Si les dices que sí a todo, acabas malcriándolos.

Yo creo que están hablando de la educación de los niños, y su interlocutor piensa que no hay que ser demasiado estrictos.

❶ ¿Injusto? Pues yo creo que es normal contratar a alguien que ya conoces o de quien tienes referencias. Para eso están los amigos, ¿no?

❷ ¿Naranja? Es original, pero un poco hortera, ¿no crees? Ya no se lleva el naranja.

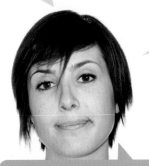

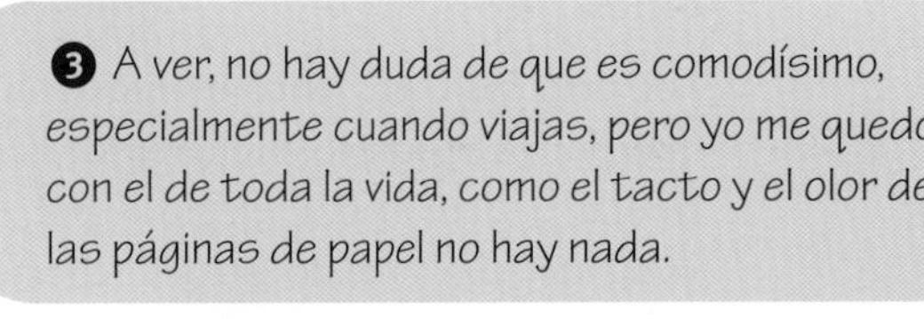

❸ A ver, no hay duda de que es comodísimo, especialmente cuando viajas, pero yo me quedo con el de toda la vida, como el tacto y el olor de las páginas de papel no hay nada.

❹ Creo que te equivocas, eso de "para lo bueno y para lo malo" y "hasta que la muerte os separe" es un cuento. No hay más que ver la cantidad de divorcios que hay ahora.

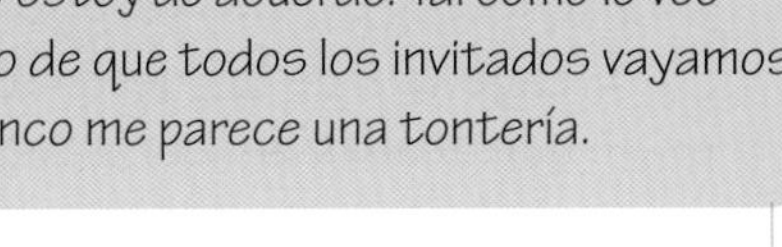

❺ No estoy de acuerdo. Tal como lo veo yo, eso de que todos los invitados vayamos de blanco me parece una tontería.

❻ Puede que tengas razón, pero ten en cuenta que los gatos son mucho más independientes y además no hay que sacarlos de paseo.

❼ Pues yo no lo veo así. Lo que debería hacer es salir y divertirse en lugar de quedarse en casa llorando las penas. ¡Solo se vive una vez!

❽ Yo no lo veo como tú, yo creo que la segunda parte es infinitamente mejor que la primera, hay mucha más acción.

d Organizad la clase en grupos de seis personas. Leed una de las siguientes frases; tres estudiantes estarán a favor, y tres en contra. Ofreced vuestra opinión de forma alterna (un turno a favor y un turno en contra) hasta que todos hayáis intervenido al menos una vez.

1 Aconsejan esconder los tatuajes y los *piercings* en las entrevistas de trabajo.

2 El trabajo en equipo es más productivo y enriquecedor que el trabajo individual.

3 En algunos lugares trabajan tres días a la semana en jornadas de 10 / 11 horas.

4 No es conveniente enamorarse de alguien del trabajo.

5 Se ha propuesto subir la edad de jubilación hasta los setenta y dos años.

6 Para elegir profesión, la vocación no lo es todo.

e ¿Qué ideas de las expresadas por ti y por tus compañeros en relación con la frase «Para elegir profesión, la vocación no lo es todo» aparecen en el siguiente texto?

¿Por vocación o por dinero?

Llegado el momento de escoger una carrera, muchos jóvenes se enfrentan a la disyuntiva de tener que elegir entre aquello que les apasiona y aquello que consideran que les resultará más rentable.

Por un lado, nos encontramos con personas cuya prioridad es encontrar una profesión que les dé dinero para disfrutar de un estilo de vida lleno de comodidades. Se trata de individuos que, o bien están habituados a un determinado estatus socio-económico y quieren conservarlo, o bien no consiguen identificar de forma clara su vocación.

Por otro lado, nos encontramos con personas que, por el contrario, prefieren dedicar su vida laboral a actividades elegidas por verdadera vocación, aun cuando no les reporte muchos beneficios económicos. Suelen ser individuos que tienen muy claro lo que verdaderamente les motiva e interesa y que dan prioridad a la satisfacción personal frente a lo material.

Lo cierto es que ninguna de las dos posturas puede calificarse de mejor o peor. Trabajar sin

vocación no tiene por qué ser un martirio. En muchos casos, aunque elijas una profesión que no te apasione, puedes llegar a disfrutarla. Además, incluso las profesiones más vocacionales acaban convirtiéndose en rutina y pueden incluso generar frustración si no se percibe la cantidad de dinero suficiente para subsistir.

Lo importante, en definitiva, es recordar que, si bien nuestra faceta laboral puede aportarnos muchas satisfacciones y es esencial para subsistir, trabajar no lo es todo en la vida.

f Elige una de las declaraciones propuestas en la actividad **d** y elabora un texto similar al que acabas de leer integrando tanto tus opiniones y argumentos como las objeciones y contraargumentos sugeridos por tus compañeros durante el debate correspondiente.

2 Y cuando llego a casa...

25-28 **a** Vas a escuchar fragmentos de una entrevista a una mujer que es directora de documentales y madre de dos hijos. Señala qué pregunta le corresponde a cada fragmento.

- a ¿Cómo consigues compatibilizar una profesión como la tuya con la vida familiar? ☐
- b ¿Cómo ves la conciliación en nuestro país? ☐
- c ¿Qué línea educativa has elegido para tus hijos? 1
- d ¿Qué medidas deberían tomarse para facilitar la conciliación? ☐

b Aquí tienes una serie de propuestas para conciliar vida laboral, familiar y personal en las empresas. Hay dos medidas anticonciliación. Identifícalas.

Las empresas deben...

① ... **abrir vías de comunicación fluidas** y constantes con los sindicatos, con el objeto de considerar sus propuestas, así como para pedir su opinión antes de tomar una decisión que afecte al bienestar de los trabajadores.

② ... **ampliar los periodos de baja maternal y paternal**, a fin de facilitar la lactancia, el apego y la corresponsabilidad en la crianza de los hijos.

③ ... **crear guarderías y salas de lactancia** en el centro de trabajo para reducir el posible estrés generado por la incompatibilidad de horarios.

④ ... **dar permisos no renumerados** para cuidados especiales a hijos o ancianos enfermos, con la garantía de que se mantendrán en su puesto de trabajo cuando decidan reincorporarse.

⑤ ... **dar preferencia, en la contratación de personal, a candidatos sin compromisos** familiares dispuestos a ampliar su jornada laboral cuando sea necesario, con vistas a aumentar su productividad y sus beneficios.

⑥ ... **establecer un fondo de ayudas económicas** para que los trabajadores hagan frente a los gastos por cuidado de hijos y personas mayores; y desarrollar, asimismo, programas que incluyan actividades deportivas y de ocio.

⑦ ... **facilitar el trabajo a tiempo parcial** a fin de que sea posible compatibilizar la vida personal, familiar y laboral, por ejemplo, un horario de trabajo que coincida con el horario del colegio o guardería.

⑧ ... **flexibilizar el horario** de entrada y salida para que los trabajadores atiendan las necesidades personales en determinados momentos.

⑨ ... **proponer trabajo compartido** entre dos trabajadores para que los proyectos no se vean interrumpidos si alguno tiene que solicitar la baja.

⑩ ... **proporcionar a los empleados dispositivos electrónicos portátiles** para que puedan trabajar estén donde estén fuera de su jornada laboral.

c ¿Se te ocurre alguna otra medida para compatibilizar vida laboral y vida familiar? Coméntalo con tus compañeros.

Entre líneas

Expresar finalidad

- **En contextos formales** → *para (que) / a fin de (que) / con el objeto de (que) / con vistas a (que) / con el propósito de (que)*:

  Una empresa japonesa alquila amigos falsos ***para que*** *asistan a bodas con pocos invitados.*

- **En contextos informales** → *para (que) / a (que)* (la forma *a que* solo se utiliza detrás de verbos que expresan algún tipo de movimiento):

  He venido ***a*** *preguntarte si te apetece cenar conmigo.*

RECUERDA

- Conectores de finalidad + infinitivo → mismo sujeto:
  Las empresas deben permitir el teletrabajo ***a fin de*** *mejorar la calidad de vida de los trabajadores.* →
  deben – las empresas / mejorar – las empresas
- Conectores de finalidad + *que* + subjuntivo → sujetos diferentes:
  Las empresas deben flexibilizar el horario ***para que*** *los trabajadores atiendan las necesidades personales.* →
  deben – las empresas / atiendan – los trabajadores

Correlación temporal en la expresión de la finalidad

- Presente, pretérito perfecto o futuro de indicativo + conector de finalidad + presente de subjuntivo:

  La empresa retoca la cúpula directiva ***con vistas a que*** *se consolide el proceso de expansión internacional iniciado el año pasado.*

  La consejería de Educación ha convocado 150 ayudas ***a fin de que*** *maestros y profesores de Castilla-La Mancha puedan perfeccionar idiomas en el extranjero.*

  Seis bandas de rock mexicano ofrecerán el concierto "Rock Perrón" ***con el propósito de que*** *la sociedad tome conciencia de los derechos de los animales.*

- Pretérito imperfecto de indicativo o pretérito indefinido + conector de finalidad + pretérito imperfecto de subjuntivo:

  En la antigua Grecia, los atletas tomaban cola de caballo ***para que*** *el cansancio y la fatiga desaparecieran.*

  Un ladrón se hizo pasar por un maniquí ***para que*** *no lo descubrieran.*

d Completa los siguientes fragmentos de noticias sorprendentes utilizando conectores de finalidad.

1 Una empresa japonesa especializada en la organización de eventos y celebraciones alquila familiares y amigos falsos… *para que asistan a las bodas de clientes con pocos invitados.*

2 El miércoles pasado, una mujer nigeriana dio a luz en una Oficina de Empleo de Alcorcón y decidió ponerle al recién nacido el nombre de Inem (Instituto Nacional de Empleo)…

3 Ha salido al mercado una máquina trituradora que recicla el papel de oficina y lo transforma en papel higiénico…

4 Las azafatas de una compañía aérea china recibirán clases de artes marciales…

5 Un empleado de un zoológico se vestía a rayas cada vez que llegaba el turno de alimentar a una pequeña cebra…

6 Un exclusivo club privado de Nueva Jersey permite a sus socios, la mayoría famosos empresarios, romper lo que deseen, desde ordenadores y televisores hasta pianos y automóviles…

7 Un joven inglés de 28 años escribió en su currículum vítae que es vago y mentiroso…

8 Una madre residente en Pensilvania (Estados Unidos) fue arrestada por entrar sin autorización en el sistema informático del colegio de sus hijos…

e Elige uno de los fragmentos que has completado en la actividad anterior y desarrolla la noticia. Fíjate en el modelo.

Una empresa japonesa especializada en la organización de eventos y celebraciones alquila familiares y amigos falsos para que asistan a las bodas de clientes con pocos invitados. *En la sociedad japonesa, las bodas son una celebración formal a la que tiene que asistir tanta gente como sea posible. La empresa Office Agents de Tokio ha aprovechado esta circunstancia para ofrecer un servicio de alquiler de invitados. Las tarifas rondan los 140 euros por invitado alquilado, con un suplemento extra en caso de que se le pida que cante, baile o dé un discurso. El responsable de la empresa pone el ejemplo de una boda en la que los treinta familiares, amigos y compañeros del novio eran falsos, ya que era el segundo matrimonio para el novio y no quería invitar a las mismas personas de la boda anterior. Las bodas no son los únicos eventos cubiertos por esta empresa, también se alquila personal para funerales e incluso se ofrecen novios o novias falsas para presentarlos a la familia.*

3 ¿Qué tipo de jefe tienes?

a El siguiente texto presenta los perfiles de diferentes tipos de jefe. Léelo y coloca estas etiquetas en el lugar que corresponda.

El estático | El "digo una cosa y hago otra" | El indeciso | El controlador | El simpático | El "porque lo digo yo y punto" | El pasota o ausente

¿Qué tipo de jefe tienes?

Conocer a tu jefe es una tarea muy importante, puesto que te ayudará a resolver mejor los conflictos que existan entre vosotros, y la relación laboral será mucho más satisfactoria

Según una encuesta elaborada por una importante multinacional, el 75% de los empleados está contento con su superior, aunque no todo el mundo tiene la suerte de tener un jefe comprensivo y flexible. Muchos trabajadores tienen que soportar diariamente a dirigentes excesivamente entrometidos y controladores, que crean malestar en el equipo y, lejos de mejorar la eficiencia, restan productividad a sus trabajadores.

Una de las clasificaciones que podemos hacer sobre los tipos de jefes que existen y su forma de actuar es la siguiente:

1 ______________________:
Es uno de los tipos más comunes. Necesita revisar y controlar cualquier cosa que ocurre en su equipo, por muy absurda que sea. Tiene que estar en copia en todos los correos electrónicos, y ninguna decisión puede ser tomada sin su supervisión y visto bueno, con lo cual asuntos urgentes que requieren decisiones rápidas se retrasan **debido a** esa necesidad de control. Este tipo de jefes prefiere trabajar con empleados dependientes y sin iniciativa, **porque** los que son todo lo contrario le pueden hacer sombra.

2 ______________________:
Trabaja a destajo pero sin ningún orden. Duda de todo, mira y analiza todas y cada una de las posibilidades y, cuando parece a punto de decidirse, le surgen nuevas dudas. Suele volver locos a sus trabajadores, **dado que** les pide muchas tareas e informes, con la inversión de tiempo que ello requiere, para luego no quererlos y pedir nuevos informes a última hora.

3 ______________________:
Suele ser un gran orador cuando se dirige a sus trabajadores, diciéndoles que ellos son lo más importante, y que deben cumplir los procedimientos por el bien común, aunque, llegado el momento, es el primero que no cumple ni horarios, ni procedimientos marcados, **dado que** es el jefe y se le permite todo. A la hora de la verdad, cuando sus colaboradores le piden ayuda para conseguir una mejora profesional, responde con grandes discursos pero no hace nada. Promete de palabra, pero no con hechos ni acciones.

4 ______________________:
No le importa nada el trabajo, ni siente ninguna implicación con la empresa. Está ahí simplemente por el dinero y le da lo mismo si tu cometido está bien o mal hecho. **Como** casi nunca está en su despacho, no se le puede consultar nada. Cualquier cosa es más importante que recibir a sus trabajadores: o está reunido todo el día (no se sabe muy bien dónde ni con quién), o está haciendo gestiones fuera de la empresa (no se sabe muy bien cuáles).

5 ______________________:
Su lema es: ¿para qué cambiar las cosas si siempre se ha hecho así y ha salido bien? Suele mostrarse escéptico con todo lo que sea nuevo, **ya que** se siente inseguro ante lo desconocido. Será necesario demostrarle, de forma diplomática y sutil, que los cambios, en muchos casos, sirven para mejorar.

6 ______________________:
Es amable y cariñoso. Nunca pierde la sonrisa y se preocupa por sus empleados. No se olvida de preguntarte qué tal está tu padre enfermo o cómo le va a tu hijo en la guardería, y por las mañanas siempre tiene alguna anécdota graciosa o un chiste que contar. **Como** es tan flexible y comprensivo, más de uno se aprovechará de sus buenas intenciones.

7 ______________________:
Quizá sea uno de los tipos más difíciles con los que trabajar y, desafortunadamente, el más abundante. No suele reconocer que está equivocado **porque** tiene más orgullo que profesionalidad. Si el resultado es negativo, la responsabilidad recaerá siempre en sus trabajadores.

Si ya tienes identificado a tu jefe, lo mejor es que empieces a tomar medidas para poder llevar tu día a día lo mejor posible. Solo así conseguirás el bienestar necesario para afrontar la jornada laboral.

Conectores causales

Introducen la causa, el motivo o la explicación (directa o indirecta) de hechos y circunstancias.

	POSICIÓN (en relación a la frase principal)	
	POSPUESTO	**ANTEPUESTO**
PORQUE	*No suele reconocer que está equivocado* ***porque*** *tiene más orgullo que profesionalidad.*	
YA QUE / PUESTO QUE / DADO QUE (este último es más formal)	*Suele mostrarse escéptico con todo lo que sea nuevo,* ***ya que*** *se siente inseguro ante lo desconocido.* *Conocer a tu jefe es una tarea muy importante,* ***puesto que*** *te ayudará a resolver mejor los conflictos que existan entre vosotros.* *Son los primeros que no cumplen ni horarios ni procedimientos marcados,* ***dado que*** *son jefes y a ellos se les permite todo.*	***Ya que*** *estás aquí, ayúdame a redactar este informe, anda.* ***Puesto que*** *ya es la hora y todavía no ha llegado, no nos queda más remedio que empezar la reunión sin él.* ***Dado que*** *hemos tenido más pérdidas que beneficios, habrá que pensar en una nueva estrategia comercial.*
DEBIDO A + SUSTANTIVO **DEBIDO A QUE + VERBO**	*Los asuntos urgentes que requieren decisiones rápidas se retrasan* ***debido a*** *<u>esa necesidad de control</u>.* *La operación retorno de estas vacaciones se ha desarrollado con tranquilidad* ***debido a que*** *muchos de los conductores <u>han adelantado</u> la vuelta.*	***Debido al*** *<u>recorte de presupuesto</u>, los trabajadores temen perder su empleo.* ***Debido a que*** *el precio de la vivienda <u>sigue subiendo</u>, las ventas de pisos han disminuido.*
COMO		***Como*** *es tan flexible y comprensivo, más de uno se aprovechará de sus buenas intenciones.*

En ocasiones, los conectores causales no introducen la causa de lo expresado en la oración principal sino el motivo que lleva al interlocutor a afirmar lo que dice en la oración principal.

Ramírez debe de estar enfermo, ***porque*** *no ha venido a trabajar.*

Observa: "no venir a trabajar" no es la causa de "estar enfermo" sino el motivo por el que digo, creo o pienso que está enfermo.

b La página web «Preguntas curiosas» ha convocado un concurso a la respuesta más original. Con ayuda de tu compañero, redactad una propuesta para tres de estas preguntas. Utilizad alguno de los conectores causales presentados anteriormente.

1. **¿Por qué los osos polares son blancos?**
2. **¿Por qué los pájaros no se caen de las ramas?**
3. **¿Por qué el bostezo es contagioso?**
4. **¿Por qué a algunas personas les pican más los mosquitos que a otras?**
5. **¿Por qué mucha gente abre los ojos por la mañana antes de que suene la alarma del despertador?**
6. **¿Por qué el agua solo arruga los pies y las manos?**
7. **¿Por qué tienen huecos las bolas de golf?**

c Hemos hablado de tipos de jefes, pero ¿qué tipos de empleados podemos encontrar en una empresa? Haced una lluvia de ideas en la pizarra.

d En pequeños grupos, elegid tres de los tipos que se hayan propuesto y describidlos, según vuestra propia opinión o experiencia. Ponedlo luego en común.

1 De profesión, rascador

a Comenta con tus compañeros en qué pueden consistir y para qué creéis que sirven las siguientes profesiones curiosas.

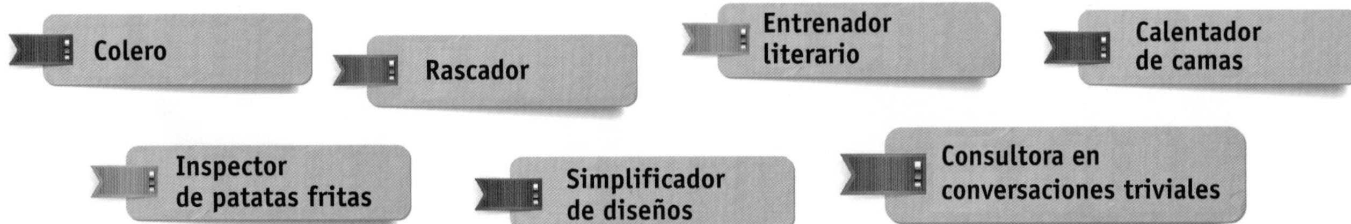

29 **b** Vais a escuchar una entrevista a la autora del libro *Cómo inventarse una profesión*. Comprobad si vuestras sugerencias sobre las profesiones curiosas del apartado anterior eran acertadas.

c Comenta con tu compañero qué atractivos y qué peligros (físicos o psicológicos) creéis que tienen estas profesiones curiosas.

A mi modo de ver, la profesión de rascador es quizá la menos atractiva, ya que no es agradable tocar a personas que no conoces, incluso puedes contagiarte de alguna enfermedad...

2 Más vale prevenir que curar

a ¿A cuáles de estas profesiones asocias los siguientes riesgos laborales? Puede haber más de una opción.

a Mecánico de automóviles

b Jardinero

c Profesor

d Conductor de camiones

1. Aplastamiento de los dedos del pie debido a la caída de objetos pesados. ________
2. Cansancio muscular al tener que pasar largos periodos de pie. ________
3. Estrés laboral provocado por la falta de disciplina, los conflictos entre compañeros y la falta de reconocimiento social. ________
4. Mayor riesgo de accidentes de tráfico. ________
5. Mordeduras o picaduras de serpientes, escorpiones, abejas, avispas, roedores, insectos o perros. ________
6. Nivel de ruido excesivo (superior a 90 dB), sobre todo al trabajar con el motor de los vehículos. ________
7. Peligro de sufrir el ataque de personas (incluidos los clientes insatisfechos) en lugares de trabajo abiertos al público. ________
8. Problemas de visión causados por una iluminación inadecuada. ________
9. Problemas de voz.
10. Pinchazos de plantas con espinas. ________
11. Sobreexposición a la luz solar. ________
12. Trastornos del aparato digestivo causados por los horarios de comidas irregulares y los hábitos de alimentación inadecuados. ________

b Aquí tienes un folleto informativo sobre prevención de riesgos laborales dirigido a empresas. Colocad los epígrafes en el lugar correspondiente.

OBLIGACIONES DEL EMPRESARIO • OBLIGACIONES DEL TRABAJADOR
POR QUÉ Y PARA QUÉ UNA LEY DE PREVENCIÓN • SANCIONES

Ley de prevención de riesgos laborales

Por su seguridad y salud,
prevención de riesgos laborales

1 ______

- Dado que la salud y la seguridad de los trabajadores están por encima de cualquier otro aspecto empresarial, es imprescindible aplicar medidas y desarrollar actividades para que no se produzcan accidentes laborales.

2 ______

- Identificar y evaluar los riesgos laborales con vistas a elaborar un plan preventivo adecuado.
- Informar a los trabajadores de los riesgos existentes, así como de las medidas y actividades previstas a fin de que puedan reconocer las situaciones de peligro y actúen en consecuencia.
- Proporcionar a los trabajadores los medios de protección adecuados y crear procedimientos para supervisar un uso apropiado de los mismos.
- Realizar revisiones médicas periódicas, dado que un diagnóstico a tiempo puede salvar vidas.

3 ______

- Usar de forma adecuada las máquinas y herramientas de trabajo durante la jornada laboral, puesto que gran parte de los accidentes están causados por un uso inapropiado de los mismos.
- Informar de cualquier situación que pueda suponer un riesgo, a fin de que la empresa tome las medidas adecuadas.
- Utilizar los medios de protección facilitados por la empresa para minimizar los riesgos de accidente.

4 ______

- El incumplimiento de las obligaciones en materia preventiva por parte de los empresarios tendrá responsabilidades administrativas y consecuencias penales.

c ¿Qué otro tipos de folletos informativos deberían difundirse en las empresas? Coméntalo con tus compañeros.

Deberían difundirse folletos sobre higiene laboral, por ejemplo, en empresas en las que se manipulan alimentos...

CIERRE DE EDICIÓN

Vas a elaborar un folleto informativo de buenas prácticas laborales.

PLANIFICA

1 La Cámara de Comercio de la ciudad en la que vives quiere elaborar un folleto informativo sobre buenas prácticas laborales para que las empresas de la zona tomen medidas que garanticen el bienestar de sus trabajadores. Organizad la clase en grupos y decidid qué título y qué eslogan van a encabezar el folleto.

2 Decidid qué secciones va a incluir el folleto (sugerencias: por qué y para qué son necesarias buenas prácticas laborales, prevención de riesgos, jornadas de trabajo, medidas para la conciliación, procesos de selección de personal, ambiente laboral...). Después, distribuid el trabajo entre los miembros del grupo.

ELABORA

3 Trabajad de forma individual en el apartado que os haya correspondido, pidiendo la opinión de los compañeros del grupo cuando sea necesario y haciéndoles sugerencias cuando os soliciten ayuda.

4 Haced una puesta en común del trabajo realizado y diseñad el folleto.

PRESENTA Y COMPARTE

5 Colgad los folletos en las paredes de la clase y puntuad cada uno de ellos según los siguientes criterios: creatividad y originalidad, variedad de léxico nuevo utilizado, corrección gramatical.

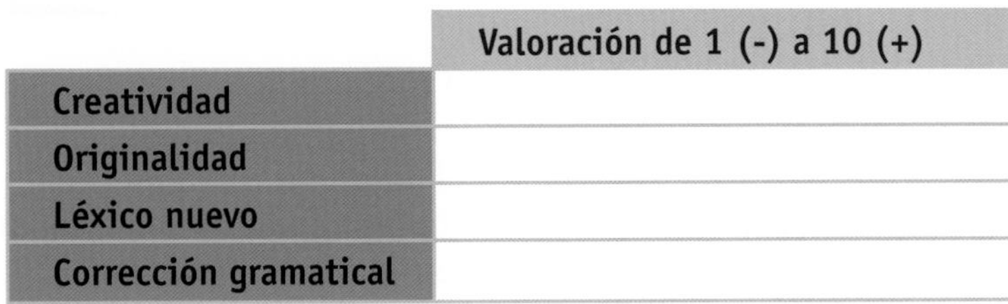

	Valoración de 1 (-) a 10 (+)
Creatividad	
Originalidad	
Léxico nuevo	
Corrección gramatical	

Agencia ELE digital

En esta unidad vamos a elaborar una presentación, usando la plataforma Prezi, sobre lo que hace que una empresa sea un buen lugar para trabajar.

Entra en www.agenciaele.com para realizar esta actividad.

Estrategias de aprendizaje: aprender en equipo

He enseñado

He aprendido

1 Piensa en algunas cosas relacionadas con el español que hayas aprendido de tus compañeros de clase o que tú hayas enseñado a alguno de ellos. Pueden ser de distintos ámbitos (gramática, palabras o expresiones, ideas para aprender español, etc.).

2 Vamos a ver qué tal conocemos las habilidades de nuestros compañeros. Escribe en un papel un aspecto relacionado con el español o con los países de habla hispana que conozcas a fondo, que se te dé muy bien o que te guste especialmente y entrega el papel a tu profesor.

* *Puedo recomendar un montón de películas españolas porque he visto muchas.*
* *Con mis amigos españoles he aprendido muchas expresiones coloquiales, de la calle.*

La interacción y la cooperación entre los estudiantes facilitan significativamente el proceso de aprender. Trabajar juntos con un objetivo común es muy estimulante y motivador. Por eso es importante colaborar con los compañeros y conocer sus puntos fuertes y débiles, igual que las fortalezas y debilidades propias. El aprender de forma cooperativa favorece la autonomía y la capacidad para seguir aprendiendo fuera del aula.

El profesor leerá cada papel y, entre todos, vamos a adivinar quién lo ha escrito. Finalmente, piensa una posible pregunta relacionada con el español para cada compañero en función de lo que ha escrito.

3 Aquí tienes una serie de actividades de grupo que probablemente habéis hecho durante el curso:

- Comparar con tu compañero tus respuestas a un ejercicio.
- Hacer en parejas un ejercicio sobre el significado de palabras o expresiones.
- Conversar en grupos sobre un tema propuesto.
- En grupos pequeños, preparar un tema y hacer una presentación a la clase.
- Consensuar entre todos las normas de clase, las bases de un concurso, etc.
- Hacer en grupo una tarea con común.

Valora los siguientes puntos: ¿te has sentido cómodo en este tipo de actividades de grupo?; ¿estás satisfecho con tu forma de participar en ellas?; ¿y con la de tus compañeros?; ¿qué ventajas crees que tiene trabajar en grupos frente a hacer actividades en solitario?

4 En grupos pequeños, pensad cómo podéis seguir aprendiendo juntos una vez terminado el curso. Poned las ideas de todos los grupos en común. Aquí tienes algunas propuestas:

- Quedar para preparar el examen.
- Mantener contacto por correo electrónico, redes sociales, etc.
- Quedar para ir a ver una película en español.
- Intercambiar libros de escritores hispanohablantes.

8 ¡Espectacular!

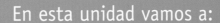

En esta unidad vamos a:

- **Informar sobre la manera de hacer algo**
- **Describir el modo de actuar de una persona**
- **Valorar un espectáculo cultural o deportivo**
- **Describir cómo se desarrolla un evento**
- **Reflexionar sobre la importancia del trabajo en equipo**

1 Pasándolo bien

a ¿Qué haces en tu tiempo libre? ¿Crees que dispones de tiempo suficiente para dedicarlo a ti mismo? Coméntalo con la clase.

b En estos artículos, dos escritores reflexionan sobre el tiempo libre. La mitad de la clase leerá el texto A y la otra mitad el texto B. Luego, en parejas (A y B), compartid la información. ¿A qué conclusiones llegáis?

EL TIEMPO ACELERADO 

Por Roberto San Salvador del Valle

[...] La aceleración del tiempo ha provocado el desarrollo de un *fast* ocio, una desaforada búsqueda del aprovechamiento al límite del tiempo percibido como bien escaso. La reducción de la duración de los programas de televisión, la fragmentación de los espectáculos, el menor tiempo de exhibición en cartelera, los mil destinos visitados en un solo viaje, el auge de los cruceros, los deportes individuales o de pareja... son algunos efectos de esta aceleración del tiempo en el ocio.

La noche se ha convertido en una reserva de tiempo susceptible de ser aprovechada al máximo desde la búsqueda de experiencias de ocio satisfactorias. Una parte importante de jóvenes ciudadanos, y no tan jóvenes, buscan en la complicidad de la noche la vivencia de experiencias de ocio que, piensan, no pueden encontrar en la cotidianeidad diurna. [...]

Por ello, la cuestión a corto plazo está relacionada con el ruido, el vandalismo o las drogas, y la necesidad de generar un ocio responsable por parte de los usuarios, los empresarios y las instituciones. Pero, a medio plazo, se nos plantea el reto de dar un sentido coherente e integrado a nuestra vida, en la que el día y la noche no pueden ser realidades disociadas, donde el ocio pueda solucionar lo que otras esferas de la vida no resuelven. La experiencia humana de ocio debe ser memorable, auténtica y significativa, independientemente de la hora, el día o el momento en que se produzca.

(Extraído de *El País*)

EL OCIO MENGUANTE 

Por Pedro Ugarte

En la reciente presentación de un curso de verano de la UPV[1] en Donostia, la vicelehendakari [2] confirmaba con datos en la mano lo que otros sin ningún dato nos temíamos: que en la última década, la ciudadanía de este país invierte de media 34 minutos menos al día en ocio. Parece que en la tarta de nuestro tiempo diario la parte del león[3] se la lleva el trabajo, y después otras gravosas labores que nada tienen que ver con el asueto: las tareas domésticas, los estudios, los desplazamientos al trabajo, el cuidado de familiares enfermos, y otras servidumbres propias de la vida misma. [...]

A pesar de los estimulantes augurios de otro tiempo, la cultura del ocio se ha convertido en una engañifa[4] sociológica. No hay más que ver cómo gastamos dinero esos sábados tensos, desquiciados, dedicados al consumo compulsivo, conscientes de que durante el resto de la semana no tendremos oportunidad de consumir. Sí, quizás esa ha sido nuestra gran equivocación: que en vez de apostar por el ocio decidimos apostar por el consumo. Y el consumo se ha convertido en algo radicalmente distinto al descanso. Compramos más cosas de las que podemos usar y la proletarización contemporánea ya no pasa por la radical explotación del individuo durante los procesos productivos, sino por reducirlo a víctima estructural de las grandes superficies.

Menos ocio, más trabajo y posiblemente más adquisiciones sin objeto. No parece la mejor fórmula. [...]

1 UPV: Universidad del País Vasco.
2 Vicelehendakari: «vicepresidente» del poder ejecutivo vasco.
3 La parte del león: beneficio excesivo que alguien obtiene de un asunto en el que varios participan.
4 Engañifa: engaño, mentira.

(Extraído de *El País*)

c Señala qué idea no aparece en los textos que has leído.

1 El tiempo dedicado al ocio ha disminuido en la sociedad actual. ☐
2 Hay que buscar alternativas de ocio más enriquecedoras y auténticas. ☐
3 Los avances tecnológicos han permitido que podamos disfrutar mejor de nuestro tiempo libre. ☐
4 Las sociedades desarrolladas confunden ocio y consumismo. ☐

d ¿Estás de acuerdo con las opiniones de los artículos? ¿Cómo podríamos utilizar mejor nuestro tiempo libre? Escríbelo en tu cuaderno. Después coméntalo con tus compañeros y selecciona las mejores ideas.

Al final de la unidad...

Vas a elaborar un suplemento cultural sobre la ciudad donde estás estudiando.

2 El suplemento cultural

a En la agencia han encargado a Carlos la sección de espectáculos del suplemento cultural. Antes de leer el cómic, marca cuáles de estas indicaciones crees que debe seguir para redactar sus artículos.

1 Incluir las opiniones y críticas del público. ☐
2 Seleccionar propuestas culturales variadas que resulten interesantes. ☐
3 Especificar si la obra está recomendada a un público de todas las edades. ☐
4 No dar demasiados detalles sobre el argumento. ☐
5 Usar un lenguaje técnico y especializado. ☐
6 Mostrar una opinión justa e imparcial. ☐

La agencia ha contratado a Carlos como redactor junior y, esta semana, tiene que sustituir a Luis.

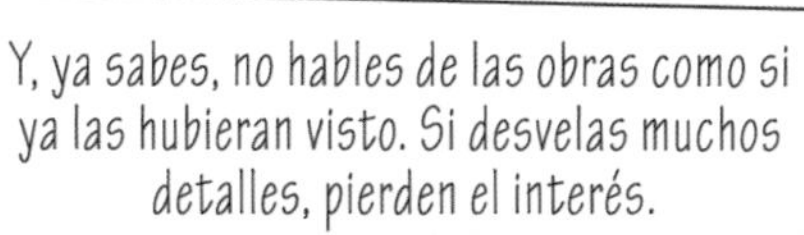

b Lee el cómic y anota cuáles de los consejos de Carmen coinciden con las indicaciones de la actividad **a**. ¿Son los mismos que habías señalado anteriormente?

2 *Historia de una escalera*

Historia de una escalera fue estrenada en 1949 y en ese mismo año recibió el premio Lope de Vega de teatro. Su autor, Antonio Buero Vallejo, analiza la sociedad española de la posguerra con todas sus injusticias, odios, rencores y mentiras. La escalera es testigo del devenir de un grupo de vecinos, durante treinta años, que verán sus vidas reducidas a la frustración y el vacío.

a *Historia de una escalera* es una de las obras teatrales españolas más famosas del siglo XX. Lee este fragmento y coloca las siguientes palabras en los huecos según creas que deben comportarse los personajes (puede haber más de una opción correcta).

excitado y alegre | tristemente | felices | con disgusto | inclinando la cabeza | involuntariamente | con una risita

CARMINA: ¡Si nos ven!
FERNANDO: ¡Qué nos importa! Carmina, por favor, créeme. No puedo vivir sin ti. Estoy desesperado. Me ahoga la ordinariez que nos rodea. Necesito que me quieras y que me consueles. Si no me ayudas, no podré salir adelante.
CARMINA: ¿Por qué no se lo pides a Elvira?
(Pausa. Él la mira, 1 excitado y alegre*)*
FERNANDO: ¡Me quieres! ¡Lo sabía! ¡Tenías que quererme! *(Le levanta la cabeza. Ella sonríe 2 ....)* ¡Carmina, mi Carmina!
(Va a besarla, pero ella le detiene)
CARMINA: ¿Y Elvira?
FERNANDO: ¡La detesto! Quiere cazarme con su dinero. ¡No la puedo ver!
CARMINA: *(3 ....)* ¡Yo tampoco!
(Ríen, 4 ....)
FERNANDO: Ahora tendría que preguntarte yo: ¿Y Urbano?
[...]
URBANO: Carmina, yo... yo te quiero. *(Ella sonríe 5 ....)* Te quiero hace muchos años, tú lo sabes. Perdona que lo diga hoy, soy un bruto. Es que no quisiera verte pasar privaciones ni un solo día. Ni a ti ni a tu madre. Me harías muy feliz si... si me dijeras... que puedo esperar. *(Pausa, ella baja la cabeza.)* Ya sé que no me quieres. No me extraña, yo no valgo nada. Soy muy poco para ti. Pero yo procuraría hacerte dichosa. *(Pausa.)* No me contestas...
CARMINA: Yo... había pensado permanecer soltera.
URBANO: *(6 ....)* Quizás continúas queriendo a algún otro...
CARMINA: *(7 ....)* ¡No, no!
URBANO: Entonces es que te desagrada mi persona.
CARMINA: ¡Oh, no!
URBANO: Ya sé que no soy más que un pobre obrero. No tengo cultura ni puedo aspirar a ser nada importante... Así es mejor. Así no tendré que sufrir ninguna decepción, como otros sufren.

b Compara tu texto con el de tu compañero, ¿reaccionan de la misma manera los personajes en cada versión? Explícale por qué crees que se comportan así. Al final el profesor os mostrará la versión completa del texto.

Pues, yo creo que, al principio, Fernando mira a Carmina excitado y alegre porque se da cuenta de que ella también está enamorada de él.

c Fíjate en las acotaciones que ha usado el autor para expresar la manera de actuar de los personajes y clasifica las palabras con las que has completado el fragmento de la actividad **a** en la siguiente tabla.

a Adjetivo	*excitado y alegre*
b Adverbio	
c Preposición + (artículo +) nombre	
d Oración con verbo en gerundio	

d Pregunta a tu compañero cómo reaccionaría ante estas situaciones. ¿Harías tú lo mismo? Responde utilizando las estructuras que aparecían en la tabla de la actividad anterior.

1 Alguien a quien no conoces te saluda efusivamente en la calle.
Yo, seguramente, lo saludaría amablemente, le diría que tengo prisa y continuaría andando.
2 Tu ordenador se estropea mientras haces un trabajo importante y no puedes recuperar el documento.
3 Pierdes la cartera con toda tu documentación.
4 Una persona de clase te declara su amor.
5 Tu pareja no responde a tus llamadas de teléfono.
6 Recibes un premio por tu trabajo y tienes que dar un discurso de agradecimiento.

e En grupos de cuatro tenéis que crear un diálogo entre Fernando, Urbano, Carmina y Elvira que ponga fin a la obra. No olvidéis incluir acotaciones sobre la manera de actuar de los personajes. Una vez escrito, tendréis que representarlo delante de la clase.

3 Una tarde de cine

a ¿Te gusta el cine? Habla con tu compañero sobre el tipo de películas que os gusta ver (géneros, actores, directores, ambientación...).

b Estas tres películas fueron seleccionadas para representar a España en los Óscar. ¿Cuál de las tres crees que tenía más posibilidades de ganar? ¿Por qué?

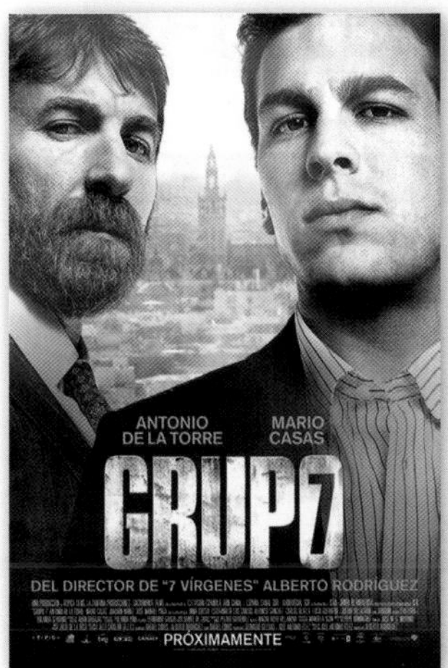

Sinopsis:

Grupo 7

Para el Grupo 7 no existe la delgada línea que separa los recursos poco éticos de los abiertamente ilegales. Su *modus operandi*: violencia, coacciones, mentiras y medias verdades... Todo vale para estos policías.
Grupo 7 lo componen: Ángel (Mario Casas), un joven aspirante a inspector, inteligente y compasivo; Rafael (Antonio de la Torre), un policía expeditivo, contundente y arrogante; Miguel (José Manuel Poga) y Mateo (Joaquín Núñez), que son los socarrones del Grupo y capaces de las mayores brutalidades, pero también de inesperadas muestras de ternura.
Entre Ángel y Rafael surgirá una extraña comprensión y terminarán pareciéndose el uno al otro más de lo que hubieran imaginado nunca. Ángel transita, cada vez con más soltura, por el camino de la ambición y de los excesos policiales, mientras que algo en el interior de Rafael se transforma gracias al amor inesperado de la bella y enigmática Lucía.
El juego de traiciones, lealtades y sentimientos se complicará a medida que el Grupo 7 acumula éxitos y condecoraciones.

Sinopsis:

El artista y la modelo

En la Francia ocupada de 1943 viven un viejo escultor y su esposa en un pequeño pueblo cercano a la frontera española. El artista, Marc Cros (Jean Rochefort), a sus 80 años, dejó de esculpir hace ya tiempo. Ha visto dos guerras y, desilusionado, no espera gran cosa de la vida y de la especie humana. Pero un día su mujer, Lea (Claudia Cardinale) recoge de la calle a una joven campesina española, Mercè (Aida Folch), que huye del ejército franquista.
El matrimonio ofrece a Mercè vivir en el taller del escultor y, mientras se quede en él, ser su modelo, en la que será la última obra del viejo Cros. Poco a poco, nace una hermosa relación entre la joven, que recién ha comenzado a vivir, y el artista, que ve cercano su horizonte final.
En el taller de la montaña, mientras trabajan, modelo y artista hablan con sencillez y cercanía de todo lo que los rodea.

Sinopsis:

Blancanieves

Blancanieves, de Pablo Berger, es una adaptación del popular cuento de los hermanos Grimm, ambientada en los años 20 en el sur de España.
Blancanieves es Carmen (Macarena García), una bella joven con una infancia atormentada por su terrible madrastra, Encarna (Maribel Verdú). Huyendo de su pasado, Carmen emprenderá un apasionante viaje acompañada por sus nuevos amigos: una *troupe* de enanos toreros.
Con un final inesperado y sorprendente, Blancanieves nos descubrirá que «la vida no es como en los cuentos», sino como en un melodrama gótico.

(Extraídos de *http://www.lahiguera.net*)

c ¿Cuál de las tres películas anteriores te gustaría ver? Recuerda la información que te dio tu compañero en la actividad **a** e imagina qué película elegiría él. Después, pregúntale y comprueba si has acertado.

d Fíjate en estas descripciones extraídas de los textos y señala a qué personaje se refieren.

¿En qué posición aparecen estos adjetivos respecto del sustantivo al que acompañan? ¿Encuentras algún motivo que justifique esa posición?

e Completa la siguiente explicación con los ejemplos que has encontrado en los textos del apartado **b**.

Posición del adjetivo

- Los adjetivos pueden aparecer delante o detrás de los sustantivos a los que acompañan:
  - Se coloca después del sustantivo cuando delimita el referente, lo diferencia de otros. Ejemplos: ....
  - Se sitúa delante del sustantivo cuando intensifica una cualidad o se quiere dar un sentido valorativo o apreciativo. Ejemplos: ....
- Los adjetivos de forma *(cuadrado)*, estado *(roto)*, procedencia *(belga)* solo pueden ir después del sustantivo: *una ventana redonda, una silla rota, un amigo alemán.*
- Los adjetivos que tienen un valor relativo *(pequeño / grande, fuerte / débil, rápido / lento)* o presentan una característica ya conocida pueden aparecer delante del sustantivo, especialmente en descripciones literarias, periodísticas y afectivas: *¡Bonita casa!*

Algunos adjetivos pierden sus últimas letras cuando van delante del sustantivo:

bueno → *buen*
grande → *gran*
malo → *mal*
santo → *san*

f Escucha la opinión de Carlos Boyero, un crítico de cine, sobre *Grupo 7*. Completa la ficha con los comentarios que hace sobre ella.

Director	
Lugar de la acción	
Valoración de la película	
Personajes	
Actores	

g Fíjate ahora en esta reseña cinematográfica aparecida en un blog de cine y señala qué elementos se mencionan.

1 El director ☐
2 Los actores ☐
3 La ambientación ☐
4 La banda sonora ☐
5 El guion ☐
6 Los efectos especiales ☐
7 El género ☐
8 Las influencias ☐

Cine blog

Inicio Estreno Tráilers Noticias Críticas Taquilla

Una pistola en cada mano

Cesc Gay escoge un formato tradicionalmente conflictivo, la película episódica, demostrando las verdaderas posibilidades del mismo. El antológico reparto del *film*, en el que Eduard Fernández brilla con luz propia, cuenta con líneas de diálogo ingeniosas, frescas y divertidas, que contienen una magnífica y oscura visión del hombre maduro actual; inseguridades, falta de comunicación, orgullo mal entendido. El guion huye del convencionalismo y rebosa inteligencia en el planteamiento de cada una de sus situaciones; lo que en un principio puede parecer «bien escrito pero previsible» se transforma en «fresco y original» gracias a los sorprendentes giros de guion de cada episodio. El cineasta catalán vuelve a recurrir al drama; pero en esta ocasión lo barniza con una engañosa capa de humor, demostrando un insospechado talento para la comedia.

(Extraído de *http://www.bandejadeplata.com*)

Ahora busca un sinónimo en el texto para estos adjetivos.

1 Problemático, complicado: ....
2 Extraordinario, excepcional: ....
3 Inteligente, agudo: ....
4 Predecible, pronosticable: ....
5 Inesperado, sorprendente: ....

h Piensa en la última película que has visto y señala tu opinión sobre ella. Puedes elegir uno de los adjetivos que te proponemos o añadir tú otros diferentes.

Película	Director	Guion	Personajes	Actores	Ambiente
profunda conmovedora entretenida sobrecogedora	novel experimentado brillante excéntrico	previsible convencional entretenido sorprendente	estereotipados profundos originales auténticos	sobreactuados convincentes brillantes creíbles	urbanita rural intimista naturalista

i Escribe una reseña y una pequeña crítica sobre la película y léesela a tus compañeros. Ellos tendrán que adivinar de qué película se trata.

j Decide cuál de las anteriores películas quieres ver este fin de semana y convence al máximo número de compañeros para que la vean contigo.

A mí, me apetece muchísimo ver la película de la que nos ha hablado Karen. Me parece la historia más original y los actores que la protagonizan son siempre muy convincentes. Además, he oído que los efectos especiales son espectaculares.

4 ¡Vaya partidazo!

a ¿Te consideras un aficionado a los deportes? ¿Por qué crees que algunos deportes se han convertido en espectáculos tan populares?

b Lee la crónica deportiva y señala si las siguientes afirmaciones son verdaderas (V) o falsas (F).

	V	F
1 El partido estuvo muy igualado.	☐	☐
2 Cristiano tuvo que abandonar el campo por una lesión.	☐	☐
3 El árbitro hizo una buena actuación.	☐	☐
4 El Madrid consiguió que la diferencia de puntos con el Barça no aumentara.	☐	☐
5 El Barça ganó el partido en los últimos minutos.	☐	☐

Por José Sámano

No hay rival como el Barça que haga sudar tanto al Madrid. Por algo uno y otro simbolizan el gran duelo del universo, un cartel insuperable. De nuevo se evidenció anoche, con un pulso extraordinario, grandioso en muchos aspectos, con momentos para unos y otros, con Messi y Cristiano, iconos globales, puntuales ante el gol, protagonistas del juego, sobre todo el argentino, ayer más activo. Y conmovedor Cristiano, que sufrió hasta el final con un hombro maltrecho y una mueca constante de dolor. Ni así se va el portugués de un partido, y menos de un clásico[1]. No fueron los únicos que dejaron huella en un encuentro[2] solo a la medida de los sobresalientes.

Como en los últimos cruces entre ambos, fue un duelo[3] parejo, excitante, con muchas tramas. Al buen Madrid inicial respondió el Barça con un mejor final. Todo nivelado, hasta en los detalles: penaltis no señalados de Mascherano a Özil y de Pepe a Iniesta; remate al poste[4] de Benzema y al larguero[5] de Montoya. (...) En el césped[6], el clima es respirable. Un partido de máxima intensidad, como corresponde a un clásico entre los clásicos. Auténtico.

Del tercero de la temporada salió peor parado el Madrid, que estaba más obligado por la diferencia en la clasificación. Logró que no se estirara, pero le faltó un punto de ambición para abordar al Barça hasta el final, máxime cuando enfrente tenía una defensa[7] virtual. Con el empate[8], la Liga[9] está algo más viva. Ninguno puede aflojar.

1 **El clásico:** así se llama a los partidos que enfrentan al Barça y al Real Madrid, por ser los equipos más importantes de la Liga española.
2, 3 **Encuentro, duelo:** un partido.
4 **Remate al poste:** lanzamiento del balón que impacta contra la portería sin conseguir hacer un gol.
5 **Larguero:** palo superior, horizontal, de la portería.
6 **Césped:** hierba, campo de fútbol.
7 **Defensa:** grupo de jugadores encargados de evitar que el equipo contrario meta un gol.
8 **Empate:** cuando los equipos obtienen el mismo resultado.
9 **La Liga:** competición de fútbol española.

(Extraído de *El País*)

c ¿Qué titular crees que se ajusta más al artículo anterior?

Fútbol auténtico | Victoria en los últimos minutos | Polémica en el Barça-Madrid

d Comenta con la clase las ventajas y desventajas de ser un deportista famoso.

¿Cuándo usamos los artículos?

- El artículo indeterminado ***(un, una, unos, unas)*** se usa cuando no se puede identificar el sustantivo entre otros de su misma clase porque hay varios del mismo tipo *(Quiero un coche)* o porque hablamos por primera vez de él *(Llegó un chico joven)*. Con nombres no contables indica un tipo o clase particular *(Un [tipo de] café muy bueno)* o una cantidad (*Tomé un vino* = una copa de vino).
- El artículo determinado ***(el, la, los, las)*** indica que el sustantivo es identificable porque es único *(El padre de Irene)* o ya hemos hablado antes de él *(Los chicos se fueron tarde)*. Además, se usa con nombres no contables *(Me gusta la música)* y cuando nos referimos a clases de objetos o personas aunque sea la primera vez que hablamos de ellos *(Los bomberos son generosos)*.

Aparece el artículo	No aparece el artículo
- Los sujetos tienden mayoritariamente a llevar artículo: *Los chicos jugaban en el parque. / La sinceridad es muy importante.* En la posición de complemento, puede aparecer o no *(Compré los pantalones. / Busco piso.)* - Cuando nos referimos a objetos individuales: *un café, la silla.* - Con seres, personas u objetos únicos: *la luna, el rey.* - Con nombres de océanos *(el Atlántico)*, ríos *(el Rin)*, montañas *(los Pirineos)*, días de la semana *(el martes)*, partes del día *(por la mañana)*, partes del cuerpo humano *(las manos)*, instituciones y organizaciones *(la ONU, el instituto La Paloma)*. - Con tratamientos de respeto *(el señor García)*.	- Cuando hablamos de una cantidad indeterminada con un sustantivo contable en plural *(¿Tienes hermanos?)* o no contables en singular *(Quiero agua)*. - Con nombres propios de personas, países, ciudades *(Isabel, Francia, Berlín)*, salvo algunas excepciones como *La India, El Salvador, La Paz.* - En las enumeraciones si queremos indicar el conjunto y no individualidades: *Damas y caballeros, tengo el gusto de presentarles a…* - Con nombres que expresan circunstancia de causa o modo: *Habló con inteligencia. / Se miraron con esperanza.* - En titulares de periódicos es común que no aparezca: *Nueva ley contra la violencia de género.*

e Lee los siguientes comentarios y añade el artículo en aquellos casos que sea necesario.

1 ___ partido estuvo a ___ altura de ___ circunstancias. Ambos clubes jugaron con ___ inteligencia y ___ buen fútbol. Esperamos que ___ Liga siga ofreciendo ___ partidos tan brillantes como este.

2 Aficionados, ___ jugadores, ___ periodistas… todos pendientes de esta gran cita que terminó con ___ empate que, de momento, beneficia a___ Barça, que sigue ___ líder en la clasificación. Sin embargo, todavía queda mucha Liga y ___ Barça tendrá que poner ___ atención si no quiere ver peligrar ___ liderato.

3 Hace ___ tiempo que no se vivía ___ partido tan intenso, tan igualado y tan limpio. ___ Real Madrid supo plantar cara a ___ Barça imparable. Ambos equipos dieron ___ muestras de___ gran fútbol.

f Los deportes son espectáculos muy mediáticos y transmiten valores positivos o negativos. ¿Cuáles de estos crees que son más comunes en el mundo del deporte? Coméntalo con tu compañero.

solidaridad • vanidad • cooperación • agresividad • superación • fanatismo • intolerancia
competitividad • compañerismo • individualidad • egocentrismo • intransigencia

Yo creo que los deportes fomentan la superación y la competitividad.
Los deportistas trabajan muy duramente para mejorar y convertirse en campeones.

31

g Escucha esta noticia y responde a las preguntas.

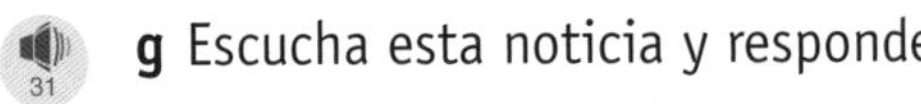

1 ¿Por qué ha sido noticia Riki? **2** ¿Quién le dio la orden? ¿Por qué? **3** ¿Quién ganó el partido?

h ¿Qué medidas podrían imponerse para fomentar el juego limpio? Habla con tu compañero y escribid tres medidas que puedan fomentar el juego limpio.

Yo creo que deberían poner multas a aquellos jugadores que cometan más de tres faltas por partido.

i Leed vuestras medidas al resto de la clase. ¿Qué ideas os parecen más efectivas?

1 Programación cultural

a La agenda cultural es una programación que informa sobre las propuestas culturales más interesantes. Esta es la agenda que ha preparado Luis para el fin de semana. Lee las críticas y completa la información de la tabla.

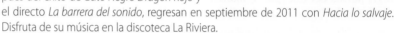

Agenda

1 DANZA

El Víctor Ullate Ballet, compañía creada por el maestro Víctor Ullate y convertida desde 1997 en Ballet de la Comunidad de Madrid, presenta en los teatros del Canal su nuevo espectáculo compuesto por tres coreografías: *Nexo, Y* y *Jaleos*. El montaje, que está dividido en dos actos, gira en torno a la complejidad del movimiento de los bailarines *(Nexo)*, para después poner sobre el escenario los Poemas del Compañero Errante *(Y)* y finalizar con un clásico de la compañía *(Jaleos)*. Un programa mixto que resume a la perfección la filosofía de Ullate y donde se han escogido minuciosamente las músicas.

2 HUMOR

Joaquín Reyes, uno de los artífices de los programas de televisión *La Hora Chanante* y *Muchachada Nui*, sube a este escenario para divertir al público con sus ocurrencias. Además de cómico, es actor *(Camera Café)* e ilustrador. También ha colaborado en otros programas como *Lo + Plus*. Con su clásico acento de Albacete, Reyes ha dado vida cada semana a un personaje famoso y en diversos *sketchs* ha contado su vida y sus aventuras. También triunfa con su nuevo proyecto *Museo Coconut* en Neox. En su monólogo *¡Soy Especial!* comparte con sus fans las cosas que le preocupan. Nada del otro mundo: las bodas, los padres, el cambio climático, los socorristas, la infancia, el colegio y los supositorios.

3 MÚSICA

El tercer trabajo discográfico de Eva Amaral y Juan Aguirre, *Estrella de Mar*, se convirtió en disco de oro en su primera semana y los convirtió en el único grupo capaz de hacer sombra a los chicos de 'Operación Triunfo'. Procedentes de Zaragoza, este dúo de pop-rock destaca por la potente voz de la cantante y letrista y unos directos muy trabajados en los que Eva parece disfrutar al máximo. Su música apuesta por el rock clásico y la sinceridad en sus planteamientos, como en su álbum *Pájaros en la cabeza*. Después del éxito de *Gato Negro Dragón Rojo* y el directo *La barrera del sonido*, regresan en septiembre de 2011 con *Hacia lo salvaje*. Disfruta de su música en la discoteca La Riviera.

4 FLAMENCO

Israel Galván, Premio Nacional de Danza 2005, está considerado uno de los artistas más innovadores del flamenco contemporáneo. Sus montajes siempre han logrado sorprender a los entendidos del género, pero también a todos aquellos espectadores que van con una idea preconcebida de lo que van a ver. *Lo Real / Le Réel / The Real* es un montaje realizado por encargo del Teatro Real de Madrid. En él, Galván aborda la persecución de los gitanos por los nazis, pese a la fascinación que sentían por su baile y su música. El bailaor sevillano se basa en una película en la que Leni Riefenstahl utilizó a prisioneros gitanos de campos de concentración.

5 NOCHE

Gau & Café: el espacio cuenta con dos zonas diferenciadas: la zona de restaurante, ideal para cenar a precio muy razonable y con la posibilidad de un menú cerrado para grupos, y la zona de bar de copas, flanqueada por un espacio *chill out* con tumbonas y una gran barra circular, perfecta para prolongar la cena con copas o para tomarse algo disfrutando del frescor -si es verano- que ofrece su privilegiada ubicación. La decoración de la terraza Gau & Café, muy orgánica, está conseguida a base de una iluminación naranja con lámparas de resina en forma de cono y otras en forma de bidones reciclados en objetos luminosos, que crean una atmósfera cálida, acogedora y relajante. Además, han añadido un luminoso encima de los toldos y han iluminado la preciosa cúpula de la iglesia, con lo cual el aspecto nocturno de la terraza es espectacular.

(Extraído de *La guía del ocio*)

	LUGAR	ACTIVIDAD	VALORACIONES
1			
2			
3			
4			
5			

b Escucha este programa de internet. ¿Cuáles son las recomendaciones? ¿Dicen en el programa dónde tiene lugar cada una de estas propuestas? Anótalo como en los ejemplos.

1 *Museo del Prado. Exposición de Murillo.*
2 *Teatro Real. «Poppea e Nerone».*
3 ....
4 ....
5 ....
6 ....
7 ....
8 ....
9 ....
10 ....

c Imagina que vas a pasar un fin de semana en Madrid con tu compañero. ¿A cuál de estos sitios os gustaría ir? ¿Por qué? ¿Qué otras propuestas se os ocurren?

CIERRE DE EDICIÓN

Vas a elaborar un suplemento cultural sobre la ciudad donde estás estudiando.

PLANIFICA ▼

1 Vamos a crear cinco grupos de trabajo según nuestros gustos e inquietudes. Cada grupo trabajará con una de estas secciones:

Música y danza

Cine

Teatro

Deportes

Bares y restaurantes

2 Debéis buscar información sobre toda la oferta cultural que hay este fin de semana en vuestra ciudad relacionada con la sección que habéis elegido.

3 Seleccionad aquellas propuestas que os parecen más interesantes.

ELABORA ▼

4 Cada miembro del grupo tiene que redactar un escrito sobre una de las propuestas. Los escritos tienen que ser variados: crónicas, sinopsis, críticas, artículos. Con todos ellos crearemos un suplemento cultural.

5 Pensad si queréis que vuestro suplemento tenga un formato especial (una publicación digital, un folleto, una revista...).

PRESENTA Y COMPARTE ▼

6 Presentad vuestras propuestas al resto del grupo.

7 Decide con tus compañeros de grupo qué actividades os apetece más realizar durante este fin de semana.

Agencia ELE digital

En esta unidad vamos a mejorar el uso que hacemos de nuestro grupo en la red social y a compartir recursos en línea para hacernos más autónomos en nuestro aprendizaje.

Entra en www.agenciaele.com para realizar esta actividad.

Estrategias de aprendizaje: afinidades y trabajo en equipo

Estamos en el principio del curso y es el momento de conocerse. Vamos a buscar afinidades con los compañeros, a definir objetivos comunes y a reflexionar sobre los beneficios del trabajo en equipo y lo que cada uno puede aportar al grupo.

1 Vamos a dibujar una caja y a llenarla con algunas cosas que son importantes para nosotros. Elige tres de estas cuatro opciones y pon en la caja una nota relacionada con cada una de ellas.

- Un recuerdo especial.
- Una de tus aficiones. ¿Dónde y con quién la practicas? ¿Por qué es importante?
- Una experiencia o anécdota relacionada con las lenguas extranjeras.
- Una persona importante y por qué.

Levántate de tu silla y habla con tus compañeros sobre el contenido de vuestras cajas. ¿Tenéis experiencias, aficiones o intereses comunes? ¿O en cambio son muy distintas?

2 ¿Te gusta trabajar en equipo? A algunas personas no les gusta, por ejemplo, a Alba. Estas son algunas de sus razones.

1 Se pierde muchísimo tiempo. Trabajo mejor sola.

2 Siempre hay alguien que no hace nada.

3 Siempre hay uno que habla demasiado y otros que no dicen nada.

Piensa algunas razones para convencer a Alba de los beneficios de trabajar en equipo. Anótalas en tu cuaderno y escribe en el círculo rojo cuántas tienes. Después, compara con tu compañero y escribid en el círculo amarillo el número de ideas distintas que habéis tenido entre los dos. Ponedlo en común con el resto de la clase y escribid en el círculo verde cuántas razones diferentes se os han ocurrido entre todos.

3 Hemos descubierto que trabajar en equipo suele proporcionar más resultados, pero hay que saber cómo. Vamos a hacer una lista de actitudes que dificultan y actitudes que facilitan el trabajo en equipo. Para ello, puedes recordar tus propias experiencias positivas y negativas.

Dificulta alguien que...	Facilita alguien que...
... no deja hablar a los demás. ... nunca dice nada.	... escucha a los compañeros y lo demuestra. ... valora positivamente las aportaciones de otros.

Vamos a intentar convertir las actitudes negativas en actitudes positivas. ¿Qué te parece esta sugerencia?

A alguien que habla siempre podemos convertirlo en secretario y que tenga que tomar notas...

Conocer a tus compañeros y que ellos te conozcan a ti, valorar tus cualidades y saber reconocer las de ellos es muy importante para que aprender sea una experiencia gratificante. Además de otros beneficios, el trabajo en equipo te permitirá aprender más y mejor. ¡Disfrútalo!

9 Amor al arte

En esta unidad vamos a:

- **Conocer artistas y sus creaciones**
- **Valorar obras de arte**
- **Describir obras de arte de manera objetiva y subjetiva**
- **Contar la historia de edificios y monumentos importantes**
- **Hablar de procesos y de resultados**
- **Reflexionar sobre las repeticiones léxicas en español**

1 Arte para todos

a Aquí tenemos a varias personas (A, B, C) que buscan un plan para el fin de semana. Lee la información que ofrecen las webs de estos lugares y, en parejas, decidid cuál de los tres sitios creéis que van a elegir. Mirad las fotos de estos museos que aparecen en la siguiente página, os ayudará a encontrar la respuesta.

☐ **A Lidia y Chema** están jubilados. Son cultos y grandes conocedores del arte y la cultura españolas.

El Centro Niemeyer 1

Exposiciones | Música | Teatro y danza | Cine | Gastronomía | Educación | Humor

El Centro Niemeyer es una puerta abierta a todas las artes y manifestaciones culturales. La música, el cine, el teatro, la danza, las exposiciones, la gastronomía o la palabra son los protagonistas de una programación cultural multidisciplinar con el único denominador común de la excelencia.

La primera piedra fue colocada en abril de 2008, y desde ese momento el Centro Niemeyer ya comenzó a poner en práctica su filosofía con diferentes actividades culturales de repercusión mundial.

Su voluntad es convertirse en referente en la gestión cultural en Iberoamérica y puente entre todas sus orillas. Por ello, está concebido como un imán capaz de atraer talento, conocimiento y creatividad, pero también como una puerta abierta de Asturias al mundo. El Centro ha transformado la ciudad de Avilés y ha construido una comunidad ilusionada, activa e identificada con la visión y la personalidad del gran arquitecto Niemeyer.

(Adaptado de *http://www.niemeyercenter.org*)

☐ **B Marga y Lorenzo** quieren introducir a sus hijos en el mundo del arte.

EL MUSEO NACIONAL DE ESCULTURA 2

El Museo Nacional de Escultura (Valladolid) es uno de los museos españoles más interesantes, por la especial combinación del edificio excepcional que lo alberga, levantado en el siglo XV, y la originalidad de su colección escultórica. En su colección predomina la escultura religiosa de los siglos XV al XVIII, sobre todo la realizada en madera.

El Museo se encuentra en el Colegio de San Gregorio, bello ejemplo del gótico isabelino; además, ocupa también otros tres edificios del entorno: el Palacio de Villena, la Casa del Sol y la Iglesia de San Benito el Viejo.

La colección está formada por un magnífico conjunto de esculturas y, en menor medida, pinturas, destacando las obras de algunos de los escultores más relevantes de la Escuela Castellana como Alonso Berruguete, Juan de Juni y Gregorio Fernández. También sobresale la calidad de las piezas de otros estilos (gótico-flamenco, renacentistas...).

(Adaptado de *http://museoescultura.mcu.es*)

☐ **C Pablo y Graciela** son muy aficionados al ocio cultural y están interesados en disfrutar de las últimas manifestaciones artísticas.

EL TEATRO-MUSEO DALÍ 3

El Teatro-Museo Dalí, inaugurado en 1974, fue construido sobre los restos del antiguo teatro de Figueres y contiene el más amplio abanico de obras que describen la trayectoria artística de Salvador Dalí (1904-1989), desde sus primeras experiencias artísticas y sus creaciones surrealistas hasta las obras de los últimos años de su vida.

El Teatro-Museo Dalí de Figueres representa una experiencia única para poder observar, vivir y gozar de la obra y el pensamiento de un genio. Tal como explicó el propio Dalí: «Es evidente que existen otros mundos, eso seguro; pero, como ya he dicho muchas veces, esos otros mundos están en el nuestro, residen en la tierra y precisamente en el centro de la cúpula del Museo Dalí, donde está todo el nuevo mundo insospechado y alucinante del surrealismo».

El Teatro-Museo Dalí hay que verlo como un todo, como la gran obra de Salvador Dalí, ya que todo en él fue diseñado por el artista con la finalidad de ofrecer al visitante una verdadera experiencia y sumergirlo en su mundo cautivador y único.

(Adaptado de *http://www.salvador-dali.org*)

b Los textos anteriores resaltan las cualidades de los distintos lugares para que resulten atractivos. Entre todos, señalad las palabras y frases que dan a los textos su tono positivo.

El Museo Nacional de Escultura es uno de los museos españoles más interesantes, por la especial combinación del edificio excepcional que lo alberga...

c Vamos a escuchar las opiniones que las anteriores personas han dejado en una web de viajes. Primero escucharás a A, después a B y por último a C. ¿En qué lugar han estado?

1 Centro Niemeyer (Avilés-Asturias)

2 Museo Nacional de Escultura – Colegio de San Gregorio (Valladolid)

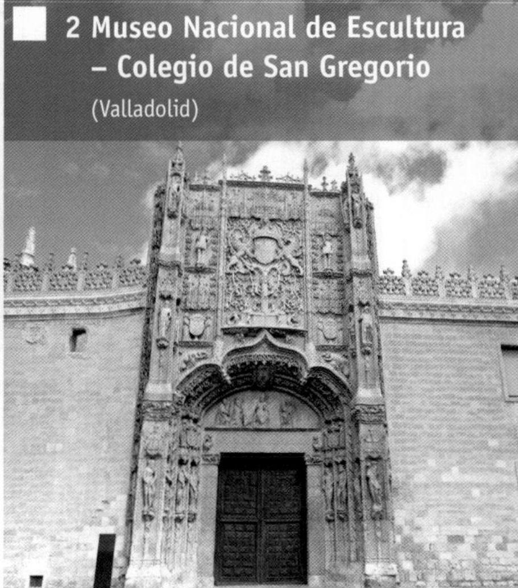

3 Museo Dalí (Figueres-Gerona)

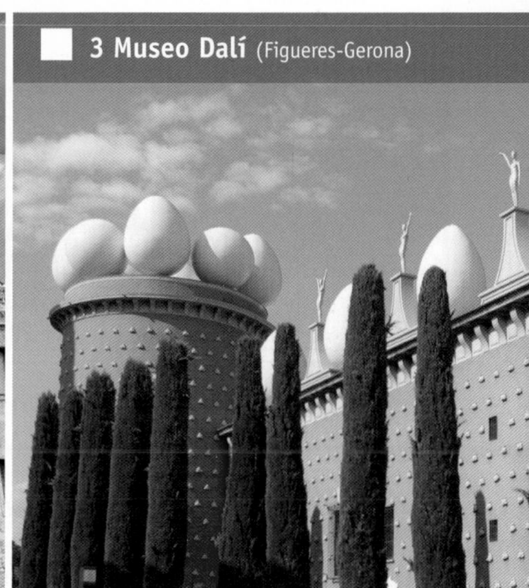

Además, la web les pide que valoren el sitio con una puntuación del 1 al 10. Escribe la nota que crees que le pondrán y, después, coméntala con tus compañeros.

A: .... **B:** .... **C:** ....

Pues yo creo que al Museo Nacional de Escultura le pondrá como mínimo un ocho, porque dice que le ha gustado mucho.

d Ahora escucha la nota que le han puesto. ¿Habéis acertado?

e Vuelve a escuchar las opiniones completas y anota los aspectos positivos y negativos de cada sitio. Después, en pequeños grupos, pon en común tus notas con las de tus compañeros y añade aquellas que no habías anotado. ¿Te gustaría visitar estos lugares?

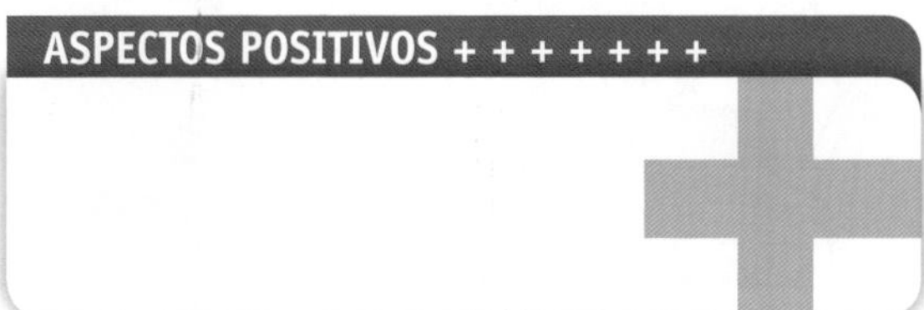

ASPECTOS NEGATIVOS - - - - - - - -

f Elige una de las tres opciones siguientes y escribe un pequeño texto informativo, según los modelos de las webs que has leído. Después da tu opinión y explica los aspectos que te gustan y los que no te gustan.

1 Un artista de tu país que sea muy conocido o un museo muy visitado.
2 Un proyecto artístico destinado a transformar un barrio, una ciudad, una región...
3 Un museo que guarde tesoros del arte clásico.

Al final de la unidad...

Vas a elegir y presentar a la clase tu obra de arte preferida.

De viaje por Sevilla

Luis acaba de llegar de pasar unos días de vacaciones en Sevilla. Ha hecho fotos con su tableta y se las está enseñando a sus compañeros.

Mira... Esto es el centro histórico: la Catedral y la Giralda.
Ah, la Giralda, es preciosa. ¿De cuándo es exactamente?

Bueno, la Giralda la construyeron en torno al año 1100...

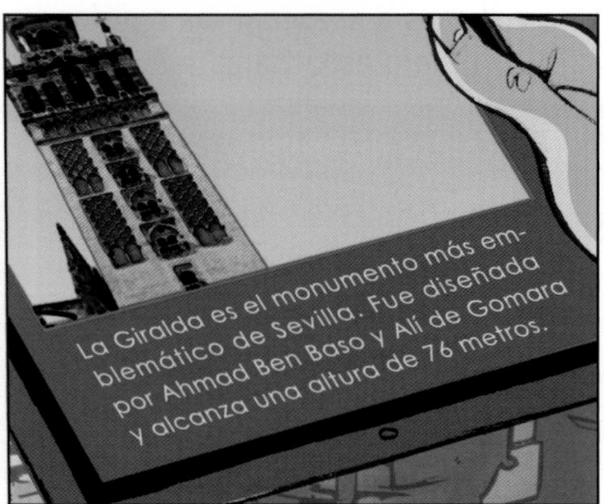

La Giralda es el monumento más emblemático de Sevilla. Fue diseñada por Ahmad Ben Baso y Alí de Gomara y alcanza una altura de 76 metros.

Esto es la Plaza de España.
¡Qué foto más bonita! Es que la Plaza de España es impresionante. ¿De qué época es?

Se construyó en 1929, para la Exposición Iberoamericana de Sevilla.
¿La famosa «Expo»?

No, lo que llaman «la Expo» es la Exposición Universal del 92.

La Plaza de España fue creada por Aníbal González con motivo de la Exposición Iberoamericana de Sevilla de 1929. Representativa de la arquitectura regionalista, está realizada en ladrillo visto con aplicaciones de cerámica policroma.

Por cierto, hablando de «la Expo», os voy a enseñar algunas fotos que hice al Pabellón de la Navegación. Aquí están...

¡Anda, qué pasada!

Hombre, claro, este fue el gran éxito de «la Expo»: en algunas de sus salas se recreaba el ambiente interior de un barco de la época de Colón... Además, lo diseñó un arquitecto sevillano buenísimo, Vázquez Consuegra... ¿Y dice para qué utilizan ahora el Pabellón de la Navegación?

Espera, que lo miro...
Sevilla

Actualmente, en el Pabellón de la Navegación, se hacen exposiciones temporales y actividades de ocio, de turismo...

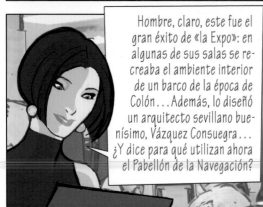

1 Espacio urbano

a Estas son las fotos de los monumentos sevillanos que Luis les ha enseñado a sus compañeros. Vuelve a leer el cómic y completa los datos que faltan.

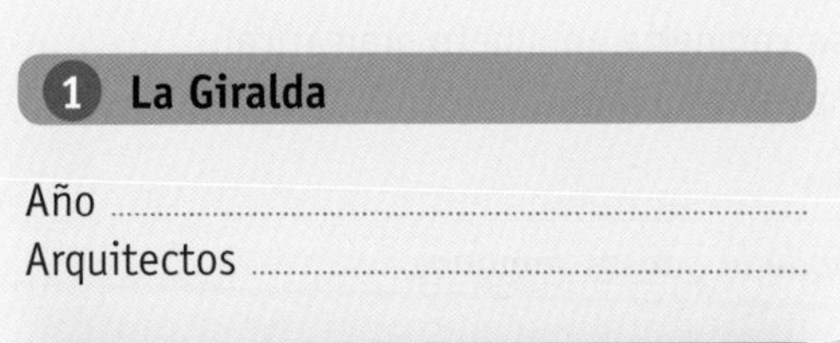

1 La Giralda

Año ....

Arquitectos ....

2 La Plaza de España

Año ....

Arquitecto ....

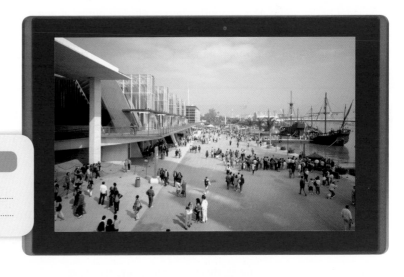

3 El Pabellón de la Navegación

Uso ....

Arquitecto ....

b ¿De qué frases del cómic has extraído los datos de la actividad anterior? Localízalas en el cómic y clasifícalas en la siguiente tabla, según su estructura gramatical.

PERÍFRASIS PASIVAS CON *SER* **(pasivas con *ser* + participio)**	- *La exposición <u>fue clausurada</u> por el autor.* - .... - ....
OBJETO ANTEPUESTO + PRONOMBRE	- *<u>La obra de teatro la</u> estrenaron la semana pasada.* - .... - ....
PASIVAS CON *SE*	- *El museo <u>se inauguró</u> hace un año.* - .... - ....

LA VOZ PASIVA

- **Perífrasis pasivas con *ser* (pasiva perifrástica)**

Conlleva un cambio de orden de los elementos de la oración, con el consiguiente cambio de función. El objeto de la oración activa se coloca al principio de la oración y se convierte en sujeto gramatical. El sujeto se omite o se coloca después del verbo, introducido por la preposición *por*.

oración activa		**oración pasiva**
Los romanos fundaron la ciudad de Lugo.	⇨	*La ciudad de Lugo fue fundada por los romanos.*
sujeto — objeto		sujeto gramatical

La voz pasiva se usa esencialmente en artículos periodísticos, en relatos de historia e historia del arte, etc. Se emplea sobre todo en textos escritos, aunque también en textos orales con cierto nivel de formalidad y no espontáneos (por ejemplo, un informativo, una audioguía de un museo, un guía turístico, etc.).

- **Objeto antepuesto + pronombre**

En la lengua oral informal se suele preferir un recurso alternativo que consiste en colocar el tema u objeto al principio de la oración: en este caso es obligatorio el uso del pronombre.

Lugo la fundaron los romanos.
objeto + pronombre

- **Pasivas con *se***

No hay cambio en el orden de los elementos de la frase, pero sí un cambio de función. Se emplea cuando el agente del verbo no es importante; por ello, se omite el agente y se añade el pronombre *se*. Cuando el agente es desconocido, a menudo se prefiere la pasiva con *se* (si bien, la pasiva perifrástica también es posible).

*Lugo **se fundó** en torno al año 25 a. C. (Lugo **fue fundada** en torno al año 25 a. C.).*

¿Por qué elegimos estas estructuras?

- El hablante emplea estas estructuras cuando no le interesa hablar de quién realiza la acción del verbo, es decir, cuando importa más el objeto que el agente del verbo.
  *La Catedral de Sevilla **fue construida** en los siglos XV y XVI.*
  *La Catedral de Sevilla **la construyeron** en los siglos XV y XVI.*
  *La Catedral de Sevilla **se construyó** en los siglos XV y XVI.*
- También las usa para que su discurso sea coherente, para poder enlazar lo que va a decir con lo que precede, y seguir así hablando del tema que se está tratando. Fíjate en los ejemplos de la derecha.

Elige la opción más lógica para continuar estas frases:

1 En un folleto informativo: *El retablo mayor de la Catedral de Sevilla es una grandiosa obra de arte de estilo barroco, ...*

☐ **A** *... fue diseñado por el escultor Pedro Dancart.*
☐ **B** *... el escultor Pedro Dancart diseñó el retablo.*

2 En una conversación: *Oye, ¿y quién diseñó el retablo mayor de la catedral?*

☐ **A** *Lo diseñó Pedro Dancart, un escultor flamenco.*
☐ **B** *Pedro Dancart diseñó el retablo.*

c Escribe las frases que faltan en el texto de Sevilla de la siguiente página, formando estructuras pasivas con los siguientes datos. Después, escucha para confirmar tus respuestas.

1 Torre del Oro: mediados del siglo XIII • construir
2 La construcción de la Catedral: primera mitad del siglo XV • iniciar
3 Catedral: Patrimonio de la Humanidad • declarar
4 Alcázar: el primer califa andaluz, Abd Al Raman III • mandar construir
5 Algunos cuadros de la iglesia del Hospital de la Caridad: el pintor sevillano Murillo • pintar
6 Puente del Alamillo: Santiago Calatrava • diseñar

Sevilla

Torre del Oro
Hospital de la Caridad
Alcázar

Sevilla, Sevilla, cuna del arte, del flamenco, del folclore español, del baile y de las tradiciones. Una ciudad que mezcla grandes monumentos con calles estrechas, empedradas, balcones con geranios... Acompáñenos por esta ruta en la que veremos los principales atractivos de Sevilla.

* Última reliquia islámica en nuestra ciudad es la Torre del Oro, uno de los símbolos más conocidos de Sevilla, que ❶ *fue construida a mediados del siglo XIII*. Era la torre defensiva del puerto fluvial, el cual se cerraba con una cadena, que unía la torre y la otra orilla.
* La Catedral de Sevilla, hermoso edificio cuya construcción ❷ ...., sobre el solar de la antigua mezquita musulmana, interviniendo multitud de arquitectos. Hoy en día es el tercer templo más grande del mundo, después de San Pedro del Vaticano y San Pablo de Londres. En 1987, la catedral ❸ .... por la Unesco.
* Y, compitiendo en hermosura con la catedral, tenemos el Alcázar, que ❹ .... en el siglo X, sobre un antiguo asentamiento romano.
* Una joya es el Hospital de la Caridad, cuya iglesia guarda una impresionante colección de cuadros, algunos de los cuales ❺ ....
* No podemos perdernos el recinto de la Exposición Universal de 1992. Uno de sus puentes, el llamado Puente del Alamillo, ❻ .... y es considerado por los expertos como una de las obras cumbre de la arquitectura moderna.

Puente del Alamillo

Catedral

(Adaptado de *http://www.en-sevilla.com*)

d Después de hablar con Luis, a Carlos le apetecía muchísimo conocer Sevilla y ha estado allí un fin de semana. A la vuelta, está chateando con su amiga Manuela sobre el viaje. Completa el chat con las respuestas de Carlos. Utiliza siempre que puedas la estructura de objeto antepuesto + pronombre que vimos en la actividad **b** y la información de la actividad anterior.

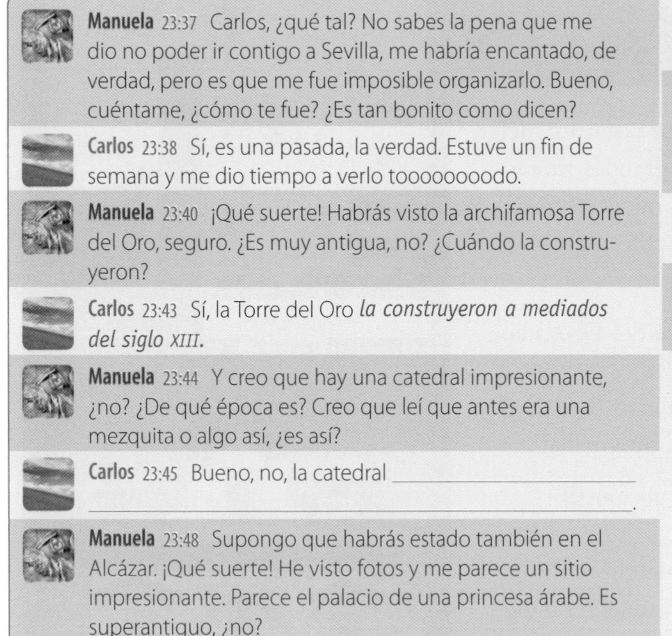

Manuela 23:37 Carlos, ¿qué tal? No sabes la pena que me dio no poder ir contigo a Sevilla, me habría encantado, de verdad, pero es que me fue imposible organizarlo. Bueno, cuéntame, ¿cómo te fue? ¿Es tan bonito como dicen?

Carlos 23:38 Sí, es una pasada, la verdad. Estuve un fin de semana y me dio tiempo a verlo tooooooooodo.

Manuela 23:40 ¡Qué suerte! Habrás visto la archifamosa Torre del Oro, seguro. ¿Es muy antigua, no? ¿Cuándo la construyeron?

Carlos 23:43 Sí, la Torre del Oro *la construyeron a mediados del siglo XIII*.

Manuela 23:44 Y creo que hay una catedral impresionante, ¿no? ¿De qué época es? Creo que leí que antes era una mezquita o algo así, ¿es así?

Carlos 23:45 Bueno, no, la catedral ______________________.

Manuela 23:48 Supongo que habrás estado también en el Alcázar. ¡Qué suerte! He visto fotos y me parece un sitio impresionante. Parece el palacio de una princesa árabe. Es superantiguo, ¿no?

Carlos 23:49 Pues el Alcázar ______________________.

Manuela 23:50 He estado ojeando una web y también habla mucho del Hospital de la Caridad… ¿Es bonito? Dicen que la iglesia es impresionante y que tiene una colección de pintura estupenda…

Carlos 23:52 Pues mira, muchos cuadros ______________________.

Manuela 23:54 Oye, y en la zona nueva, ¿estuviste? ¿Viste el famoso puente? ¿Quién lo diseñó? Un arquitecto español hiperconocido, pero ahora no me acuerdo de quién es…

Carlos fin de la conversación El Puente del Alamillo, ¿quieres decir? ______________________.

> En español coloquial es muy frecuente utilizar prefijos para intensificar adjetivos y adverbios, en lugar de *muy*. Los más tradicionales son *re-* y *requete-*. Actualmente se emplean mucho *extra-*, *hiper-* y, sobre todo, el más coloquial y usado, *super-*.

e ¿Qué recurso utiliza Manuela para intensificar los adjetivos *famosa, antiguo* y *conocido*?

f Estos son algunos de los monumentos que ha visitado Carlos. ¿Reconoces su estilo? Relaciona cada edificio con su estilo arquitectónico.

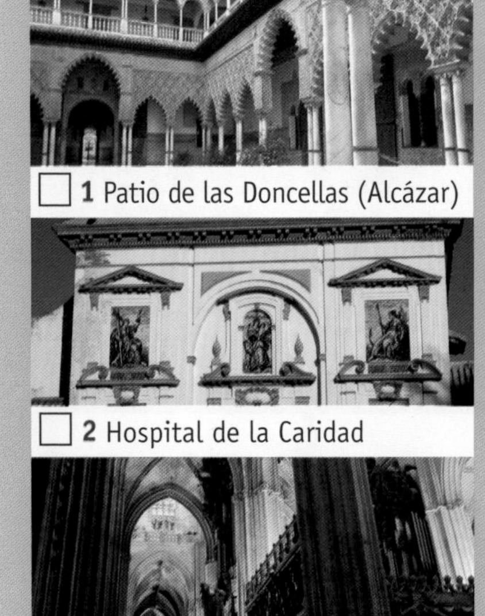

☐ **1** Patio de las Doncellas (Alcázar)

☐ **2** Hospital de la Caridad

☐ **3** Interior de la Catedral

A Los elementos que definen el arte gótico clásico son el arco apuntado y la bóveda de crucería, que surge al cruzar dos arcos apuntados. Las ventanas se decoran con vidrieras, que crean un ambiente lleno de color en el interior del templo. Se usan pilares, arbotantes y columnas para parar el empuje de las bóvedas. Las gárgolas son elementos decorativos, generalmente monstruosos, que hacen la función de canalones, expulsando el agua de lluvia al suelo.

B El barroco se caracteriza por buscar el máximo esplendor ornamental. En arquitectura, las fachadas adquieren especial importancia pues en ellas se ponen los mayores esfuerzos decorativos, con cornisas, columnas de diversos estilos y, en el barroco andaluz, a menudo también imágenes realizadas con azulejos. Las fachadas barrocas se adornaban con elementos de diversos materiales como ladrillo y hierro forjado.

C El arte mudéjar se caracteriza por la fusión de estilos, es un arte de síntesis que combina elementos diversos, aunque, en general, quienes lo trabajaron se muestran fuertemente influenciados por las tradiciones artísticas islámicas. En los edificios mudéjares encontramos arcos de herradura o arcos lobulados y decoraciones con formas geométricas.

Ahora dividid la clase en tres grupos y elegid cada uno un texto. Leed el texto que os corresponda y señalad las palabras que no conocéis relacionadas con el mundo del arte. Buscad el significado y haced una puesta en común.

g Prepara una breve presentación sobre un edificio de cualquier lugar del mundo que te guste especialmente. Cuenta a tus compañeros sus características y por qué es importante para ti.

2 Taller de restauración

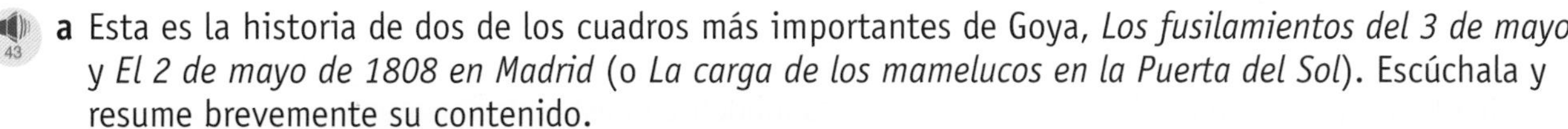

43 **a** Esta es la historia de dos de los cuadros más importantes de Goya, *Los fusilamientos del 3 de mayo* y *El 2 de mayo de 1808 en Madrid* (o *La carga de los mamelucos en la Puerta del Sol*). Escúchala y resume brevemente su contenido.

Los fusilamientos del 3 de mayo

El 2 de mayo de 1808 en Madrid

b Fíjate en estas cuatro frases relacionadas con la historia. ¿Cuáles se refieren a las acciones o a los acontecimientos que ocurren (A) y cuáles se refieren al resultado de esas acciones (R)?

1. Los cuadros fueron dañados gravemente durante su traslado a Barcelona. ☐
2. Los cuadros estaban muy deteriorados. ☐
3. Los cuadros han sido sometidos a tareas de recuperación y limpieza. ☐
4. Los cuadros ya están restaurados y listos para su exhibición. ☐

¿Qué diferencias gramaticales observas entre unas frases y otras?

Perífrasis pasivas con *estar*

- En español, empleamos la pasiva con el verbo *estar* cuando lo que nos interesa es el resultado de una acción y no su proceso de realización. Este tipo de pasiva se conoce como **pasiva de resultado.**
  *La iglesia **está restaurada**. Los daños ya **están arreglados**.*
- Estas pasivas son estructuras muy similares a las del verbo *estar* + adjetivo y, de hecho, pueden unirse con *y*.
  *Los cuadros ya **están restaurados** y **listos** para su exhibición.*

c El departamento de restauración del Museo del Prado ofrece en su web información sobre su trabajo. Estas son algunas de las noticias breves que ha publicado. Elige el verbo correcto en cada caso.

MUSEO NACIONAL DEL **PRADO**

COLECCIÓN
EXPOSICIONES
ACTIVIDADES
EDUCACIÓN
INVESTIGACIÓN

Biblioteca, Archivo y Documentación
Estudios
Restauraciones
Boletín del Museo del Prado
Cátedra Museo del Prado
Seminario Museo del Prado

Presentación El departamento de restauración ha sido históricamente uno de los más importantes del Museo del Prado. Desde el principio, contó con una plantilla estable y las labores de restauración [1] **fueron / estuvieron** perfectamente definidas.

24/10/2010 El *Adán y Eva* de Durero estaba en muy mal estado, después de haber [2] **sido / estado** intervenido varias veces a lo largo de su historia. Primero tuvo que [3] **ser / estar** arreglado el soporte del cuadro y, después, se arregló la capa de pintura. Ahora el cuadro [4] **es / está** restaurado y ha recuperado toda su belleza y su color.

2/12/2011 El museo presenta una de las restauraciones más importantes del año: *Felipe III a caballo*, de Velázquez. Después de un análisis detallado, se consideró que el cuadro no solo debía [5] **ser / estar** limpiado, sino que también se debían ocultar los añadidos. El resultado puede verse en la sala XII, donde Felipe III luce de nuevo con sus espléndidos valores propios.

21/02/2012 Uno de los últimos éxitos del taller de restauración del Museo del Prado ha sido la restauración de la 'gemela' de la *Gioconda*, que [6] **fue / estuvo** encontrada en las bodegas del museo y, después de diversos trabajos de limpieza, ya [7] **es / está** preparada para su exposición.

3 De buena tinta

a Luis ha hecho muchos viajes culturales por España y por América Latina. Esta es la página de su blog sobre su viaje a México. Lee el texto sobre la casa de la pintora mexicana Frida Kahlo y busca en él las palabras que corresponden con estas definiciones.

1 ________ **m.** Retrato de una persona hecho por ella misma.
2 ________ **m.** Trabajo sin perfilar y no acabado. Se usa especialmente hablando de las artes plásticas, y, por extensión, de cualquier obra creativa.
3 ________ **f.** Expresión artística con la que se representan cosas inanimadas.
4 ________ **m.** Representación gráfica que habitualmente se logra a través del uso de materiales específicos como el lápiz.
5 ________ **m.** Imagen que usa como soporte un muro o pared.

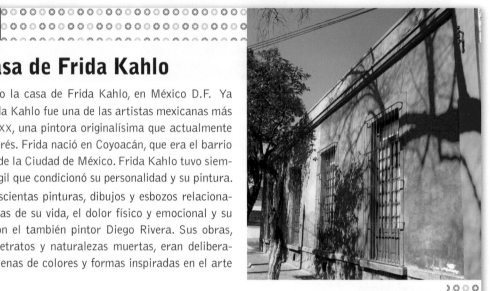

MIS VIAJES

La casa de Frida Kahlo

Hoy hemos visitado la casa de Frida Kahlo, en México D.F. Ya sabemos que Frida Kahlo fue una de las artistas mexicanas más importantes del siglo XX, una pintora originalísima que actualmente suscita un enorme interés. Frida nació en Coyoacán, que era el barrio artístico e intelectual de la Ciudad de México. Frida Kahlo tuvo siempre una salud muy frágil que condicionó su personalidad y su pintura. Frida creó más de doscientas pinturas, dibujos y esbozos relacionados con las experiencias de su vida, el dolor físico y emocional y su turbulenta relación con el también pintor Diego Rivera. Sus obras, principalmente autorretratos y naturalezas muertas, eran deliberadamente ingenuas, y llenas de colores y formas inspiradas en el arte folclórico mexicano.

Aunque se movió en el ambiente de los grandes pintores de murales mexicanos de su tiempo y compartió sus ideales, Frida Kahlo fue, durante toda su vida, una pintora absolutamente original. Su obra, profundamente metafórica, derivaba de su exaltada sensibilidad y de los trágicos acontecimientos que marcaron su vida. Alguien dijo de ella que era una surrealista espontánea, pero Frida nunca se sintió cerca del surrealismo, y al final de sus días decidió que esa tendencia no se correspondía con su creación artística.

Visitando la Casa Azul a uno no le resulta difícil imaginarla llevando trajes indígenas, ya que le gustaba pasear por su barrio bohemio vestida con fastuosos vestidos y dando festivas cenas para gente como Leon Trosky o Pablo Neruda.

b En clase, comentad qué sabéis de Frida Kahlo. ¿Por que el texto habla de «trágicos acontecimientos»? ¿Cómo fue su relación con Diego Rivera?

c Compara estos dos grupos de frases extraídas del texto. Analiza sus diferencias en relación a:

- el tiempo verbal utilizado
- la presencia de marcadores temporales*

1	2
- Frida Kahlo tuvo siempre una salud muy frágil. - Nunca se sintió cerca del surrealismo. - Frida Kahlo fue, durante toda su vida, una pintora absolutamente original.	- Coyoacán era el barrio artístico e intelectual de la Ciudad de México. - Le gustaba pasear por su barrio bohemio vestida con fastuosos vestidos. - Alguien dijo de ella que era una surrealista espontánea.

* Los **marcadores temporales** son palabras o expresiones que sirven para ubicar en el tiempo lo que queremos decir: *esta mañana, hoy, mientras, antes de (que), después de (que)...*

d Fíjate en las frases anteriores y completa la siguiente explicación.

Los tiempos verbales en la descripción

- Ya sabemos que el tiempo verbal que mayoritariamente empleamos en una descripción en pasado es el ....
- Sin embargo, se emplea el .... cuando utilizamos un marcador temporal de duración (por ejemplo, *siempre, nunca, durante su infancia, entre 1936 y 1939,* etc.), es decir, cuando expresamos un límite temporal.
- Ten en cuenta que, en algunos casos, no es necesaria la mención explícita de un límite temporal y basta con que ese límite se dé por sobrentendido.

e Ahora completa el texto que ha escrito Luis sobre Diego Rivera conjugando los verbos entre paréntesis en el tiempo adecuado del pasado.

Museo Mural de Diego Rivera

Este pequeño museo, que pasa casi inadvertido entre el gran movimiento cultural de Distrito Federal, alberga uno de los murales más famosos e interesantes de este genial pintor mexicano. El mural se llama el *Sueño de una tarde dominical en la Alameda Central*. Diego Rivera fue uno de los principales muralistas de su país y, aunque [1] ________ (vivir) más de diez años en Europa y durante ese tiempo [2] ________ (recibir) la influencia de diversos pintores europeos, para mí siempre [3] ________ (ser) un pintor mexicanísimo. En este mural, por ejemplo, resumió 400 años de historia de México. Se casó con Frida Kahlo en 1929, cuando ya [4] ________ (estar) considerado como uno de los pintores esenciales de su país.

Este mural lo pintó en 1947, cuando México [5] ________ (encontrarse) en pleno proceso de cambio, caminando hacia la industrialización y la modernización. En general, los años 30 y 40 [6] ________ (ser) buenos años para México. Pero Diego Rivera [7] ________ (ser) un hombre crítico y en sus obras [8] ________ (haber) un alto contenido social y político. En este mural, reflexiona sobre la historia y la esencia de México, el imperialismo y la revolución. Contemplando este mural, te das cuenta de que [9] ________ (ser) un pintor enorme, cuya obra va mucho más allá de su país y su época. Eso sí, para disfrutar plenamente la visita, merece la pena contratar a alguno de los numerosos entusiastas y estudiosos que acuden cada tarde a contemplar esta obra críptica que es fuente de inagotables interpretaciones y estudios.

f En grupos de tres o cuatro alumnos, preparad una breve presentación sobre un pintor o artista hispano que os guste. Podéis visitar, por ejemplo, la web del MALBA (Museo de Arte Latinoamericano de Buenos Aires). Buscad datos sobre su vida y su obra. Y, si es posible, enseñad a la clase alguna imagen de su trabajo.

1 Mi cuadro preferido

a Tres personas (el escritor Bernardo Atxaga, la diseñadora Miriam Ocariz y el director de cine Pedro Olea) han visitado el Museo de Bellas Artes de Bilbao y nos hablan de su cuadro favorito. Estas frases forman parte de sus recomendaciones. ¿A qué cuadro crees que se refiere cada una?

a Tiene una belleza que podría ser totalmente contemporánea. ☐
b Este cuadro me ayudó a entender la ciudad. ☐
c En este cuadro está el pasado, está el futuro, está la tradición. ☐

1 *El puente de Burceña* (de Aurelio Arteta Errasti)

2 *Retrato de la condesa Mathieu de Noailles* (de Ignacio Zuloaga Zabaleta)

3 *Viernes Santo en Castilla* (de Darío de Regoyos y Valdés)

44 Ahora, escucha y confirma tus respuestas.

44 **b** Vuelve a escuchar el audio y anota los demás aspectos que hacen que estos cuadros sean especiales para las personas que hablan. Después, compara tus ideas con las de tu compañero.

1 ....
2 ....
3 ....

c Esta es la información que la web del Museo de Bellas Artes de Bilbao ofrece sobre el *Retrato de la condesa Mathieu de Noailles*. Léela y comenta con tu compañero lo que la diferencia de la descripción anterior.

Obra: ***Retrato de la condesa Mathieu de Noailles*.**
Autor: Zuloaga, Ignacio.
Técnica: Óleo sobre lienzo.
Medidas: 152 x 195,5 cm.
Firmada: I. Zuloaga (ángulo inferior derecho).

El ***Retrato de la condesa Mathieu de Noailles***, fechado en 1913, representa a la poetisa parisina Anna Elisabeth de Brancovan. Zuloaga presenta a la condesa tendida con elegancia sobre un diván de terciopelo verde. Unas pesadas cortinas enmarcan el retrato, pero Zuloaga opta por ceder todo el protagonismo a la sensual figura de la mujer. En el ángulo inferior derecho, dispone sobre una mesa un bodegón con libros, que evocan la devoción por la literatura, un collar de perlas, distintivo de la pasión, y un jarrón con rosas, símbolo del amor: un pequeño resumen simbólico de la personalidad de la condesa.

Ignacio Zuloaga (Eibar, 1870 - Madrid, 1945) fue considerado por la crítica artística internacional de comienzos del siglo XX como uno de los mejores pintores del momento. Sus referencias eran la cultura popular, la pintura española del siglo XVII y la figura de Goya. Todas esas influencias proporcionaron a sus obras expresividad y penetración psicológica, que, junto a la visión romántica y a su habilidad técnica, fueron los factores clave de su producción.

(Adaptado de *http://www.museobilbao.com*)

HABLAR DE ARTE

- **Descripción objetiva**
  Incluye:
  - datos técnicos
  - datos biográficos del autor
  - descripción y análisis de los elementos de la obra
  - contextualización de la obra en la evolución del autor y del arte, en general

  Elementos lingüísticos que aportan objetividad:
  - tercera persona
  - adjetivación descriptiva, no valorativa
  - tecnicismos

- **Valoración subjetiva**
  Incluye:
  - referencias personales
  - informaciones diversas sobre la persona que habla

  Elementos lingüísticos que aportan subjetividad:
  - primera persona
  - adjetivos valorativos
  - verbos de opinión, valoración

CIERRE DE EDICIÓN

Vas a elegir y presentar a la clase tu obra de arte preferida.

PLANIFICA ▼

1 Elige una obra de arte que te guste especialmente. Recuerda que puede ser de cualquier país, época, estilo, etc.

2 Busca información sobre ella, incluyendo, si es posible, alguna fotografía.

Autor | Estilo | Época | Características técnicas

ELABORA ▼

3 Con la información que has encontrado, escribe un texto en el que describas objetivamente las características de la obra.

4 Ahora, piensa detenidamente en por qué te gusta tanto. Escribe tus razones. En este caso, no hace falta que sea un texto muy elaborado, basta con que recojas ideas que puedas usar en tu presentación.

El gato de Botero, Barcelona

PRESENTA Y COMPARTE ▼

5 Presenta tu obra a la clase.

REFLEXIONA ▼

6 Vamos a valorar la unidad:

- ¿Te han parecido interesantes los contenidos estudiados?
- ¿Te habría gustado tratar algún otro tema?
- ¿Te ha gustado la tarea final?
- ¿Contabas con las herramientas necesarias para hacerla?

En esta unidad vamos a participar en la elaboración de nuestro museo ideal con obras seleccionadas por los alumnos de la clase, utilizando la plataforma Prezi.

Entra en www.agenciaele.com para realizar esta actividad.

Reflexionamos sobre las repeticiones en español

1 Fíjate en estos diálogos. ¿Qué tienen en común?

A • Hola, buenos días. ¿Se puede? ■ Sí, claro, pase, pase.	**C** • No podemos dejar que vengan y nos falten al respeto. ■ No, no, no, claro que no.
B • Mira, el reloj... ¿A qué es precioso? ■ Precioso, sí...	**D** • Tú no vas nunca al gimnasio. ■ ¿¡Que no voy nunca...!? Pero si llevo yendo desde septiembre...

La repetición es un fenómeno muy frecuente en la conversación en lengua española, tanto que algunos autores han definido el español como «lengua eco». A menudo, los hablantes repiten sus propias palabras dentro de un mismo turno de palabra o en turnos diferentes; también es frecuente la repetición de las palabras del interlocutor. Las razones y funciones de la repetición son muy diversas, aunque, en general, están relacionadas con la cortesía y la expresión del acuerdo o el desacuerdo, como en los ejemplos anteriores.

2 Estas son algunas de las funciones que la repetición dialógica puede tener en español. Relaciona cada una con el ejemplo correspondiente de la actividad anterior.

- ☐ 1 El hablante repite sus propias palabras dentro de una frase para reforzar el carácter cortés y amable de sus palabras. Se emplea sobre todo como respuesta a una petición.
- ☐ 2 El hablante repite las palabras del interlocutor para expresar desacuerdo con él e, incluso, cierto enfado.
- ☐ 3 El hablante repite sus propias palabras para enfatizar el acuerdo o desacuerdo con su interlocutor.
- ☐ 4 El hablante repite las palabras expresadas por su interlocutor en el turno de palabra anterior. En general, es una forma de expresar acuerdo, aunque puede usarse también para expresar desacuerdo de forma irónica.

SÍ, SÍ,
NO, NO,
CLARO,
PASE, PA

3 Ahora reacciona ante las siguientes situaciones. Para ello, recuerda las diferentes repeticiones que has estudiado anteriormente.

1 ¿Por qué no llamas nunca?
2 ¿Puedo utilizar tu bolígrafo?
3 ¿Qué tal te ha caído mi hermana, a que es muy simpática?
4 ¿Y tu padre por qué estuvo en Roma?
5 Tenemos que ir a comprar hoy sin falta los libros.

Si bien en todas las lenguas se emplea la repetición para aclarar significados y organizar el discurso, hay estudios que indican que la repetición dialógica es mucho más frecuente en español que en otras lenguas.

4 ¿Qué opinas tú? ¿Se repite más en español que en tu lengua?

5 Además de la repetición dentro del diálogo, el español cuenta con frases hechas y fórmulas fijas basadas también en la repetición de elementos. Estas son algunas de ellas. Únelas con su significado.

1 Paso a paso.	a Con claridad, sin ambigüedad.
2 Punto por punto.	b Movido por la venganza.
3 Hombro con hombro.	c Con detalle, minuciosamente.
4 Erre que erre.	d Estrechamente unidos.
5 Sea como sea.	e Insistentemente, con terquedad.
6 Mano sobre mano.	f No importa cómo.
7 Al pan, pan, y al vino, vino.	g Progresivamente.
8 Ojo por ojo (y diente por diente).	h Sin hacer nada.

10 Tecnología punta

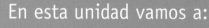

En esta unidad vamos a:

- **Hablar sobre ciudades sostenibles y edificios inteligentes**
- **Hablar sobre tecnología e inventos**
- **Expresar condiciones irreales**
- **Expresar concesión**
- **Reflexionar sobre los errores y los modos de corregirlos**

1 Casas inteligentes

a ¿Qué les aporta el adjetivo «inteligente» a cada uno de estos conceptos? En parejas, ¿podéis definirlos?

b Lee este reportaje sobre casas inteligentes. Subraya las ventajas y desventajas que se destacan. Si pudieras vivir en una casa inteligente, ¿qué dispositivos te gustaría que tuviera?

CASAS INTELIGENTES

Hasta hace poco este tipo de vivienda solo aparecía en el cine; hoy va más allá de la imaginación y se ha convertido en una realidad. Ahora son cada vez más las personas que apuestan por este tipo de hogares.

Una casa inteligente usa simultáneamente la electricidad, la electrónica y la informática para crear un diseño arquitectónico propio, de tal manera que las personas que la habitan disfruten de mayores comodidades.

El principio real de este tipo de viviendas se dio hace algunos años, cuando Estados Unidos y Japón comenzaron a utilizar la domótica, tecnología que permite controlar los aparatos y electrodomésticos del hogar a distancia.

La tecnología avanzada, uno de los elementos que las caracterizan, se puede aplicar tanto a casas y habitaciones como a departamentos, en la grandes ciudades o en las zonas rurales.

En nuestro país hay algunas casas de este tipo pero no son completamente inteligentes, sino que tienen solo algunos elementos, como el control del agua y el control del jabón.

Si de ventajas se trata, son varias las que aportan las casas inteligentes, entre ellas:

- Este tipo de construcciones abre la posibilidad de desarrollar, con el tiempo, nuevos tipos de viviendas y mobiliario interno que vayan acordes con las nuevas formas de vida y sean accesibles para el público en general.
- Las casas inteligentes permiten efectuar mediciones y evaluaciones del uso de nuevas tecnologías en el ámbito doméstico.
- Resultan mucho más seguras para sus habitantes que el resto, ya que cuentan con dispositivos automáticos de control, como: alarmas contra intrusión y pánico, control de fuego y humos, vigilancia interna y remota, etc.
- Contribuye a la disminución del gasto energético a través del control de la temperatura interna de los locales, el control de la iluminación, así como del control del consumo de los electrodomésticos, teniendo como resultado mayor ahorro y cuidado del medioambiente.
- La comodidad de las casas inteligentes es óptima, y se logra a través del control del medioambiente interno con la programación de horarios específicos para equipos de climatización, iluminación, etc.
- Limpieza automática: a través de conductos de aire ubicados estratégicamente permite la conexión de los implementos utilizados en la limpieza.
- Facilita la organización de las actividades cotidianas y permite realizar nuevas tareas desde casa, etc.

Aunque su principal desventaja radica en el precio, ya que este es más elevado que el del resto de los hogares y depende de los servicios con que cuente la vivienda, hoy en día constructoras y especialistas en domótica están trabajando juntos para construir unidades habitacionales automatizadas que, a largo plazo, resulten más económicas por todo el ahorro que generan. Es inevitable, la tecnología nos está alcanzando; así que solo hace falta estar bien preparados y abiertos para aceptar todas las posibilidades que nos permitirán vivir más seguros, más cómodos y con la certeza de que estamos ahorrando y a la vez colaborando para tener un medioambiente más saludable para nosotros y nuestros hijos.

(Adaptado de *http://www.clubplaneta.com*)

c ¿Cuántos aparatos eléctricos utilizas durante el día? Entre todos, haced una lista en la pizarra con los electrodomésticos y aparatos eléctricos que utilizáis un día normal en casa, en el trabajo o la escuela y en vuestro tiempo libre. ¿Quién es el compañero de clase que más dispositivos utiliza?

fotocopiadora, robot de cocina, exprimidor, pizarra digital, picadora, mp4, tableta…

Al final de la unidad...

Vamos a elaborar un proyecto para convertir nuestra escuela en inteligente y sostenible.

2 Un día complicado

a Lee el cómic. ¿Qué problemas tienen en la agencia?

En Agencia ELE tienen algunos problemas técnicos.

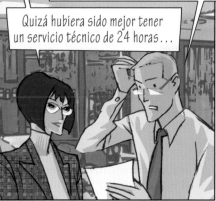

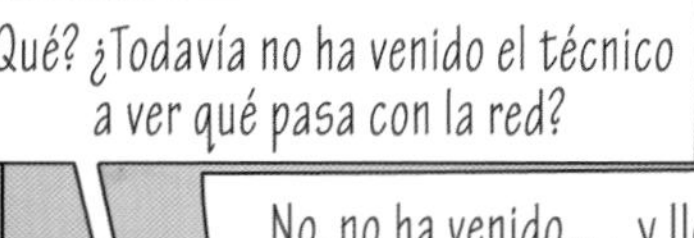

¿Qué? ¿Todavía no ha venido el técnico a ver qué pasa con la red?
No, no ha venido... y llevo toda la mañana sin poder enviar el artículo.
Quizá hubiera sido mejor tener un servicio técnico de 24 horas...

Uff... ¡Esta mañana hacía un calor en mi despacho...! Es el único espacio en toda la agencia donde no hay aire acondicionado...
Yo en tu lugar me hubiera cambiado de despacho. El de Iñaki estaba vacío...

La fotocopiadora está atascada... He abierto dos veces la bandeja, he puesto papel, y nada...
¡No me lo puedo creer! ¡Nos llegó una oferta buenísima para comprar una fotocopiadora multifunción y no sé por qué decidimos no comprarla!
Sí, ¡ojalá la hubiéramos comprado!

¿Qué haces ahí?
La máquina de café se ha quedado con 50 céntimos. Siempre igual.
Mujer, si me hubieras pedido cambio... Tengo siempre monedas sueltas en el cajón.

¡Cómo se nota que hoy están Sergio y Paloma en la oficina! ¡Ayer cambié el tóner de la impresora, y hoy ya no tiene tinta!
Pues no sé qué tiene de extraño. Aunque no hubieran estado hoy, no creo que hubiera durado mucho más...
No te he visto esta mañana en la reunión con el director general.
¿Reunión? No sabía que hubieran convocado una reunión.
Sí, parece ser que quieren reformar las instalaciones de la agencia.
Pues me hubiera encantado asistir...

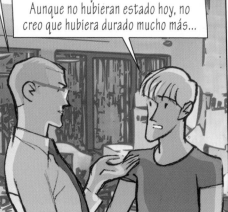

b Lee las siguientes frases y busca en el cómic otras que expresen lo mismo.

1. ¡Teníamos que haberla comprado!
2. Debiste pedirme cambio.
3. Quería hablar con él y no he podido...
4. ¿Por qué no te fuiste al despacho de Iñaki?
5. Se hubiera gastado igual de rápido.
6. No entiendo por qué no contratamos un servicio técnico de 24 horas.
7. Nadie me informó de que teníamos una reunión esta mañana.

1 Hubiera sido mejor...

a Aquí tienes tres noticias que hacen referencia a tres avances tecnológicos. Léelas y contesta a las preguntas.

a

A CERVANTES LE HUBIERA GUSTADO LEER AQUÍ

Cervantes Touch Light es la versión avanzada del anterior Touch, y el modelo más sofisticado de *e-reader* en la oferta actual del fabricante español bq.

Empezando con el diseño, el *e-reader* tiene un solo botón físico, que servirá para volver a la pantalla de inicio. El resto de opciones (menús, configuración, anotaciones, etc.) se maneja desde la pantalla. De esta forma, el aparato es compacto y cómodo, con una carcasa de goma agradable al tacto. No es el modelo más ligero (222 gramos), aunque sí fácil de sostener y manejar con una sola mano.

(Adaptado de http://www.baquia.com)

1 ¿Crees que a Cervantes le hubiera gustado realmente tener un *e-reader*?
2 Y tú, ¿prefieres el *e-reader* o los libros en papel? ¿Qué ventajas y desventajas tiene cada uno de ellos?

b

HAILE GEBRSELASSIE: «Con esta tecnología hubiera sido mejor atleta»

En el marco de la presentación de Adidas Boost en Nueva York, entrevistamos al mejor corredor de fondo de la historia, como atestiguan sus 27 récords del mundo, Haile Gebrselassie. Le preguntamos cómo entrena, cómo es su alimentación, cuántas horas duerme y más cosas al plusmarquista mundial. «Con esta nueva tecnología –unas suelas que incorporan miles de cápsulas de energía– faltarán menos de 10 años para que alguien logre correr un maratón en menos de 2 horas. Sin estas nuevas zapatillas hubiera dicho que faltan más de 20», aseguró.

(Adaptado de http://atletas.info)

1 ¿Crees que un equipamiento deportivo puede mejorar la marca de un atleta o es necesario algo más?
2 ¿En qué otras profesiones la tecnología ha supuesto una mejora del rendimiento de las capacidades del ser humano? Pon dos ejemplos.

c

¿Y SI NO SE HUBIERA LLAMADO iPHONE?

Sabemos que la compañía Apple le antepone la "i" minúscula a todos sus dispositivos móviles, también sabemos que el iPhone es su dispositivo más popular; pero lo que no sabemos es que este teléfono tuvo otros nombres tentativos antes de ser bautizado como iPhone.

El primer nombre que se barajó fue "Telepod", una mezcla del ya conocido "pod" y el "tele" obviamente de teléfono. El otro nombre fue "Mobi", palabra que hacía alusión a la palabra móvil, pero tampoco prosperó. "Tripod" fue otro nombre que hacía referencia a las tres funciones que tendría: teléfono, iPod e internet. Y finalmente el nombre "iPad", que después fue usado para sus famosas tabletas.

Queda claro que iPhone fue un buen acierto, pero cualquier nombre que le hubieran puesto hubiera tenido el mismo éxito que tiene esta gama de *smartphones*, así que queda como una divertida anécdota.

(Adaptado de http://www.medegeek.com)

1 ¿Es realmente importante el nombre de un nuevo invento?
2 ¿Conoces algún caso de algún aparato que haya fracasado por usar un nombre poco comercial?

Pretérito pluscuamperfecto de subjuntivo

Se forma a partir del **pretérito imperfecto de subjuntivo del verbo *haber*** *(hubiera / hubiese)* + **participio del verbo conjugado** *(llamado, sido, venido...)*.

yo	hubiera / hubiese	+ participio
tú	hubieras / hubieses	
él / ella / usted	hubiera / hubiese	
nosotros/as	hubiéramos / hubiésemos	
vosotros/as	hubierais / hubieseis	
ellos / ellas / ustedes	hubieran / hubiesen	

Usamos el pluscuamperfecto de subjuntivo para hablar de acciones de cumplimiento imposible en el pasado:

- Para un deseo que no se ha cumplido:
  *Ojalá **hubiera llamado**.* (Quería que me llamara, pero no lo hizo)
- Para indicar una acción hipotética en el pasado*:
  *¡En tu lugar no le **hubiera dejado** entrar en mi casa!* (Pero tú le dejaste entrar)
  *Tal vez **hubiera sido** mejor ir de vacaciones a otro lugar.* (Estas vacaciones no son tan buenas como esperábamos)
- Cuando se refiere a acciones que lamentamos que ocurrieran o que no ocurrieran*:
  *¡Me **hubiera gustado** ir con vosotros!* (Pero no pude ir)
- En oraciones subordinadas en las que es preciso usar el subjuntivo (valoración, sentimientos, oraciones finales, temporales, etc.) introduce el matiz de anterioridad en el pasado a la acción de la principal:
  *Cuando entré, me extrañó que no **hubiese llegado** para la ceremonia.*
  *Habría preferido que me lo **hubieras dicho** antes de reservar la mesa.*
  *Me dijo que me llamaría cuando **hubiera aterrizado**.*

* Equivalencias con el condicional compuesto: *Yo en tu lugar lo **hubiera hecho / lo habría hecho**.* En estos casos es más adecuado el condicional compuesto (o perfecto), aunque en el registro oral el uso del pluscuamperfecto de subjuntivo está aceptado y muy extendido.

b Escribe una frase expresando estas mismas ideas con las estructuras anteriores.

1 Lamento no haber empezado a estudiar español antes.
Ojalá hubiera empezado a estudiar español antes.
2 ¿Por qué no me compraría la casa en el campo?
3 ¿Cuándo te casaste? No lo sabía.
4 ¿Te gastaste todo el dinero en un móvil? Estás loco.
5 No fui al concierto, ¡qué pena!
6 No me lo habías contado antes y me molestó.
7 Quería ir a vuestra fiesta, pero tenía trabajo.
8 ¿Por qué no le dejaste el coche a tu hermano?

c ¿En qué situaciones crees que alguien puede decir las siguientes frases? Coméntalo con tu compañero y después con la clase.

1 Me hubiera gustado saberlo antes de venir.
2 Ojalá hubiese tomado otra dirección.
3 No sabía que hubiera tenido tanta suerte.

En la primera situación alguien se ha enterado de que...

d Lee el siguiente texto de un blog sobre tecnología y marca las ideas principales. ¿Estás de acuerdo con lo que dice? Escribe una respuesta.

Tecnología

Comparativas · Wadgets · Noticias · Links · Compras

Se puede vivir sin tecnología

En la actualidad el entretenimiento de los más chicos ya no pasa por jugar a la pelota con amigos, ni a la rayuela, ni por ver dibujos animados. Esto ya se dejó de lado en este mundo absorbido por los avances tecnológicos. Fenómenos como las videoconsolas o los ordenadores son hoy en día muy importantes; por ejemplo, internet facilita la vida de las personas que trabajan y estudian. El problema es que la mayoría de las veces se usa de manera excesiva.

Actualmente, los niños ya no desarrollan actividades tales como ir a la plaza o imaginar juegos con muñecos, cartones, chapas... Los jóvenes se pasan todo el día sentados frente a la computadora o frente a la tele jugando a la *play*, como lo llaman ellos. Esto trae como consecuencia que dejen de interactuar con la gente y se encierren en su propio mundo. Además, acarrea graves trastornos de salud, ya que están todo el día sentados jugando y comiendo.

La raíz principal de este problema es que los niños y adolescentes están solos cuando llegan del colegio, puesto que sus padres trabajan y no les prestan la atención suficiente.

Los mayores deben darse cuenta de estos problemas y, por ejemplo, pueden organizar en el barrio campeonatos de fútbol como en los viejos tiempos. También, los colegios pueden organizar colonias de verano donde les den la merienda y haya actividades recreativas. Igualmente no hay que olvidar que todos los problemas se pueden solucionar cuando hay una buena base familiar que apoye a los menores.

Con esto no quiero decir que las tecnologías hayan llegado para arruinarnos la vida, pero en algunos casos nos excedemos con su uso. Al mismo tiempo, como todos sabemos, gracias a internet tenemos todo al alcance de la mano, y nos facilita la vida. Pero no nos olvidemos de que a un niño le hacen falta otras cosas aparte de internet, porque los niños criados en los ochenta no tenían grandes inventos tecnológicos y también eran felices.

(Adaptado de *http://mundovirtual-jesi.blogspot.com.es*)

e ¿Recuerdas cómo era tu vida cuando eras un adolescente? ¿Qué cosas te hubiera gustado tener? ¿Qué cosas crees que no eran necesarias?

- *Ojalá hubiera tenido un móvil cuando tenía 16 años, porque cada vez que salía de casa mis padres estaban preocupados y, si llegaba tarde o perdía el metro, tenía que llamar desde una cabina.*
- *Pues yo no creo que mis padres me hubieran comprado uno. Hubiera gastado mucho dinero descargando juegos y seguro que hubieran acabado enfadándose conmigo.*

2 Compras inútiles

a Todos tenemos en casa aparatos y objetos que no usamos o los utilizamos muy poco. Haz una lista con algunos de ellos. Luego explícale a tu compañero si los compraste o te los regalaron y por qué no los usas.

Pues yo tengo en casa un hervidor de huevos... Fue un regalo que me hicieron en un cumpleaños y la verdad es que no lo uso nunca, porque tomo pocos huevos, y suele ser en tortilla o fritos.

b En este blog hay una sección dedicada a compras inútiles. Lee la siguiente entrada y responde a las preguntas.

1 ¿Qué compró María Jesús? 2 ¿Por qué? 3 ¿Cómo se siente?

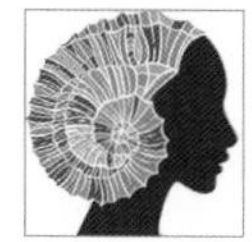
María Jesús

Compras inútiles

La primera vez que la vi aparecía fotografiada en el catálogo de una tienda de electrodomésticos... No le presté demasiada atención y pasé la página despreocupada. Varias semanas después, volví a encontrarme con ella: esta vez, se me ofrecía con un importante descuento por la suscripción a una revista de consumo. Esta vez sí: piqué, mordí el anzuelo y me lancé. Al poco tiempo... ¡la tenía en casa! Y cuatro años después, mi máquina de hacer pan sigue ahí, sin estrenar. Resulta que -según el recetario- para hacer un mísero bollo se precisan harinas de trigo del tipo 1050, 405, 550..., harina de centeno tipo 1150..., levadura fermentada tipo "yoquesé"... Total, que me rendí y aparqué la panificadora. Si no me la hubiera comprado, no tendría ahora esta sensación de haber tirado el dinero a la basura. Además, si hubiera sabido cómo funciona antes de comprarla, no estaría ocupando tanto espacio en mi cocina.

c Busca en el texto anterior los verbos en pretérito pluscuamperfecto de subjuntivo y completa la siguiente regla.

Oraciones condicionales de imposible realización con consecuencias en el presente o en el futuro

- Cuando la condición o hipótesis no se ha cumplido en el pasado (por lo tanto se trata de una condición imposible), utilizamos: ***Si*** **+ pretérito pluscuamperfecto de subjuntivo** (pasado).
- Cuando la oración principal se refiere a un hecho en el presente o en el futuro se construye con ....:

*Si te **hubiera dicho** la verdad, ahora no **sentiría** remordimientos.*
(en el pasado) **(en el presente)**

(= como no te la dije, ahora siento remordimientos)

*Si no **hubieras comprado** la entrada con antelación, mañana no **podríamos** ir al partido.*
(en el pasado) **(en el futuro)**

(= compraste las entradas, mañana iremos al partido)

d Todos tenemos en nuestras vidas situaciones del pasado que tienen consecuencias positivas o negativas en nuestro presente. Completa los siguientes enunciados con tu experiencia.

1 Si no hubiera empezado a estudiar español, ...
2 ...., ahora sería millonario/a.
3 Si me hubiera casado con mi primer amor, ...
4 ...., estaría viviendo en otro país.
5 Si hubiera seguido los consejos de mis padres, ...
6 ...., no tendría mi trabajo actual.

e Comenta algunas de las situaciones anteriores con tus compañeros.

f Y tú, ¿has tenido alguna experiencia similar a la de María Jesús? Escribe en un blog una experiencia en la que contrataste un servicio o compraste algo de lo que te arrepientes.

3 Tecnología para todos los gustos

a Lee los siguientes extractos de noticias donde se comentan diferentes aspectos relacionados con la tecnología. Elige el mejor título para cada texto (hay tres títulos que no vas a necesitar.)

Inteligencias múltiples | Ciberactivismo | Periodismo ciudadano | Salvavidas | Aprendizajes inteligentes | Plataformas de aprendizaje | Amistades virtuales | Enganchados

¿Cuántos dispositivos electrónicos eres capaz de usar al mismo tiempo? Móvil, tableta, iPod, pda, impresora...Que levante la mano quien alguna vez no haya estado simultáneamente trabajando o estudiando, buscando información en Google y bajándose un vídeo de YouTube.

Con frecuencia, la tecnología nos permite trabajar simultáneamente en dos o más tareas complejas y a responder consultas de inmediato. No obstante, **por muy talentoso que** se sea, la persona que hace muchas cosas a la vez las hace mal.

Durante los últimos años hemos sido testigos de una verdadera explosión de iniciativas y acciones ciudadanas. Las herramientas más utilizadas son las que nos ofrece internet, en la sociedad de la información. **A pesar de que** llegar a todo el público que se desea es complicado, convertirlo en viral es la clave. Las herramientas mas eficaces para conseguir esta viralidad suelen ser las redes sociales tales como Twitter, Facebook, Myspace, por ejemplo, ya que permiten no solo comunicar información sobre futuras campañas, fechas de reuniones o huelgas, sino, lo más importante, posibilitan abrir un debate con cualquier usuario que esté dispuesto a participar y aportar su opinión.

¿Alguna vez has escuchado a un amigo o compañero emocionarse porque llegó a 500 amigos en Facebook? Quizá tu respuesta es afirmativa, como la de muchos ciudadanos más. Un estudio titulado «Narcisismo en Facebook» descubrió que cuantos más amigos tienes en la red social, más infeliz o narcisista eres. **Por mucho que** nos empeñemos en tener más amigos virtuales, no seremos más felices. Este estudio relaciona el número de amigos que se tiene en Facebook con rasgos narcisistas y antisociales de la personalidad: paradójicamente, las personas más difíciles de tratar tienden a tener más amigos en esta red social.

¿Cuántas veces al día entras en tu perfil de Facebook para comprobar si alguien ha comentado tu estado, te ha etiquetado en una foto, le ha dado a "me gusta" o para comprobar las menciones en Twitter o los 'tuits' de tus seguidores? Gracias a las nuevas tecnologías, resulta muy sencillo poder conectarse en cualquier momento a las redes sociales y al correo electrónico. Además, como no son consideradas acciones peligrosas ni tampoco entrañan más coste, nadie siente la necesidad de tener que reprimir su curiosidad para ver qué nuevos mensajes ha recibido. Sin embargo, resistir la tentación de visitar los sitios de redes sociales para ver las actualizaciones es más difícil que rechazar una bebida o un cigarrillo. ¿Alguna vez has intentado no entrar en las redes sociales en 48 horas? Haz la prueba. Yo no he podido, **y eso que** lo he intentado varias veces.

Aunque te consideres un tecnófobo empedernido, no salgas de casa sin tu móvil con conexión a internet. Y si no, mira lo que le pasó a este cineasta. Woolley se encontraba en un hotel de Haití cuando la isla fue sacudida por el terremoto y el edificio se deshizo en pedazos. En ese momento de desesperación, solo contaba con una cámara réflex y su teléfono inteligente, por lo que utilizó la luz para resguardarse cerca de los ascensores y una aplicación de primeros auxilios instalados en su móvil. Con las instrucciones cargadas en su teléfono consiguió vendarse la pierna, que tenía dañada, y detener la hemorragia de su herida en la cabeza. Además, la aplicación le advirtió que, para evitar caer en estado de "shock", debía evitar dormirse. Así fue como programó la alarma del móvil para que sonara cada 20 minutos. Después de leer esto, ¡quién no se baja la aplicación!

El aprendizaje electrónico ya es el presente. **Si bien es cierto que** toda formación en línea puede dirigirse a escolares, universitarios, posgraduados, profesionales, profesores, etc., el ámbito empresarial es el sector donde la educación digital puede tener más éxito. En primer lugar, porque las empresas son las que disponen de más capital para comprar cursos a través de la red, y en segundo lugar, porque toda empresa, al estar dentro del mundo profesional, es consciente de que si su compañía desea mantenerse en la Nueva Economía, sus trabajadores necesitan una formación continua.

b Fíjate en los conectores que aparecen en negrita en los textos. ¿Qué tiempo verbal los acompaña? Después, lee el cuadro de la siguiente página para saber más sobre los conectores.

EXPRESIÓN DE LA CONCESIÓN

La concesión presenta una objeción o dificultad.

Indicativo / Subjuntivo

Usamos el **modo indicativo** cuando el hablante quiere expresar una dificultad real o un hecho que sabe que es verdad y puede producirse. Se refiere mayoritariamente a hechos del pasado o del presente. Utilizamos el **modo subjuntivo**, en general, cuando expresamos una dificultad de la que no estamos seguros o no queremos informar de su veracidad. Solo es una posibilidad. Puede referirse al pasado, al presente o al futuro.

- ***Aunque:*** expresa una objeción a la realización de algo, pero no lo impide. Es la construcción más utilizada y general para expresar las oraciones concesivas.
  *Aunque no me **apetece**, tengo que ponerme a trabajar ahora mismo.* (Realmente no me apetece).
  *Aunque **tenga** muchos amigos en Facebook, no es una persona muy sociable.* (No estoy informando sobre si tiene muchos o pocos amigos en Facebook).
- ***Por más / mucho que:*** advierte de que no importa la intensidad con la que se hace algo, porque no se conseguirá lo que se pretende.
  *Por más que **se esfuerce**, no lo conseguirá.*
  *Por mucho que **trabajo**, no veo los resultados.*

Indicativo

- ***Y eso que:*** introduce una información que supone un grave obstáculo para la realización de la acción, y que sin embargo se supera. Uso oral e informal.
  *He aprobado, y eso que no **había estudiado** nada.*
- ***Y mira que:*** da una información negativa y no aceptada y, después, explica por qué no se acepta. Uso oral e informal.
  *Ana no vino, y mira que me **dijo** veces que vendría.*
- ***Si bien es cierto que:*** confirma la certeza de la información, pero indica que no se opone a la idea principal. Se utiliza solo en lengua culta y escrita.
  *Si bien es cierto que **ha cumplido** con su parte, no volveremos a contar con sus servicios.*

Subjuntivo

- ***Por muy* + adjetivo / adverbio + *que*:** se usa igual que *por mucho / más que*, pero se refiere a la insistencia de una actitud.
  *Por muy rápido que **sea**, no los alcanzará.*
  *Por muy lejos que **esté**, iré este verano.*

Nombre / Infinitivo / Verbo conjugado

- ***A pesar de (que) / Pese a (que):*** lo usamos para decir que un acontecimiento ocurre aunque hay un impedimento para ello. Expresa un gran énfasis en la oposición de dos ideas. Se utiliza en situaciones formales y registros cultos.
  *A pesar del **dolor** de espalda, he ido a trabajar.*
  *A pesar de **dolerme** la espalda, he ido a trabajar.*
  *A pesar de que **me duele la espalda**, he ido a trabajar.*

Estructuras concesivas reduplicativas

- ***Diga lo que diga / Haga lo que haga / Venga quien venga...:*** en lugar de conectores se utiliza una estructura reduplicativa con los verbos en subjuntivo.
  Hagas lo que hagas, iré a la fiesta esta noche.

c Combina las siguientes frases usando las construcciones anteriores.

1. El comité decidió no seguir sus indicaciones. Sus ideas eran excelentes.
   Aunque sus ideas eran excelentes, el comité decidió no seguir sus indicaciones.
2. Da igual quien venga a la fiesta. Lo pasaremos genial de todos modos.
3. No importa lo que digas, iré
4. Hay cosas que no se pueden evitar. No seas tan precavido.
5. No me hizo el favor que le pedí. Somos amigos.
6. Tenía unas ganas enormes de entrar en Facebook. No me conecté durante una semana a internet.
7. No insistas. No me vas a convencer.

d En pequeños grupos, seleccionad cada uno de los miembros del grupo un tema de los que aparecen en el siguiente recuadro. Buscad información sobre vuestro tema, pensad en vuestra propia experiencia, noticias relacionadas, etc. y preparad una breve exposición. El resto de compañeros dará su opinión presentando las objeciones que consideren pertinentes.

La multitarea ¿habilidad o defecto? • El ciberactivismo, ¿es real el poder de la «sociedad conectada»? El futuro del aprendizaje de idiomas es a través de internet. • Nuevas enfermedades producidas por internet. La tecnología puede salvarte la vida. • ¿Es bueno tener muchos amigos en las redes sociales?

- *Soy capaz de estar trabajando, viendo mi cuenta de Twitter o descargándome programas de internet sin ningún problema y lo hago todo bien. Rindo incluso mejor que cuando solo estoy trabajando.*
- *Por mucho que tú te creas que rindes más, no es cierto. No puedes estar concentrado...*

1 Conciencia verde

45-47

a Vas a escuchar a tres personas hablando sobre ciudades sostenibles. ¿Cuáles de estos temas mencionan cada uno de ellos?

1 evitar la tala indiscriminada de árboles
2 apoyar el comercio justo
3 infraestructuras gratuitas para los ciudadanos
4 cultura accesible
5 eliminar barreras arquitectónicas
6 viviendas accesibles para todo el mundo
7 transportes que no contaminen
8 usar fuentes de energía renovables
9 luchar contra la contaminación

ANDRÉS .... **ROSANA** .... **LUIS** ....

b Ahora vais a leer un artículo sobre ciudades sostenibles. Relaciona los siguientes fragmentos con los diez principios que forman el concepto de «Ciudad Sostenible» que aparecen en el artículo.

1 Aportar las medidas sociales necesarias con el consiguiente respaldo presupuestario para que se produzca una materialización de la solidaridad y que los individuos menos favorecidos puedan ver cubiertas sus necesidades.
2 Acercar la cultura al pueblo, gracias a medidas como la subvención y entrada gratuita a espectáculos.
3 Evitar todo tipo de vertidos, contaminación, tala indiscriminada de árboles, agresión a flora o fauna y malas prácticas ambientales.
4 Debe darse un adecuado desarrollo humano, que puede lograrse a través de la potenciación cultural, la realización creativa y la educación sostenible.
5 Dar una solución práctica y sostenible a los usos energéticos, tanto a nivel particular como industrial y empresarial.
6 Educar en el total respeto por las culturas y hacer un esfuerzo integrador con todas las personas inmigrantes, dejándose empapar en un mestizaje cultural.
7 Potenciar un transporte público no contaminante, que suponga una alternativa real a los medios de desplazamiento privados.
8 El núcleo urbano será protagonista de un proceso de acercamiento personal entre ciudadanos que podrán disfrutar de espectáculos y actividades de manera gratuita.
9 Revitalizar y potenciar una zona comercial abierta en los centros y barrios urbanos, compuesta por la suma de los pequeños comercios.
10 Garantizar el acceso real y subvencionado a una vivienda digna a todos los habitantes, eliminar las barreras arquitectónicas y asegurar a los ciudadanos la cercanía de los edificios públicos.

Ciudades Sostenibles

Si existe un tipo de asentamiento humano representativo del estilo de vida de nuestra época, ese es sin duda la ciudad. El modelo urbano actual en ese proceso de individualización y crecimiento mal planificado, se ha vuelto cada vez más agresivo con el medioambiente y es en gran medida responsable del proceso de fractura social y cultural. A medida que este proceso se agudiza se multiplican también las voces y los movimientos sociales que claman por un concepto de ciudad que, en lugar de responder a la inercia del mercado, contemple los principios del desarrollo humano sostenible: **La Ciudad Sostenible**.

La Ciudad Sostenible es una ciudad que recupera y potencia su vida propia, y por tanto la de sus habitantes; mientras favorece la regeneración y el respeto de su entorno natural, así como la cohesión social, la educación para la paz y la integración cultural. Es una ciudad que se construye a sí misma de un modo participativo, y de acuerdo a unos principios ecológicos, de igualdad y educadores.

A continuación se exponen los diez principios que forman el concepto de Ciudad Sostenible, en los que encuentra su razón de ser, y que deben entenderse como un conjunto integrado.

- ☐ ★ Regeneración y preservación de los espacios naturales
- ☐ ★ Utilización exclusiva de fuentes de energía renovable
- ☐ ★ Movilidad sostenible
- ☐ ★ Construcción
- ☐ ★ Comercio
- ☐ ★ Ocio
- ☐ ★ Recuperación de la vida social
- ☐ ★ Diversidad e integración cultural
- ☐ ★ Garantías sociales
- ☐ ★ Educación para la paz y cooperación internacional

Si se consiguen materializar estos principios en la ciudad, no será difícil extrapolarlos a nivel regional, nacional y mundial, en otros términos, se podrá crear una aldea global. La Ciudad Sostenible es un concepto claramente ejemplificador de la máxima **«Piensa en global, actúa en local»**, que ya se está comenzando a aplicar en algunos lugares. Como decía aquel anuncio: **Piensa en verde**.

(Adaptado de *http://www.ediciona.com*)

c Según un estudio realizado por Análisis e Investigación, en España hay unas veinticinco ciudades sostenibles. Escucha este programa sobre un municipio sostenible de España y contesta a las preguntas.

1 ¿De qué municipio hablan en el programa?
2 ¿Qué medidas «sostenibles» se han tomado en este municipio?
3 ¿Cuáles son las condiciones de los coches de alquiler público? ¿Es una medida eficaz?

d En pequeños grupos, intercambiad impresiones sobre estos temas.

- Iniciativas similares a las de San Cugat del Vallés en otros países.
- Consecuencias evidentes del abuso de los recursos en vuestros países o en el planeta.
- Medidas personales que habéis tomado al respecto.

e Con toda la información obtenida de los audios, el texto, y la conversación con tus compañeros, escribe un artículo en el que desarrolles alguno de los temas relacionados con las Ciudades Sostenibles (200/250 palabras).

CIERRE DE EDICIÓN

Vamos a elaborar un proyecto para convertir nuestra escuela en inteligente y sostenible.

En la escuela en la que estudias español han sacado a concurso un proyecto para convertirla en una escuela inteligente y sostenible. En pequeños grupos o en parejas, leed las normas de presentación del proyecto que aparece a continuación y el ejemplo de la siguiente página.

Bases de la convocatoria

Destinatarios

Alumnado de nivel B2 de español para extranjeros que esté estudiando en el presente curso escolar.
Los trabajos deberán ser presentados en grupos.

Directrices

- Los proyectos deben de tener en cuenta las siguientes temáticas:
  - Sostenibilidad (reciclaje, ahorro de energía y agua, arquitectura, movilidad, participación estudiantil, ocio, etc.).
  - Edificios inteligentes (aparatos y dispositivos, uso de nuevas tecnologías para el aprendizaje de idiomas, aplicaciones, etc.).
  - Concienciación de la comunidad educativa (profesores, alumnos y padres).
- Los proyectos constarán de las siguientes partes:
  - Definición del concepto de escuela solidaria e inteligente.
  - Objetivos generales.
  - Plan de acción.
  - Conclusiones.

El jurado valorará especialmente

1º. La presentación.
2º. La idea y desarrollo del proyecto.
3º. Los medios utilizados (Power Point, vídeos, fotografías, etc.).
4º. La viabilidad y enfoque práctico del proyecto.
5º. Su contribución al progreso social.
6º. La defensa del proyecto.

Escuela Muñoz Barberán (Murcia)

Entendemos escuela solidaria e inteligente como...

Objetivos generales:

- Favorecer acciones para mejorar el aspecto del centro y hacerlo más habitable, cálido y ecológico.
- Proponer acciones para tomar conciencia sobre la problemática de los residuos e incentivar la reducción y reciclaje de los residuos y envases.
- ...

Plan de acción:

- Imprimir los documentos estrictamente necesarios. Reutilizar los folios, imprimir por las dos caras.
- Instalar rampa desde la terraza al patio.
- Instalar paneles solares y doble acristalamiento.
- Dotar las aulas con pizarras digitales.
- Instalar en los ordenadores programas como Skype, abrir una cuenta en Twitter, pertenecer a listas de distribución de aprendizajes de idiomas, etc.
- ...

Conclusiones:

[...] a partir de los cuestionarios se han seleccionado y priorizado algunos aspectos que se quieren iniciar en el centro durante el curso: mejorar las infraestructuras, reciclado...
A pesar de que los alumnos están concienciados, será necesario lanzar una campaña...
Si hubiéramos tomado estas medidas años antes, ahora no estaríamos en estas condiciones. Por ello...

PLANIFICA ▼

1 En grupos, haced un análisis de necesidades de vuestra escuela. Recabad información en la unidad, la web, periódicos, etc. sobre los temas que queréis desarrollar en vuestro proyecto.

2 Tomad notas de lo que os interese y apuntad el vocabulario que vais a necesitar.

ELABORA ▼

3 Redactad una definición de vuestro concepto de escuela inteligente y sostenible.

4 Consensuad y enumerad los objetivos generales del proyecto. Previamente haced una lluvia de ideas sobre los temas que más os interesen y seleccionad los más interesantes.

5 Preparad una serie de acciones concretas para llevar a cabo. En cada una de ellas debe quedar claro qué, cómo, cuándo y quiénes se implicarán en las mismas.

6 Escribid vuestras conclusiones sobre el proyecto. Valorad su idoneidad, las ventajas y los inconvenientes, los posibles obstáculos con los que os encontraréis y cómo los salvaréis.

7 Preparad la presentación.

PRESENTA Y COMPARTE ▼

7 Haced la presentación y defended vuestro proyecto.

8 Votad el mejor proyecto. Tened en cuenta las indicaciones de las valoraciones del jurado.

Agencia ELE digital

En esta unidad vamos a conocer algunas webs donde consultar dudas sobre el español.

Entra en www.agenciaele.com para realizar esta actividad.

Estrategias de aprendizaje: errores...

1 El chico de la foto acaba de darse cuenta de que ha cometido un error. ¿Qué expresión se suele utilizar en tu idioma en esos casos? ¿Cuál utilizas tú normalmente? Y en español, ¿qué solemos decir?

El error forma parte de nuestras vidas y también del proceso de aprendizaje de todas las personas. Es importante tener una actitud relajada ante el error e, incluso, saber reírse de uno mismo.

2 Aquí tienes tres anécdotas en las que el hablante –un estudiante de español– comete un error.

A Martin está en casa de un amigo y tiene mucha sed. Su amigo le ofrece una botella de agua y Martin dice:

¿Me das un beso, por favor?

B Joe lleva varios meses estudiando en la Universidad de Santiago. Una tarde se encuentra en la calle a una compañera de clase que está de compras con su madre y les dice:

¡Hola, tías buenas!

C Vicky está con sus compañeras de piso. De pronto, se levanta y dice:

Chicas, me voy, que tengo que encontrar a mi novio en la Puerta del Sol.

3 ¿Los corregimos? Vamos a pensar en dos formas de corregirlos: la primera como «Manolo Malaidea» y la segunda como «Ana Supermaja».

Manolo Malaidea: conocido por sus bromas pesadas y su escasa paciencia. Si te equivocas hablando con él, ¡cuidado! Encontrará la forma de hacerte sentir fatal…

Ana Supermaja: encantadora y tranquila. Ha viajado mucho y sabe lo difícil que puede resultar hablar una lengua extranjera. Ya verás cómo te ayuda a que encuentres la forma correcta.

4 ¿Te animas a contar alguna anécdota propia similar? ¿Cómo te sentiste? ¿Cuál fue la actitud de las personas que te estaban escuchando?

5 Según tu experiencia, ¿existen más «Manolos Malaidea» o más «Anas Supermaja»?

6 Ahora que ya sabemos que eso de equivocarse no es para tanto, vamos a aprender a corregirnos. El profesor os propondrá una pequeña tarea de escritura. Cuando la termines, dásela a tu compañero para que te la corrija.

Recuerda que, en la comunicación real, lo más importante es hacerte entender. Es preciso usar la lengua con toda la corrección que podamos, por supuesto, pero nuestros errores no deben detenernos ni frustrarnos. La mayoría de los nativos suelen ser comprensivos y hacen esfuerzos por entender al extranjero intentando compensar sus dificultades de expresión.

7 Fíjate en los errores que ha cometido tu compañero y aplícales el código correspondiente de la siguiente lista:

^	falta algo	FV	forma verbal	PUNT.	puntuación
X	sobra algo	CONC	concordancia	OP	orden de palabras
PAL.	palabra	ORT	ortografía	DE	difícil de entender

Ahora fíjate en los aciertos. Señala en el texto alguna cosa que creas que está especialmente bien, indícala con algún icono que te guste, por ejemplo, ☺.

Comenta tus correcciones con tu compañero. ¡Atención! Recuerda a «Manolo Malaidea» y a «Ana Supermaja» y piensa a cuál de los dos prefieres parecerte...

11 Historia para todos

En esta unidad vamos a:

- **Conocer algunos acontecimientos de la historia de España e Hispanoamérica**
- **Expresar acciones y sus consecuencias en el pasado y en el presente**
- **Valorar acontecimientos históricos**
- **Hacer hipótesis sobre acontecimientos del pasado**
- **Narrar episodios relevantes de la historia**
- **Hablar sobre tabús y estrategias para evitarlos**

1 El abecedario de la historia

a Vamos a hacer un concurso de vocabulario: la clase se divide en dos grupos y cada uno completa la columna que le corresponde. El grupo que acabe antes, dirá STOP. Atención: ¡gana el grupo que ha acertado más palabras, no el que antes acaba!

GRUPO A

A ___ ___ ___ ___ ___ **R**: cuando un rey cede su cargo a otra persona o renuncia a él.

B ___ ___ ___ ___ **L** ___: combate con armas entre dos ejércitos.

C ___ ___ ___ ___ **I** ___: territorio bajo el control de una nación extranjera más poderosa. También es un sinónimo de perfume.

D ___ **R** ___ ___ ___ ___ ___ ___: vencer al contrario, al enemigo.

E ___ ___ ___ **D** ___: arma blanca larga, delgada, recta y afilada con empuñadura.

F ___ ___ **N** ___ ___: apellido del dictador que estuvo en el poder en España entre 1939 y 1975.

G ___ ___ ___ ___ ___ ___ ___ **L** ___: país de Centroamérica.

H ___ ___ ___ ___ ___ **C** ___ ___ ___ ___ ___: conquistador español del imperio azteca (hoy centro de México).

I ___ ___ **A**: antiguo pueblo indígena que habitó en Perú y otros países americanos.

J ___ ___ ___ ___ **C** ___ ___: aplicación de la ley, vigilando su cumplimiento y castigando a quien la incumple.

L ___ ___ **Í** ___: lengua hablada en el antiguo Imperio romano.

M ___ ___ **A**: antiguo pueblo indígena que se estableció en la península mexicana del Yucatán (del 2000 antes de Cristo hasta 1546).

GRUPO B

N ___ ___ ___ ___ **Z** ___: grupo social formado por personas que pertenecen a la clase social más alta por su origen familiar.

O ___ ___ ___ ___ **C** ___ ___ ___: entrada por la fuerza en un lugar, invasión.

P ___ ___ ___ ___ **S** ___: famoso pintor español del siglo XX.

C ___ ___ **Q** ___ ___ ___ ___ ___ ___: ocupar un territorio mediante una guerra.

R ___ **G** ___ ___ ___ ___: persona que hace las funciones del rey o la reina cuando este o esta no puede gobernar por ser demasiado joven o por otros motivos.

S ___ **B** ___ ___ ___ ___ ___ ___ ___: buque que puede sumergirse y navegar bajo la superficie del mar.

T ___ ___ **Q** ___ ___: vehículo de guerra que se mueve sobre cadenas que le permiten andar por terrenos irregulares.

U ___ ___ **F** ___ ___ ___ ___ ___ ___ ___ ___: unión de dos o más países o provincias.

V ___ **C** ___ ___ ___ ___ ___ ___: éxito en un enfrentamiento, vencer al rival.

___ **X** ___ **U** ___ ___ ___ ___ ___: hacer salir a alguien de un lugar.

___ **O** **Y** ___: pintor español del siglo XIX conocido por su *Maja desnuda*.

___ **Z** ___ ___ **C** ___: antiguo pueblo indígena que dominó en el actual territorio mexicano entre 1325 y 1521.

b En grupos de tres, responded y comentad las siguientes preguntas.

1 ¿Te gusta la historia? ¿Por qué?
2 ¿Qué personajes de la historia de España o Hispanoamérica conoces?
3 ¿Qué opinas de esta frase: «Cualquier tiempo pasado fue mejor»?
4 ¿Qué época de la historia te atrae más? ¿Por qué?

c Cuenta al resto de la clase alguna información interesante que has escuchado en tu grupo.

Anahy me ha contado que en su país el personaje más famoso durante un tiempo fue un tipo de Robin Hood que intentó devolver al pueblo todo lo que se había robado... Y Louisa ha contado que le atrae mucho la época de los egipcios, con las pirámides y los faraones porque le parece increíble que...

Al final de la unidad...

Vais a elaborar en parejas una presentación sobre un acontecimiento relevante o algún personaje importante en la historia de España o de otro país.

2 Un artículo sobre historia

a Lee el cómic y encuentra con la ayuda de tu compañero las expresiones coloquiales a las que se refieren estas frases.

- No he dormido nada: ....
- (Es algo) que todo el mundo conoce: ....
- Provoca que la gente hable sobre ello: ....
- Película muy buena: ....
- Hace mucho frío: ....
- Es lo menos importante: ....

b Lee el cómic de nuevo y, en parejas, completadlo con las siguientes frases.

A nunca se habría construido

B si el barco hubiera tenido más botes salvavidas

C los barcos cercanos hubieran llegado a tiempo

D no se habría independizado de la misma manera

Paloma y Sergio hablan en la oficina.

¡Buenos días! No he pegado ojo esta noche. Me quedé despierta leyendo una novela histórica y he pensado que podemos hacer un artículo sobre historia.

Mmm..., parece interesante. Podemos enfocarlo pensando en qué habría pasado si no hubieran ocurrido ciertas cosas. Por ejemplo, si Cristóbal Colón no hubiera llegado a América, la historia hubiera sido diferente.
Es verdad. También podemos pensar en personajes famosos; por ejemplo, si Gandhi no hubiera llevado a cabo su revolución pacífica, India (1)____

¿Y qué me dices de lugares históricos como Machu Picchu? Si los incas no hubieran existido, Machu Picchu (2)____
También podríamos hablar en el artículo de algunos descubrimientos: si no se hubiera descubierto la penicilina, no se habrían podido curar muchas enfermedades.

Claro. Oye, y también está el Titanic. Es un tema que está muy visto pero siempre interesa. Ese naufragio dio mucho que hablar...
Uf, es verdad, y además, qué peliculón... ¿Tú qué opinas? Parece que se cometieron muchos errores...: (3)____, se hubiera salvado más gente.

Bueno, y hay que tener en cuenta el clima; si no hubiera hecho un frío que pela, se habría rescatado a más gente.
¡Claro! Y si el capitán hubiera pedido ayuda antes, (4)____

Vamos, que al final lo de haber chocado con el iceberg fue lo de menos, ¿no? Parece que no todo fue mala suerte...

1 Si Cristóbal Colón no hubiera llegado a América...

a ¿Sobre qué temas históricos está pensando Paloma escribir un artículo? ¿Qué sabes sobre estos temas (cuándo y dónde ocurrió, qué pasó, quién protagonizó ese momento histórico, qué consecuencias tuvo...)? En grupos de tres, hablad sobre estos momentos de la historia.

Pues yo sobre lo de la penicilina no sé mucho, pero sí sé que Gandhi fue un personaje muy alabado pero también muy criticado porque se dice que no se ocupaba de su familia. Pero, claro, este tipo de líderes están dedicados en cuerpo y alma a su misión y...

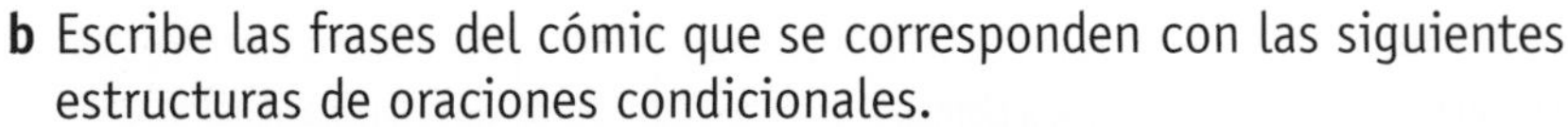

b Escribe las frases del cómic que se corresponden con las siguientes estructuras de oraciones condicionales.

A ***SI*** + PLUSCUAMPERFECTO DE SUBJUNTIVO + CONDICIONAL COMPUESTO

1 *Qué habría pasado si no hubieran ocurrido ciertas cosas.*
2 ....
3 ....
4 ....
5 ....

B ***SI*** + PLUSCUAMPERFECTO DE SUBJUNTIVO + PLUSCUAMPERFECTO DE SUBJUNTIVO

1 *Si Cristóbal Colón no hubiera llegado a América, la historia hubiera sido diferente.*
2 ....
3 ....

Oraciones condicionales de imposible realización con consecuencias en el pasado

Cuando la condición y su consecuencia se refieren al pasado y son imposibles de realizar (nunca han tenido lugar) usamos la siguiente estructura:

Si **+ pretérito pluscuamperfecto de subjuntivo** { **pretérito pluscuamperfecto de subjuntivo** / **condicional compuesto** }

Si hubieras venido (= no viniste), *te hubieras divertido / te habrías divertido* (= no te divertiste).

oración condicional — **oración principal**

Como ves, en este tipo de oraciones el conector ***si*** siempre va con pluscuamperfecto de subjuntivo. Sin embargo, en la **oración principal se puede alternar el uso del pretérito pluscuamperfecto de subjuntivo o el condicional compuesto.**

Pretérito pluscuamperfecto de subjuntivo		
yo	hubiera / hubiese	+ participio
tú	hubieras / hubieses	
él / ella / usted	hubiera / hubiese	
nosotros/as	hubiéramos / hubiésemos	
vosotros/as	hubierais / hubieseis	
ellos / ellas / ustedes	hubieran / hubiesen	

Condicional compuesto		
yo	habría	+ participio
tú	habrías	
él / ella / usted	habría	
nosotros/as	habríamos	
vosotros/as	habríais	
ellos / ellas / ustedes	habrían	

c Observa estas imágenes y, en parejas, escribid frases como la del ejemplo.

1 *Si hubieras subido por las escaleras,* no te habrías quedado encerrada en el ascensor.

2 Si no te hubieras dejado la ventana abierta, ...

3 ...., no habrías perdido las llaves.

4 Si hubieras echado gasolina, ...

5 ...., no te habrían puesto una multa.

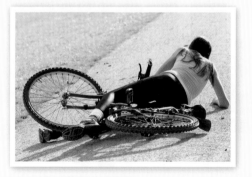

6 Si no hubieras ido tan rápido con la bici, ...

7 ...., no te hubieras quedado dormida.

8 Si hubieras seguido la receta, ...

d Comparad con otros compañeros si habéis tenido las mismas ideas o no.

e ¿Recuerdas cuando tenías entre 12 y 16 años? En pequeños grupos, contestad a las siguientes preguntas para saber en qué situación habrías actuado de la siguiente manera.

¿En qué situación...

1 ... hubieras hecho la pelota al profesor?
Yo con esa edad hubiera hecho la pelota al profesor si me hubiera castigado.
2 ... hubieras hecho autoestop?
3 ... te habrías escapado de casa?
4 ... habrías copiado en un examen?
5 ... te hubieras peleado con alguien?
6 ... hubieras dejado a la chica / el chico que te gustaba?
7 ... habrías mentido a tus padres?

2 ¿Qué sabes de historia?

a En grupos de dos o tres, relacionad las imágenes con los siguientes acontecimientos históricos y sus fechas.

Acontecimientos

1 Acueducto de Segovia, construido por los romanos.
2 Cuadro de Goya: *Los fusilamientos del 3 de mayo*. Durante la invasión de Napoleón en España.
3 Simón Bolívar: símbolo de la independencia de algunos países de Hispanoamérica.
4 El Escorial: monumento construido por Felipe II, rey de España.
5 Cuadro de Picasso llamado *El Guernica*, símbolo de la destrucción de la Guerra Civil española.

Fechas

a s. XVI
b s. I antes de Cristo
c 1937
d 1783-1830
e 1808

A n.º ☐ letra ☐

B n.º ☐ letra ☐

C n.º ☐ letra ☐

D n.º ☐ letra ☐

E n.º ☐ letra ☐

b Para saber algo más sobre los acontecimientos anteriores, lee estos textos y complétalos con las siguientes frases.

a dirigió o participó de manera decisiva a lo largo de su vida en las luchas de independencia
b el pueblo madrileño se levantó en armas la mañana del 2 de mayo de 1808
c fue trasladado allí con el fin de atraer la atención del público
d grandes ingenieros construyeron importantes obras públicas
e se casó por cuarta vez, en 1570, con su sobrina Ana de Austria

NAPOLEÓN BONAPARTE

Emperador francés, invadió España en 1808 y, **como consecuencia**, (1) .... El ejército napoleónico reprimió duramente este levantamiento. Goya plasmó en su cuadro *Los fusilamientos del 3 de mayo* este momento histórico.

SIMÓN BOLÍVAR

Las guerras de independencia hispanoamericanas fueron una serie de conflictos armados que se desarrollaron en las posesiones españolas en América a principios del siglo XIX. La mayoría de los países lograron su independencia de la corona española entre 1808 y 1826. Simón Bolívar (1783-1830), llamado El Libertador, fue uno de los más hábiles líderes de la época y representa el primer gran defensor de la unidad latinoamericana, pues su sueño era crear los Estados Unidos de América del Sur. **Por esta razón**, (2) .... de cinco países sudamericanos: Venezuela, Colombia, Ecuador, Perú y Bolivia.

ACUEDUCTO DE SEGOVIA

Los romanos ocuparon la Península Ibérica entre el siglo III antes de Cristo y el siglo V después de Cristo. Se produjo la denominada romanización: integración plena de una sociedad determinada, en este caso la hispana, en el conjunto del mundo romano.
La cultura romana tuvo un carácter eminentemente práctico, **de modo que** (3) .... en esta época. En España podemos destacar el ejemplo del Acueducto de Segovia, que conduce las aguas de un manantial situado a 17 kilómetros de la ciudad.

EL GUERNICA

Es un famoso cuadro de Pablo Picasso que refleja el bombardeo que tuvo lugar en la localidad de Guernica durante la Guerra Civil española. Fue realizado para ser expuesto durante la Exposición Internacional de 1937 en París. **Así pues**, (4) .... sobre la Guerra Civil española. Dicha guerra comenzó en 1936 y se dio por terminada el 1 de abril de 1939 con la victoria de Franco.

EL ESCORIAL

Felipe II (1527-1598) gobernó el gran imperio español y en su reinado la hegemonía española llegó a su apogeo. Sus sucesivos matrimonios fueron parte importante de su política exterior. Se casó con María de Portugal en 1543 y, tras su muerte, con María I Tudor, reina de Inglaterra, en 1554. La pronta muerte de la reina llevó a que Felipe se casara con la francesa Isabel de Valois en 1559. Quedó nuevamente viudo y sin herederos varones, **por lo que** (5) ...., madre del futuro rey Felipe III. Felipe II mandó construir el Monasterio de El Escorial, donde él y la mayoría de los reyes desde el siglo XVI hasta la actualidad están enterrados.

c Observa las palabras en negrita de los textos anteriores: son conectores consecutivos. Colócalos en la siguiente tabla.

CONECTORES CONSECUTIVOS	
Integrados en la oración (solo una pausa antes del conector)	**No integrados en la oración (entre dos pausas)**
• así que (registro informal) • .... • de manera que / .... • de ahí que + subjuntivo	• por tanto • por eso / por ello • .... • .... • por consiguiente • .... • a consecuencia de + nombre

d Aquí tienes algunas frases incompletas relacionadas con la historia de España del siglo XX y XXI. En pequeños grupos, expresad las consecuencias de esas afirmaciones con la información del recuadro. Pero, atención, hay algunas frases intrusas que no se corresponden con la realidad. Utilizad los conectores de la actividad anterior sin repetir ninguno.

a exilio de muchos españoles
b aislamiento de España del resto del mundo
c comienzo de un proceso hacia la democracia
d comienzo de una breve guerra
e construcción de tres estadios nuevos de fútbol
f llegada a la presidencia del país de una mujer
g mejoras en las infraestructuras de la ciudad
h posibilidad de votar para las mujeres
i servicio militar profesional
j un país sin ejército durante unos años

1 El 1 de abril de 1939 acabó la Guerra Civil española con la victoria de Franco *y, como consecuencia, muchos españoles contrarios al régimen de Franco se exiliaron.*

2 El 1 de octubre de 1931 se aprobó por primera vez en España el artículo constitucional que consagró el derecho al voto femenino ....

3 Con la dictadura de Franco, muchos países retiraron sus embajadas de España ....

4 Franco murió en 1975 ....

5 En 1992, Barcelona fue sede de los juegos olímpicos ....

6 En 2002 desapareció el servicio militar obligatorio ....

e En la siguiente actividad vas a escuchar un programa de radio sobre Cristóbal Colón y el lugar donde fue enterrado. Antes, relaciona las siguientes palabras y expresiones con su significado.

1 Isla de la Española
2 De acá para allá
3 Tirar del hilo
4 Cofre
5 Huesos
6 Cadáver
7 Enterrar
8 La polémica está servida

a Cuerpo muerto.
b Partes que forman el esqueleto.
c Caja con cerradura para guardar objetos de valor.
d Poner bajo tierra, dar sepultura a un muerto.
e República Dominicana.
f Hay motivos para discutir sobre el tema.
g Investigar el origen de algo.
h De un sitio para otro.

49 **f** Ahora escucha y di si las siguientes frases son verdaderas (V) o falsas (F).

	V	F
1 Cristóbal Colón murió en 1506 en la ciudad de Valladolid, en España.	☒	☐
2 Cristóbal Colón fue enterrado en Sevilla por cuestiones de seguridad en aquella época.	☐	☐
3 Cristóbal Colón pidió ser enterrado en Santo Domingo (República Dominicana).	☐	☐
4 España perdió una guerra contra Francia y los franceses pidieron a España los restos de Cristóbal Colón.	☐	☐
5 Los restos de Cristóbal Colón fueron trasladados a La Habana porque era una colonia española.	☐	☐
6 Los dominicanos encontraron una caja que contenía los restos de Cristóbal Colón en la catedral de Santo Domingo.	☐	☐

g ¿Conoces algún hecho curioso en la historia de tu país? Compártelo con tus compañeros.

3 Machu Picchu, la ciudad perdida

a ¿Sabes a qué palabras se refieren estas definiciones? Intenta averiguarlo con la ayuda de tu compañero. Puedes buscarlas en el texto.

1 *Refugio*: lugar que sirve para protegerse de algún peligro.
2 ....: viaje con un fin determinado, especialmente científico.
3 ....: antiguo pueblo indígena que se asentó en zonas de Perú y Bolivia entre 1438 y 1572.
4 ....: paso estrecho entre dos altas montañas por el que suele pasar un río.
5 ....: lugar en decadencia o en mal estado.
6 ....: lado inclinado de una montaña.
7 ....: con gran abundancia de árboles y hojas (adjetivo).
8 ....: parte más alta de una montaña.
9 ....: abundante, desarrollado extraordinariamente (adjetivo).

El descubrimiento de Machu Picchu

El norteamericano Hiram Bingham fue quien, al frente de una expedición de la Universidad de Yale, descubrió Machu Picchu el 24 de julio de 1911. En 1906, Hiram realizó un primer viaje a Perú y a su llegada fue informado de la existencia de una ciudad perdida construida por los incas. Los guías locales lo llevaron hasta unas imponentes ruinas pero Bingham no se dejó impresionar, sabía que esa no era la ciudad que él buscaba. Este primer viaje y sus descubrimientos le ayudaron a que diferentes instituciones como National Geographic tomaran interés en sus viajes. De este modo, consiguió que diferentes personalidades invirtieran su dinero en la próxima expedición de Hiram.

La segunda expedición tuvo lugar en el verano de 1911 y a su llegada a Cuzco Bingham emprendió de nuevo su búsqueda del último refugio inca. Al penetrar por el cañón del Urubamba, un campesino le relató que en lo alto de la montaña existían abundantes ruinas. Alcanzar dichas ruinas implicaba que la expedición se enfrentara a grandes dificultades, ya que significaba ascender por una empinada ladera cubierta de frondosa vegetación. Aunque escéptico, Bingham insistió en ser guiado al lugar. Cuando estaba cerca de la cima, uno de los niños de las familias de pastores que residían en la zona lo condujo donde, efectivamente, asomaban imponentes construcciones arqueológicas cubiertas por el manto verde de la exuberante vegetación tropical y en evidente estado de abandono desde hacia siglos. Mientras inspeccionaba las ruinas, Bingham fue consciente de que había descubierto Machu Picchu.

Pero no todo el mundo cree que Hiram Bingham fue el descubridor de Machu Picchu, pues cuando el profesor estadounidense llegó a las ruinas el 24 de julio de 1911 encontró viviendo allí a dos familias campesinas y, además, la existencia del lugar era conocida en Cuzco. Esto provocó que muchos pusieran en duda a Hiram Bingham como descubridor. Sin embargo, nadie discute que él hizo que Machu Picchu fuera conocido mundialmente.

(Adaptado de *http://www.machupicchu360.org*)

b Ahora, en pequeños grupos, leed el texto de la página anterior y corregid las siguientes afirmaciones.

1 En su primer viaje Hiram Bingham llegó a unas ruinas que despertaron su interés.
2 Hiram Bingham financió él mismo parte de su segundo viaje a Perú.
3 Machu Picchu era un lugar accesible al que nadie antes había dado importancia.
4 Hiram llegó a las ruinas de Machu Picchu al coger un camino por equivocación.
5 En Cuzco nadie había oído hablar de las ruinas de Machu Picchu.

c Contesta a las siguientes preguntas.

1 ¿Cuáles son los verbos de las oraciones principales que se utilizan en las frases subrayadas del texto de la página anterior?
............, ...,
............, ...
y ....

2 ¿Qué modo verbal seleccionan estos verbos?
....

Verbos realizativos

Los llamados verbos realizativos o causativos *(ayudar, contribuir, hacer, conseguir, lograr, provocar, causar, impedir...)* exigen siempre en la oración subordinada el modo subjuntivo.

*La tormenta **impidió** que los escaladores llegaran a la cima.*
*La Revolución Francesa **hizo** que cambiara el sistema de gobierno en Francia.*

d Lee el texto de nuevo y completa las siguientes frases. No utilices las mismas palabras del texto.

1 Los primeros viajes y descubrimientos en Perú de Hiram Bingham ayudaron a que National Geographic ....

2 Diferentes personalidades invirtieron dinero en la expedición de Hiram. Esto hizo que ....

3 Para alcanzar las ruinas de Machu Picchu, era necesario ascender por una empinada ladera. Esto hacía que ....

4 Parece que había gente que conocía las ruinas de Machu Picchu antes de que llegara Hiram Bingham. Esto provocó que ....

5 Está claro que Hiram Bingham consiguió que Machu Picchu ....

e En parejas, leed los siguientes titulares y relacionadlos con los años y acontecimientos que aparecen en el recuadro.

- [b] 1 Hundimiento del Titanic
- [ ] 2 Moneda única en Europa
- [ ] 3 Popularización del coche
- [ ] 4 Concienciación sobre los problemas medioambientales
- [ ] 5 Reunificación de Alemania
- [ ] 6 Ruina de inversores
- [ ] 7 Aumento de las misiones espaciales

a 1903: creación de la Ford Motor Company
b 1912: choque con un iceberg
c 1929: *crack* de 1929 en Wall Street
d 1969: llegada del hombre a la Luna
e 1971: nacimiento de Greenpeace
f 1989: caída del Muro de Berlín
g 2002: emisión del euro

f Tomando como referencia la actividad anterior, forma frases utilizando los verbos del recuadro.

ayudar a • conseguir • hacer • provocar • implicar

1 *En 1912 el choque con un iceberg hizo que el Titanic se hundiera.*
2 ....
3 ....
4 ....
5 ....
6 ....
7 ....

50 **g** ¿Quieres saber más sobre Machu Picchu? Escucha este programa de radio y completa la tabla.

1 Significado de «Machu Picchu».	*Montaña vieja*
2 Altura a la que se encuentra Machu Picchu.	
3 Año de comienzo de la construcción de Machu Picchu.	
4 Motivo de la construcción de Machu Picchu.	
5 Motivo por el que se sabe que Machu Picchu no es una fortaleza.	
6 Elemento de construcción con alto grado de perfección en Machu Picchu.	
7 Número de pobladores dentro de la ciudad de Machu Picchu.	
8 Distancia respecto a Machu Picchu a la que se encuentran los últimos refugios de los incas.	

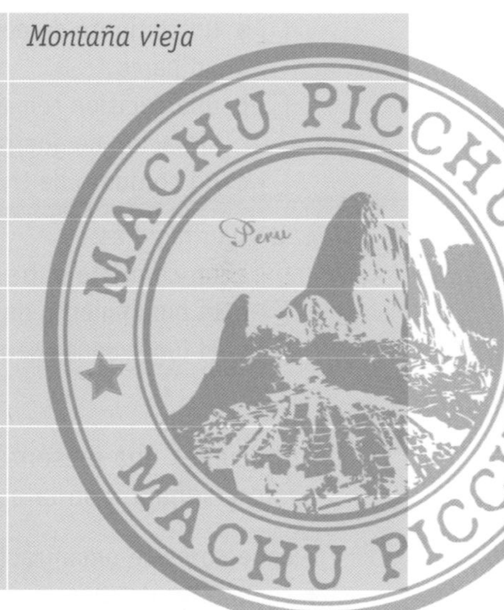

h Hiram Bingham fue un gran explorador. Y tú, ¿tienes espíritu aventurero? ¿Alguien de tu clase podría ser un explorador? Ponte de pie y recorre la clase para hacer algunas de las siguientes preguntas a tus compañeros y averiguar si son posibles exploradores o no.

1 ¿Alguna vez eliges un camino diferente para llegar a casa?
2 Si pudieses elegir, ¿qué harías el fin de semana: dar un paseo o hacer un viaje relámpago a un lugar lejano?
3 Alguien te ofrece tirarte en paracaídas, ¿lo harías?
4 Cuando sales de excursión con amigos, ¿eres el que guía al grupo?
5 ¿Te habría gustado ser un marinero de aquellos que se embarcaban desde España a América?
6 ¿Te gusta ir de acampada?
7 Si estás en medio de un bosque y ves una casa abandonada, ¿entras o pasas de largo?
8 Si vas a un restaurante exótico, ¿qué tipo de plato pides?
9 Cuando vas al parque de atracciones, ¿te subes siempre a la montaña rusa?
10 ¿Cómo reaccionarías si te cayera una araña en la cabeza?
11 ¿Te interesan las ruinas y los lugares misteriosos? ¿Por qué?
12 ¿Te gustaría dar la vuelta al mundo tú solo en un velero?

i Según las respuestas que has recibido y tu propia interpretación, ¿qué estudiante de entre vosotros creéis que es un potencial explorador? ¿Cuál no? ¿Por qué?

A mí James me ha contado que le encantaría dar la vuelta al mundo en un velero y que no le da miedo viajar solo. Sin embargo, Peter dice que a él le encanta estar en casa tranquilo, que solo sale a dar un paseo con su perro y que nunca pide nada exótico en un restaurante.

1 La Armada Invencible

a En la siguiente actividad vas leer un texto sobre la Armada Invencible. Para ayudarte a entender mejor el texto, elige antes, con la ayuda de tu compañero, la opción correcta a las siguientes preguntas.

1 La armada de un país es:
- ☐ **a** el conjunto de barcos de guerra de un país.
- ☐ **b** un grupo de soldados a caballo.
- ☐ **c** un arma de ataque similar a la espada.

2 Una flota es:
- ☐ **a** un barco salvavidas.
- ☐ **b** un conjunto de barcos.
- ☐ **c** una bandera cuadrada que se colocaba en los barcos.

3 Una tripulación es:
- ☐ **a** un conjunto de personas encargadas de conducir un barco.
- ☐ **b** una decisión tomada por un alto mando en situación de guerra.
- ☐ **c** un conjunto de tres barcos.

4 Un naufragio es:
- ☐ **a** un conflicto entre marineros de un mismo barco.
- ☐ **b** el hundimiento de un barco.
- ☐ **c** el lugar donde se reparan barcos.

En 1558 el Imperio Español ocupaba América y Filipinas, además de haberse anexionado los territorios del Imperio Portugués, por derechos sucesorios. España tenía un interés geopolítico por Inglaterra por su proximidad a las posesiones españolas de los Países Bajos para defenderse de posibles ataques franceses o de rebeliones protestantes.

Felipe II contrajo matrimonio con la reina católica de Inglaterra María I, para que su futuro hijo pudiera reinar en España y en Inglaterra. María I, aconsejada por Felipe II, comenzó a construir una armada inglesa moderna. Sin embargo, falleció sin dejar un heredero y en 1558 ascendió al trono su hermanastra Isabel I. Esta reinstauró el régimen protestante en Inglaterra y Felipe II intentó evitarlo proponiéndole matrimonio para asegurarse la alianza con Inglaterra, pero Isabel lo rechazó. Por ese motivo, el monarca español, creó una gran armada con el fin de expulsar a Isabel I del trono inglés y de luchar contra la piratería inglesa.

b Aquí tienes una presentación sobre un acontecimiento histórico en España en el siglo XVI. Léelo y señala, con la ayuda de tu compañero, las siguientes estructuras:

- conectores de organización del texto: *además; ...*
- conectores de consecuencia: *por ello; ...*
- otros conectores: *sin embargo; ...*
- estructuras con *si*: *si don Álvaro no hubiera muerto, la historia habría sido diferente; ...*
- estructuras con verbos causativos: *esto hizo que se tuviera que nombrar otro capitán; ...*

Me gustaría hablar sobre una batalla naval que tuvo lugar en el siglo XVI entre España e Inglaterra. Inglaterra en aquel momento era un importante enemigo para España por diferentes motivos, entre ellos, que sus piratas atacaban constantemente las líneas comerciales españolas que venían con las riquezas de América. Por ello, el rey de España en aquella época, Felipe II, preparó una flota de barcos, «La Armada Invencible», convencido de que esta nunca podría ser derrotada. Sin embargo, no todo salió como se esperaba, ya que la persona encargada de comandar la flota de barcos, el almirante don Alvaro de Bazán, falleció poco antes de la partida de la Armada y esto hizo que se tuviera que nombrar otro capitán. Quizá si don Alvaro no hubiera muerto, la historia habría sido diferente. Dicho capitán fue sustituido por el duque de Medina Sidonia, un hombre que estaba ahí por motivos políticos y que no era experto en temas navales. Quizá si lo hubiera sido, la balanza de la victoria hubiera estado a favor de los españoles. Por otro lado, las dificultades meteorológicas tampoco ayudaron a la victoria de la Armada.

La idea era llegar al Canal de la Mancha y recoger un ejército de 3000 hombres para atacar a Inglaterra pero, como hemos dicho, desde un principio la Armada sufrió varios contratiempos: por un lado, las tormentas y los vientos desfavorables y por otro, algún pequeño encuentro con barcos ingleses que dificultó el avance de los barcos. Además, en ese tiempo las enfermedades afectaron a la tripulación, lo que hizo que la Armada Invencible partiese hacia tierras inglesas con pérdidas humanas de relativa importancia.

Fue a partir de entonces cuando las condiciones meteorológicas empeoraron de manera considerable y la Armada Invencible, sin posibilidades de victoria, decidió regresar a España rodeando toda la costa inglesa por el Mar del Norte. Por el camino, numerosas tormentas arrastraron varias naves y, como consecuencia, estas naufragaron. La batalla contra Inglaterra había fracasado.

Se cuenta que a la vuelta de los barcos supervivientes a España, Felipe II, al enterarse del fracaso de su armada dijo: «Mandé a mis naves a luchar contra Inglaterra, no a luchar contra los elementos». Con esa frase, Felipe II intentaba dejar claro que su flota no podía ser vencida por algo humano, sino solo por algo que los marineros no podían controlar: la meteorología. No sabemos si esto fue una excusa o fue la verdad, pero ya nunca sabremos qué habría pasado si hubiera hecho mejor tiempo.

Lo cierto es que esta batalla supuso un antes y un después para la historia de España, puesto que el impacto de esta derrota tuvo importantes consecuencias, pero esa ya es otra historia.

c Comprobad si habéis entendido bien la presentación y completad las siguientes frases con palabras diferentes a las del texto.

CONECTORES CONSECUTIVOS	VERBOS REALIZATIVOS	ORACIONES CON *SI*
1 Los piratas ingleses atacaban los barcos españoles que venían de América, por ello... 2 Las condiciones meteorológicas empeoraron y, por esta razón, ...	3 La muerte de don Álvaro de Bazán hizo que... 4 Las enfermedades afectaron a la tripulación y esto provocó que...	5 Si el duque de Medina Sidonia hubiera... 6 Si las condiciones meteorológicas hubieran...

CIERRE DE EDICIÓN

Vais a elaborar en parejas una presentación sobre un acontecimiento relevante o un personaje importante en la historia de España o de otro país.

PLANIFICA ▼

1 Elegid en parejas una de estas categorías:

▶ **BIOGRAFÍA DE UN PERSONAJE** ▶ **ACONTECIMIENTO HISTÓRICO**

2 Buscad información e imágenes que ayudarán a entender mejor lo que vais a contar.
3 Haced una lista de las palabras que necesitáis explicar a vuestros compañeros.
4 Organizad los datos para seguir un orden y organizad vuestra exposición.

ELABORA ▼

5 En vuestra presentación de tres a cuatro minutos (en parejas), incluid los siguientes puntos:

- Presentación del léxico necesario para comprender el tema.
- Presentación del tema: descripción del acontecimiento y de sus antecedentes. Imágenes relacionadas.
- Consecuencias de lo ocurrido (utilizad los conectores consecutivos y los verbos que hemos estudiado en la unidad).
- ¿Qué hubiera ocurrido si ese acontecimiento no hubiera pasado o esa persona no hubiera existido?

PRESENTA Y COMPARTE ▼

6 Haced la presentación delante de vuestros compañeros. Para hacer una presentación amena, tened en cuenta estos consejos:

- Explicad antes conceptos básicos o importantes de vuestra presentación (señalar la época histórica, mostrar en un mapa el lugar o país, explicar las palabras clave o los nombres de los personajes importantes...).
- Utilizad léxico que todos puedan comprender y si usáis palabras nuevas, explicadlas.
- Haced pausas y comprobad que vuestros compañeros entienden todo lo que decís.
- Haced que vuestros compañeros participen de alguna manera en vuestra presentación.

En esta unidad vamos a elaborar un póster multimedia sobre la historia reciente de España con Glogster.

Entra en www.agenciaele.com para realizar esta actividad.

Tabú

Además de los tabús más o menos universales, cada país tiene sus propios temas tabú. A menudo, están relacionados con algún episodio trágico de su historia o con diferentes aspectos de la realidad social.

1 Lee los comentarios de estas personas al respecto. Complétalos con una idea sobre tu país. Después, ponlo en común con toda la clase.

1 En España, a muchas personas mayores todavía les resulta difícil hablar de la Guerra Civil, de la posguerra, del hambre...
2 A los chilenos no les gusta hablar de Pinochet. Es un tema muy polémico y muy doloroso.
3 En México, hasta hace poco, no se hablaba de la violencia contra las mujeres. Ahora ya sí, se habla más y se han tomado más medidas.
En mi país...

2 Veamos cómo podemos abordar algunos temas delicados en español. Compara las expresiones de la izquierda con las de la derecha e indica qué estrategia de las del recuadro amarillo ha utilizado el hablante en las expresiones de la derecha.

1	¿A qué partido votaste?	¿Qué te parece el resultado de las elecciones? ☐
2	Oye, ¿tú cuánto ganas?	Mañana tengo una entrevista de trabajo. Por si me preguntan cuánto quiero ganar, ¿como cuánto se gana en un puesto como el tuyo? ☐
3	¿Has estado enferma? ¿Qué te ha pasado?	Espero que no te moleste..., pero ¿has estado enferma? ☐
4	¿Ya has encontrado trabajo?	¿Qué tal te van las cosas? ☐
5	Mi abuelo murió hace dos años.	Mi abuelo hace ya dos años que no está con nosotros. ☐
6	A todos nos llegará el momento de morir.	Nada, que la vida son dos días, así que habrá que aprovecharlos. ☐

ESTRATEGIAS

a Sustituir la mención al tema tratado por pronombres *(lo tuyo, lo de, lo otro...)* o palabras genéricas *(cosas...)*.
b Justificar la pregunta por una necesidad personal.
c Uso de eufemismos o metáforas en sustitución del tema tabú.
d Utilizar fórmulas de disculpa o justificación.
e Utilizar rodeos, preguntas o expresiones indirectas.
f Hablar de temas tabú de forma lúdica o humorística.

3 Incluso los tabús más universales no son abordados de la misma manera en todos los países. Discute con tus compañeros la forma de hablar de los temas tabú en los distintos países, grupos sociales, situaciones, etc.

Según tu experiencia...,

- ¿hay diferencias en la forma de hablar de dinero en los distintos países?
- ¿preguntarías a alguien abiertamente sobre sus ideas políticas o hábitos religiosos?
- ¿has observado diferencias entre países al hablar de la salud?
- ¿hablas abiertamente de tu vida sentimental con todos tus amigos?

1 ¿Cómo lo hacemos?

a Al comienzo de la unidad, hemos tenido que resolver algunos problemas de lógica. A tu derecha tienes algunos consejos que nos dan pistas para resolverlos. ¿Cuáles te parecen más útiles? ¿Cuáles sigues tú normalmente?

b En parejas, ¿podéis pensar en alguna estrategia más?

Mi profesor de Matemáticas nos decía que era más fácil resolver los problemas que nos ponía tachando las palabras que no eran necesarias, y concentrándonos solo en las fundamentales, como cifras, condiciones...

Cómo solucionar problemas de lógica:

1 Leyendo con atención el enunciado, subrayando las palabras más importantes.
2 Haciendo un plan para resolver el problema.
3 Consultando la solución para reconstruir el resto del planteamiento.
4 Trabajando hacia atrás, utilizando el resultado como punto de partida.
5 Revisando tu trabajo cuando tengas una primera conclusión, para comprobar que no hay fallos.
6 Aplicando el mismo método a todo tipo de problemas.
7 Concentrándote solo en el problema, sin parar hasta que esté resuelto.
8 Volviendo a empezar cuando te quedes estancado.

c Completa la siguiente explicación usando ejemplos que encuentres en el ejercicio **a** de la página 148.

EL GERUNDIO

El gerundio* es una forma verbal que, cuando aparece de forma independiente (sin formar parte de una perífrasis) tiene dos funciones:

A El gerundio explicativo. Nos da cuenta del cómo, el porqué o el cuándo de las acciones que se expresan mediante el verbo conjugado. Puede tener varios significados:

- Modal: *Creo que podréis resolver vuestros problemas **hablando**.* (... con diálogo)
  ....
  ....
- Condicional: ***Estudiando** cada día, aprobarás el examen.* (Si estudias cada día...)
  ....
- Concesivo: ***Mintiendo** no evitarás que te descubran.* (Aunque mientas...)
  ....
- Causal: *Me sorprendió **pidiéndome** que me casara con él.* (... porque me pidió que me casara con él)
  ....
- Temporal: ***Llegando** a casa, me encontré a Luis.* (Cuando llegaba a casa...)
  ....

B El gerundio calificativo. Nos describe una cualidad de un verbo o de una acción principal referida a un mismo sujeto:

*Después de correr más de media hora, Martín **llegó sudando**.* (... Martín llegó + Martín sudaba)

....

* En ningún caso el gerundio puede usarse como sujeto gramatical ni como término de preposición; en estos casos, solo es posible usar el infinitivo.

~~***Cocinando***~~ *es la actividad que más me gusta.* → ***Cocinar** es la actividad que más me gusta.*

d Transforma ahora las frases de gerundio que has encontrado en la actividad anterior por otro tipo de estructuras con el mismo significado. En algunos casos hay varias posibilidades.

Y así el tabernero se las ingenia para servir los cuatro litros exactos con las dos medidas que tiene.

e Aquí tienes un texto en el que se habla de un juez de menores, Emilio Calatayud, que toma medidas especiales en los casos de jóvenes delincuentes. ¿Te parecen una buena solución a este problema? Discútelo con tu compañero.

Los menores de Granada que se dedican a quemar papeleras deben trabajar dos fines de semana con los bomberos. Un joven que circulaba borracho en moto tuvo que visitar a parapléjicos que se rehabilitaban de accidentes de tráfico durante un día entero, hablar con sus familias y hacer una redacción. Un adolescente que robaba por el método del tirón permanecerá en libertad vigilada tres años durante los que estudiará mecánica y trabajará para llevar un sueldo a su casa. Así son las sentencias de Emilio Calatayud: instructivas, sencillas, proporcionales y eficientes. Para él todos los chavales necesitan una oportunidad que él está dispuesto a darles.

(Extraído de *http://www.revistafusion.com*)

51 **f** Vamos a escuchar una entrevista a este juez. Responde si las siguientes frases son verdaderas (V) o falsas (F).

1 Cree que está más preparado para ser juez que para ser padre. ☐
2 Más de seiscientos jóvenes cumplen condena en un centro de menores. ☐
3 Los padres de ahora son más responsables con sus hijos. ☐
4 Los padres no tienen que ser amigos de sus hijos. ☐
5 Los menores tienen dudas sobre sus derechos y sus deberes. ☐
6 Ahora los adolescentes son más maleducados que nunca. ☐
7 Cada vez hay más casos de violencia contra los padres. ☐
8 El juez siempre fue un estudiante ejemplar. ☐

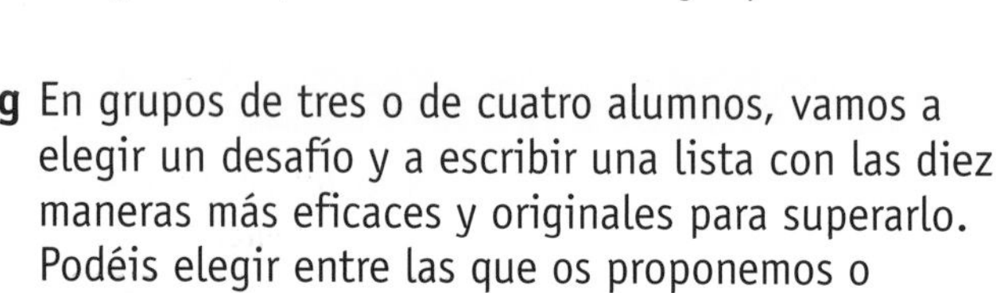

g En grupos de tres o de cuatro alumnos, vamos a elegir un desafío y a escribir una lista con las diez maneras más eficaces y originales para superarlo. Podéis elegir entre las que os proponemos o añadir otras diferentes.

DIEZ MANERAS DE DISFRUTAR DE LA VIDA:
Yo creo que el mejor modo de disfrutar de la vida es viviendo cada momento con intensidad, sin esperar nada, aceptando lo que nos va pasando de buen humor y con mucha gratitud.

Diez maneras de...

- lograr éxito en el trabajo / los estudios / las relaciones personales.
- acabar con la pobreza / la contaminación / la guerra.
- promover la lectura / el cine / el teatro / los deportes de equipo.
- escapar de la rutina / los problemas / una crisis.
- ...

2 Una buena coartada

a A continuación tienes tres casos de delincuentes que cometieron algunos errores. ¿Cuál os parece el más divertido de todos?

1

Un ladrón fue detenido **tras intentar** atracar una gasolinera en un pueblo de Ávila acompañado de su perro. Armado con un cuchillo y con el rostro cubierto, robó el dinero de la caja a la única empleada que había. La grabación de la estación de servicio no pudo identificarle, pero sí a su acompañante, un perro muy conocido en el pueblo, ya que el asaltante y su mascota vivían a escasos 800 metros de la gasolinera. **Una vez arrestado**, reconoció que su puesta en escena fue una chapuza y que nunca quiso utilizar el arma.

(Adaptado de *http://www.selecciones.es*)

2

Un grupo de ocho jóvenes del Reino Unido robó nueve autos de lujo, incluyendo marcas como BMW, Porsche, Range Rover y Mercedes Benz. Fueron sorprendidos por la policía **después de que publicaran** en Facebook fotos de ellos mismos **comiendo**, sentados sobre los vehículos robados, y **bebiendo** champán. Hay que ser un completo estúpido para subir todas las imágenes a las redes sociales.

(Adaptado de *http://www.dogguie.net*)

3

Una mujer de 61 años colaboró en la captura de uno de los hombres que había entrado en su casa para robar, reteniéndolo **hasta que llegó** la policía. Los delincuentes habían encerrado a la jubilada y a su esposo en una habitación mientras saqueaban las cosas de valor. Sin embargo, un vecino alertó al 112 **al notar** algunos movimientos extraños. Tres de los hombres intentaron escapar por los tejados **en cuanto oyeron** las sirenas, pero el cuarto mantuvo un forcejeo con la anciana y no logró huir **antes de que llegara** la policía. Sus cómplices fueron perseguidos por los efectivos, quienes lograron detenerlos a los pocos minutos.

(Adaptado de *http://www.26noticias.com.ar*)

b Buscad en diarios o en internet una noticia similar sobre sucesos curiosos o divertidos y guardad el texto completo. Escribid en la pizarra las primeras palabras del titular. En parejas, elegid un titular entre los que han escrito vuestros compañeros e imaginad de qué trata la noticia. Tomad algunas notas sobre cuáles pueden ser:

- las personas implicadas
- el lugar de los hechos
- el orden de las acciones
- el desenlace de la historia

Detenido un hombre en el Aeropuerto de Barajas que llevaba en su maleta...

Una historia divertida podría ser que el hombre llevaba en su maleta droga escondida en calcetines sucios para que los perros no pudieran detectarla...

c Comparad vuestras notas con el texto original que os pasen vuestros compañeros.

ORACIONES TEMPORALES EN EL PASADO

Cuando relatamos acontecimientos en el pasado, tenemos que marcar el orden en que ocurrieron **(anterioridad, simultaneidad, posterioridad)** y si se realizaron **(valor factual)** o no **(valor contrafactual)**.

1 Valor factual

a) Si una acción es simultánea a otra:

- **gerundio:** *Llegando a casa, me crucé con él.*
- ***cuando* + imperfecto de indicativo:** *Cuando llegaba a casa, me crucé con él.*
- ***mientras* + indicativo**: *Mientras abría la puerta, sonó el teléfono. / Fueron felices mientras tuvieron salud.*

b) Si una acción es anterior a otra:

- ***antes de* + infinitivo** (cuando comparten el sujeto): *Se levantó antes de hablar.*
- ***antes de que* + imperfecto / pluscuamperfecto de subjuntivo** (si se trata de dos sujetos diferentes): *Me fui antes de que terminara / hubiera terminado la fiesta.*

c) Si una acción es inmediatamente posterior a otra:

- ***en cuanto / tan pronto como / apenas* + indefinido:** *Apenas salimos de casa, empezó a llover.*
- ***nada más* + infinitivo:** *Nada más salir de casa, empezó a llover.*

d) Si una acción es posterior a otra (pero no de modo inmediato):

- ***cuando* + indefinido / pluscuamperfecto de indicativo:** *Cuando se fue / había ido Marta, Lucía empezó a criticarla.*
- ***tras / al* + infinitivo:** *Al volver a casa, me di cuenta de que no llevaba las llaves.*
- ***después de* + infinitivo** (con los mismos sujetos): *Salimos después de cenar.*
- ***después de que* + imperfecto / pluscuamperfecto de subjuntivo** (sujetos diferentes): *Salimos después de que cenaran / hubieran cenado los niños.*

e) Si queremos marcar un límite:

- ***una vez* + participio** (límite inicial): *Una vez empezado el examen, no pudimos salir del aula.*
- ***hasta que* + indefinido** (límite final): *No pudimos salir del aula hasta que acabó el examen.*

2 Valor contrafactual

f) Para hablar de acciones en el pasado que aún no se habían cumplido en ese momento, pero que se esperaban (sin llegar a saber si ocurrieron o no) y que normalmente se expresan en estilo indirecto (verbo principal en imperfecto de indicativo o en condicional):

- ***en cuanto / tan pronto como / cuando* + imperfecto / pluscuamperfecto de subjuntivo:** *Nos avisaron de que podíamos / podríamos regresar a nuestras casas en cuanto / tan pronto como / cuando los bomberos aseguraran / hubieran asegurado el edificio.*
- ***mientras* + imperfecto de subjuntivo:** *Dijeron que se quedaban / quedarían a vivir allí mientras tuvieran trabajo.*
- ***hasta que* + imperfecto / pluscuamperfecto de subjuntivo:** *El jefe nos respondió que no empezábamos / empezaríamos a trabajar hasta que nos pagaran / hubieran pagado el proyecto.*

d Ayer alguien robó el maletín del profesor, en el que llevaba los exámenes y las notas de la clase; por eso quiere saber qué coartada tiene cada uno de los alumnos. Escribe frases con los marcadores que se te indican en la segunda columna de la tabla.

¿Qué estaba haciendo el profesor?	¿Qué estabas haciendo tú?	¿Qué estaba haciendo tú compañero?
1 Llegar a la escuela en autobús.	(Antes de que...)	
2 Entrar en la sala de profesores.	(Cuando...)	
3 Hacer fotocopias para la clase.	(Después de que...)	
4 Hablar con un alumno en el pasillo.	(Mientras...)	
5 Entrar en clase.	(Hasta que...)	
6 Tomar un café en la pausa contigo.	(Nada más...)	
7 Salir a buscar un diccionario.	(En cuanto...)	
8 Darse cuenta de que había desaparecido su maletín.	(Tras...)	

Tom: Antes de que llegara el profesor en autobús, yo estaba en la puerta de la escuela hablando por teléfono, hasta que lo vi llegar y entré en clase. Y todavía llevaba el maletín.

e Completa la tercera columna cambiando de compañero en cada frase y de modo que levantes sospechas sobre cada uno de ellos.

Tom: Cuando el profesor bajó del autobús y entró en la escuela, vi que Luciana lo seguía.

f El profesor os irá interrogando de uno en uno. Cuando escuchéis que un compañero os ha acusado, leed vuestras frases para demostrar vuestra inocencia y culpad a otro compañero diferente.

Luciana: No es verdad lo que dice Tom. Antes de que llegara el profesor yo ya estaba en clase.

g Después del interrogatorio, ¿quién creéis que puede haber sido el culpable? Discutidlo en grupos de cuatro.

3 ¡Menudo jaleo!

a En la primera columna de la siguiente tabla tienes una lista con el modo en que se representan en español algunos ruidos (onomatopeyas). ¿Sabes qué o quién los emite o provoca? Escríbelo en la segunda columna.

RUIDO	Lo hace...	VERBO	SUSTANTIVO
cocococococo...		cacareo	
pum pum pum		disparar	
piiiiiiiiiiiiiiiiiiiiiii			pitido
ñiiiiiiiiiiiiiiiiiiiiik		chirriar	
auuu... auuu...		aullar	
miau... miau...			maullido
guau... guau...		ladrar	
zzzzzz		zumbar	
fiuuu		silbar	
bruuuuum		tronar	
gru... gru... gru...		arrullar	

b Ahora tu profesor os dará la solución. ¿Son muy diferentes las onomatopeyas en español y en tu lengua?

c Completa ahora las dos columnas que faltan con los verbos y los sustantivos que hacen referencia a esos sonidos.

d ¿Podéis añadir otros ejemplos a la tabla?

- *¡Achís!*
- *Eso es «estornudar». Es lo que se hace cuando uno está resfriado o tiene alergia, ¿no?*
- *Sí, se dice así. ¿Cuál es el sustantivo?*
- *«Estornudo», creo.*

e Con la ayuda de tu compañero, ¿serías capaz de completar estas frases con algunos de los verbos que habéis aprendido? Ten en cuenta que en todas ellas adoptan un sentido especial (figurado), y que no debes interpretarlas al pie de la letra.

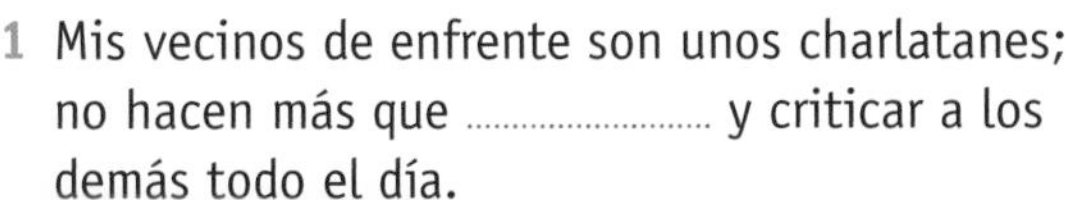

1 Mis vecinos de enfrente son unos charlatanes; no hacen más que .... y criticar a los demás todo el día.
2 ¿Qué es eso tan importante que tienes que decirme? ¡Venga, ...!
3 Me duele mucho la cabeza y estoy algo mareado... Además, me .... / .... los oídos... Necesito acostarme un rato.
4 ¡No soporto a mi jefe! Siempre enfadado, siempre amargado... Ese hombre no sabe hablar, cuando tiene algo que decirte, ...
5 La pobre chiquilla .... de dolor cuando conoció la trágica noticia. ¡Qué lástima me dio!
6 ¡Qué bien se le dan los niños a tu cuñada! Cogió al bebé entre sus brazos y lo .... hasta que se quedó completamente dormido.
7 Todo lo que cuenta es muy extraño... No sé, hay algo en esta historia que ....; por eso no acabo de creerlo.
8 Su voz potente .... por toda la casa, y el mayordomo acudió atemorizado. ¡Es mejor no enfadar al señor!

f En grupos de tres o cuatro: ¿cuáles son los sonidos que relacionáis con...?

la escuela en la que estudias español

la calle en la que vives ahora

el lugar en el que trabajas

- *Yo vivía en un pueblo de las montañas, y recuerdo que todas las mañanas me despertaba escuchando a los pájaros piando. Además, al lado de mi casa había un corral con animales, así que había vacas que mugían y gallinas que cacareaban.*
- *¡Qué bonito! Yo, en cambio, siempre he vivido en una ciudad y...*

4 Le pasó al amigo de un amigo mío...

a ¿Sabes lo que es una leyenda urbana? En el siguiente texto se da una explicación. Después, señala en cada caso la opción correcta.

Leyenda urbana

El término fue acuñado en 1968 por el folclorista estadounidense Richard Dorson, quien definía la leyenda urbana como «una historia tradicional que nunca ha sucedido, contada como si fuera cierta».

Para que una historia ficticia se convierta en leyenda urbana es preciso que se difunda de forma espontánea como **(1) verdadera / falsa** y que la información alcance cierto reconocimiento popular.

El rasgo más importante de las leyendas urbanas es su carácter **(2) local / internacional**. La historia del buzo que es recogido accidentalmente por una avioneta contra incendios y la cual lo deja caer sobre el fuego causando su muerte, se cuenta con mínimas variaciones en distintos lugares de Norteamérica, Europa y Australia, por citar solo algunos sitios por donde circula.

La leyenda urbana puede inspirarse en cualquier fuente, pero incluye a menudo un elemento misterioso, incomprensible o chocante. **(3) Rara vez / Siempre** resulta posible localizar su origen preciso. Cuando el investigador se enfrenta a una de ellas, se encuentra con varios relatos extendidos por distintas zonas, construidos a partir de un mismo esquema, pero adornados con detalles muy variados en función de su localización.

Las leyendas urbanas tienen una estructura más compleja que los chismes, rumores y bulos. No pretenden, como estos, desacreditar a una persona en concreto, sino que abordan una cuestión que afecta a muchas personas. Generalmente cuentan historias que nos alertan sobre posibles peligros que nos acechan en nuestra vida diaria. La trama está urdida en función del desenlace, en el que a menudo se concentra el mensaje o moraleja, **(4) lo que lo diferencia de / tal como sucede en** las fábulas o cuentos de hadas.

La leyenda urbana se encuentra en el límite de la credibilidad. Todas incluyen hechos falsos, pero algunas toman elementos de la realidad o están basadas en algún hecho real. Por eso, suele contarse como si fuera un suceso verdadero o, al menos, verosímil. Esto exige que los personajes sean anónimos, a los cuales el narrador de la leyenda urbana **(5) no conoce en persona / conoce personalmente**, aunque situados siempre en escenarios concretos que contribuyen a hacerla creíble. A menudo, el protagonista es un «amigo de un amigo», relativamente cercano al oyente, pero no tanto que resulte viable consultarle sobre los hechos. Con el paso del tiempo, los elementos de la narración se transforman para volverla más atractiva e impactante.

Desde finales del siglo XX, internet ha contribuido notablemente a la difusión de las leyendas urbanas, especialmente a través del correo electrónico. Las adaptaciones de las mismas en la red, además de por lo anteriormente comentado, se caracterizan por: añadir frases con alertas catastróficas, citar fuentes de confianza (medios de comunicación, fuerzas del estado, etc.) y rogar que la información **(6) sea difundida / se mantenga en secreto** para evitar que más personas resulten afectadas.

(Adaptado de *http://www.es.wikipedia.org*)

b Vas a escuchar el relato de una leyenda urbana. Responde a las preguntas.

1 ¿Dónde ocurre la historia?
2 ¿Quiénes son los protagonistas?
3 ¿De qué objeto hablan?
4 ¿Qué tiene de especial este objeto?
5 ¿Cómo reacciona quien cuenta la historia?
6 ¿Qué ocurrió después?
7 ¿Qué hacen con el objeto?
8 ¿Quién se queda con él?

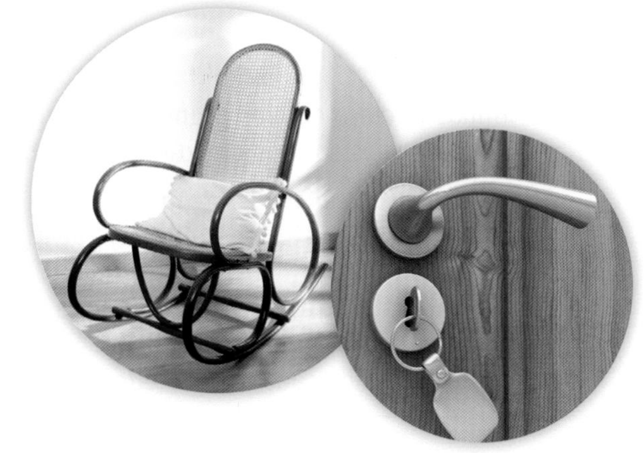

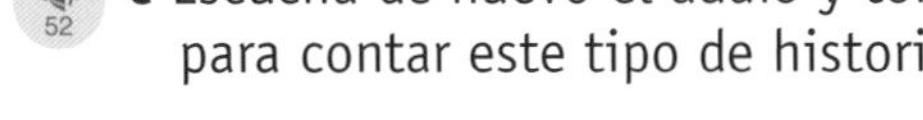

c Escucha de nuevo el audio y toma nota de los siguientes recursos que emplea el narrador para contar este tipo de historias. Luego coméntalos con el resto de la clase.

¿Cómo es su tono de voz y su ritmo?

¿De qué tipo de objetos y personajes habla?

¿Nos da mucha información sobre ellos?

¿Qué tipo de ruidos imita? ¿Por qué hace estos ruidos?

¿Cumple todos los requisitos de las leyendas urbanas?

d Observa estas frases extraídas del relato. ¿Cuál es el sujeto de los verbos destacados? Estos sujetos ¿han realizado una acción voluntariamente o han sufrido algún tipo de proceso o cambio? ¿Qué palabra expresa esta circunstancia?

1 Las cazadoras que estaban en el respaldo de la mecedora **se habían caído** al suelo.
2 La mecedora **se movía** sola.
3 Vimos el llavero metálico, que colgaba de la llave que estaba en la cerradura, **balanceándose**.
4 Y de repente la cerradura **se cerró** con dos vueltas.
5 La mecedora **se empezó a agitar** de forma violenta.

LA VOZ MEDIA

Hablamos de voz media en español cuando el sujeto (humano o no) no realiza la acción del verbo de forma voluntaria, sino que la «experimenta», es decir, que ocurre un proceso cuyo control escapa al propio sujeto. El pronombre *(me, te, se, nos, os, se)*, incorporado léxicamente o no al verbo (*aburrirse, alegrarse*, etc.), es el que marca que estamos ante una construcción media.

e Vamos a jugar en parejas. Hay que pensar durante dos minutos en tres ejemplos de las siguientes categorías: se obtiene un punto por cada ejemplo que no tenga otra pareja de la clase.

cosas que se abren mal

cosas que se caen solas

tejidos que se planchan bien

materiales que se rompen fácilmente

alimentos que se conservan frescos mucho tiempo

construcciones que se derrumban si llueve mucho

f ¿Conocéis algún ejemplo de leyenda urbana relacionada con los temas del siguiente recuadro? Ponedlo en común en pequeños grupos.

fenómenos paranormales • delitos • alimentos • enfermedades • famosos • tecnología

Yo escuché una vez que en la televisión japonesa pusieron unos dibujos animados con efectos especiales muy fuertes y que ese día muchos niños tuvieron ataques epilépticos, y tuvieron que llevarlos al hospital de urgencia, pero no sé si es verdad… ¿Lo habéis oído vosotros?

1 Taller de relatos

a Dividimos la clase en tres grupos. Cada grupo elegirá un tipo de relato (policíaco, terror y misterio) y decidirá cuáles son los cinco requisitos que ha de tener una buena historia de ese género.

Para mí, un buen relato de misterio ha de crear algún tipo de suspense hasta el final...
Tiene que hacer que el lector esté tenso, que espere algo inaudito...

b Juntaos ahora de tres en tres (tiene que haber un miembro de cada grupo). Aquí tenéis fragmentos de tres cuentos (A, B, C). Señalad en la segunda columna (Cuento) a qué relato corresponde cada uno de ellos.

	Fragmento	Cuento	Orden
1	Al día siguiente, cuando regresó, halló que la policía había precintado el lugar después de que los vecinos avisaran de que algo raro había sucedido en el piso de las muchachas. La joven vio con horror el cadáver de su amiga envuelto en una sábana y la policía le preguntó si había ocurrido algo la noche anterior.		
2	A la mañana siguiente, al entrar en la tienda, la policía lo detuvo. Azorado por la increíble sagacidad policial, confesó todo. Después se enteraría de que la mujer llevaba un diario íntimo en el que había escrito que el joven vendedor de la tienda de la esquina, buen mozo y de ojos verdes, era su amante y que esa noche la visitaría.		
3	Un joven iba transitando una peligrosa y oscura carretera cuando en medio de la noche, observa que una joven está haciendo autostop. Conmovido, el joven detiene su marcha y la mujer sube al vehículo, llamando la atención porque estaba como aterrorizada y parecía tener mucho frío, por lo que le prestó él su chaqueta.	*A*	*1*
4	Rumbo a la tienda donde trabajaba como vendedor, un joven pasaba todos los días por delante de una casa en cuyo balcón una mujer bellísima leía un libro. La mujer jamás le dedicó una mirada.		
5	Al día siguiente, el conductor recordó que le había dejado la chaqueta y fue a la casa donde había dejado a la chica. Llamó a la puerta y lo atendió una mujer mayor a quien le preguntó por ella, notando que, a medida que iba relatando lo sucedido, la señora se iba empalideciendo y terminó estallando en un llanto.		
6	Era un piso de estudiantes donde vivían cuatro chicas, de las cuales dos se fueron a sus pueblos durante un fin de semana, en tanto que dos se quedaron allí hasta que una de ella decidió irse a pasar la noche con una compañera de clase y quedarse a pernoctar en su casa.		
7	La mujer despertó, empezó a gritar y el joven se vio en la penosa necesidad de matarla. Huyó sin haber podido robar ni un alfiler, pero con el consuelo de que la policía no descubriría al autor del crimen.		
8	Obviamente no creyó esta historia y decidió ir al cementerio a comprobar si era verdad. Tras un par de minutos halló la tumba de la joven y, tendida sobre la cruz, estaba su chaqueta...		
9	Como se había olvidado el pijama, decidió volver al piso a buscar uno; fue a la habitación y no quiso dar la luz para no despertar a su amiga, por lo que a tientas buscó en un cajón y se retiró rápidamente del lugar.		
10	Cierta vez el joven oyó a dos clientes que hablaban de aquella mujer. Decían que vivía sola, que era muy rica y que guardaba grandes sumas de dinero en su casa, aparte de las joyas y de la platería. Una noche el joven, armado de ganzúa y de una linterna sorda, se introdujo sigilosamente en la casa de la mujer.		
11	Efectivamente conocía a la chica ya que se trataba de su hija... que había fallecido justamente un año atrás en un accidente de tráfico en la misma carretera donde el joven la había ayudado la noche anterior.		
12	Según la reconstrucción de los hechos, durante la noche un ladrón entró al piso y mató a su amiga para robarle sus pertenencias y cuando la chica fue a buscar su pijama, el asesino se hallaba aún en la habitación. Lo tétrico del asunto es que el hombre dejó escrito en el espejo de la habitación: «Suerte que no encendiste la luz».		
13	Durante el trayecto hasta la ciudad más cercana, la mujer casi no emitió palabra y solo dio las gracias cuando la dejó en una casa de la periferia.		

c Ahora marcad en la tercera columna el orden que han de seguir los fragmentos de cada historia.

d ¿A qué tipo de género creéis que corresponde cada texto? ¿Os parece un buen ejemplo? Poned en común las conclusiones a las que llegasteis en la actividad **a** y discutid si los textos cumplen o no esas características.

e En la red hay muchos ejemplos de escritores (profesionales o no) que dan consejos sobre cómo escribir relatos de misterio, policíacos o de terror. Volved a los grupos de la actividad **a** y haced una búsqueda en internet. Luego, elegid los cinco mejores consejos que habéis encontrado para vuestro tipo de relato y ponedlos en común con toda la clase. ¿Hay muchas coincidencias?

CIERRE DE EDICIÓN

En grupos, vamos a organizar un certamen de relatos policíacos, de terror o de misterio y a participar en él.

PLANIFICA ▼

1 En primer lugar, hay que establecer las bases del concurso. Decidid entre toda la clase:

- Cuál es el tema sobre el que queréis trabajar: policíaco, de terror o de misterio.
- Cuántas personas van a trabajar en un mismo relato (parejas, tríos, grupos de cuatro...).
- Qué extensión tiene que tener el relato en palabras.
- Cuáles son los medios de presentación: texto escrito, lectura dramatizada, cómic, vídeo...
- Si es necesario incluir algunas palabras clave, alguna estructura gramatical, ciertos recursos, un personaje especial...
- Qué cinco criterios hay que tener en cuenta para elegir al ganador.

ELABORA ▼

2 Trabajad vuestros relatos en grupos. Para ello, podéis buscar modelos de textos escritos en español. Luego, haced un esquema e insertad los diferentes elementos. Leed el texto las veces que sea necesario para introducir modificaciones y hacerlo más interesante.

PRESENTA Y COMPARTE ▼

3 Elegid un jurado y dadles las normas para seleccionar a los ganadores. Pueden ser profesores, alumnos de otros grupos o cursos, personas elegidas al azar...

4 Luego, presentad los relatos.

En esta unidad, vamos a subtitular un vídeo en español usando la herramienta Amara.

Entra en www.agenciaele.com para realizar esta actividad.

Cómo somos y cómo nos ven

Estereotipos, tópicos, ideas preconcebidas sobre países y culturas que pasan de generación en generación y cuya validez no solemos cuestionarnos. Vamos a demostrar que no siempre responden a la verdad... ¿o sí?

1 Este texto es un fragmento del artículo «España, ese tópico», que trata sobre la imagen de España en las guías turísticas extranjeras. Léelo y comenta con tus compañeros:

1 ¿A qué situaciones se refieren los tópicos del artículo?
2 ¿Hay alguna que te llame especialmente la atención?

España, ese tópico

Las guías turísticas extranjeras siguen describiendo el país con lugares comunes

EL PAÍS - **Tereixa Constela**

Es el lugar donde se leen menos periódicos de Europa. Donde el periódico más leído solo da noticias deportivas. Donde el jamón se considera parte de la dieta vegetariana. Donde no todo es sol, pero el sol lo condiciona todo. Donde se desayuna copa de licor con el café. Donde el chocolate es dulce y espeso. Donde el vello corporal en axilas y piernas es tabú para las mujeres. Donde todo, o casi todo, se para a cierta hora del día. Donde antes de cenar se procesiona de bar en bar para comer pequeñas raciones. Donde el servicio ferroviario es limpio y eficiente. Donde los conductores urbanos tienen a los peatones en un puño en cada cruce. Donde el robo con estrangulamiento es la modalidad de atraco más frecuente. Donde la vida comienza cuando en el resto de Europa las luces se apagan. Donde por cinco euros sirven una botella de vino en un restaurante. Donde sacan a pasear a Dios con cualquier pretexto. Donde es Europa sin que se sientan europeos. Donde los baños están limpios pero sin papel. Donde hay que tener cuidado con los simpáticos que quieren cháchara. Donde se critica a todo el mundo menos al Rey. Donde el hambre ha marcado su historia. Donde no hay verdadera cocina nacional. ¿Dónde no hay cocina? ¿Dónde? En España, claro.

2 De acuerdo con tu conocimiento y experiencia, ¿cuáles de esas ideas responden a la realidad?

En todos los países y culturas hay comportamientos sociales compartidos que constituyen su identidad. No todos esos comportamientos son estables: algunos cambian debido a influencias externas o a la propia evolución social (moda, vacaciones...) y otros tienen una raíz más profunda (relaciones familiares, gestualidad...).

3 En pequeños grupos, decidid cuáles de los comportamientos anteriores pueden haber evolucionado o evolucionarán en el futuro y cuáles creéis más estables.

Es importante desarrollar una actitud comprensiva y relajada, lo que no impide que sea crítica, hacia los hábitos y costumbres de las culturas diferentes a la nuestra. Evitar generalizaciones y recordar que los valores culturales no son universales y que el hecho de que sean nuestros no significa que sean mejores.

4 Elige alguna de las ideas del artículo y compárala con la realidad de tu país.

En mi país también se lee mucha prensa deportiva.

5 Y a tu país, ¿cómo se lo ve desde fuera? Redacta un breve texto similar al de la actividad **1** en el que recojas (con un poco de humor ☺) las ideas estereotípicas que se tienen de tu país.

6 Vamos a terminar leyendo las recomendaciones que algunas guías turísticas extranjeras nos dan sobre qué debemos llevarnos a casa después de un viaje por España. ¿Algo que comentar?

¿Qué llevarse de 'Spain'?

Ahí va una extravagante lista:

- aceite de oliva
- aceitunas
- vinagre de jerez
- tinta de calamar
- salsa alioli
- jamón
- corazones de alcachofa en vinagre
- figuras de Lladró
- chupa-chups
- vino
- frutos secos

13 Como te lo cuento

En esta unidad vamos a:

- **Expresar estados de ánimo**
- **Contar en pasado lo que otros nos han dicho**
- **Expresar acuerdo y desacuerdo**
- **Matizar y dejar clara nuestra opinión**
- **Reflexionar sobre las estrategias para mejorar la comprensión auditiva**

1 Los caprichos de los famosos

a ¿Sabes quiénes son estos personajes? En parejas, completad las siguientes frases.

1 ....: artista de origen puertorriqueño, con mucha influencia en Estados Unidos. Es cantante y modelo, y también ha participado en numerosas películas.
2 ....: cantante de origen mexicano. Ha ganado diez premios Grammy.
3 ....: cantante español, muy popular en España, América Latina e Italia. Su padre era torero.

A Luis Miguel

B Miguel Bosé

C Jennifer López

b En pequeños grupos, haced el siguiente test sobre los caprichos de los famosos. Intentad adivinar la respuesta correcta en cada caso.

Los caprichos de los famosos

1 Discreto en apariencia, **Luis Miguel** es un ser muy particular. Por contrato exige agua embotellada, bebidas energéticas, botellas de oxígeno, carnes frías, un chef que le cocine exclusivamente comida turca y ___.
a agua mineral francesa para bañar a su mascota
b velas con olor a vainilla que ambienten las habitaciones donde pernocta
c cerveza helada de su marca favorita antes de cenar

2 La siempre bella **Jennifer López** es bastante escrupulosa y ___.
a nunca come nada que no esté supervisado por su ayudante
b solo usa un papel higiénico que ella misma encarga procedente de la India
c suele llevar sus propias sábanas y almohadas a los hoteles

3 Durante su gira, **Miguel Bosé** pidió que le proporcionaran cantidades ingentes de agua mineral, que la fruta que consumiera fuera solo de temporada y que ___.
a cuatro asientos de primera fila fueran reservados para «espíritus que ven mis conciertos»
b le aseguraran que los micrófonos para el concierto no eran de color negro
c le enmoquetaran el suelo de una *suite* en el hotel en el que se alojaba

c Dividida la clase en dos grupos, responded a las siguientes preguntas. Después comprobad si los dos grupos han tenido las mismas respuestas.

1 ¿Cuáles son las características que tiene que tener alguien para ser famoso?
2 ¿Qué ventajas e inconvenientes tiene la fama?
3 ¿Conocéis otros caprichos de famosos?
4 ¿Te gustaría ser famoso? ¿Por qué?

53 **d** Escucha el programa de radio *¡Buenos días, Javi Nieves!* donde el tema del día es «Lo que llegué a hacer por mi ídolo». Completa la tabla resumiendo la información que escuchas.

OYENTE	ES FAN* DE...	LO QUE LLEGÓ A HACER
MARTA	Take That	
PATRICIA	Coti	
ANA	Luis Miguel	
JULIA	Justin Biever	

* La palabra **fan** viene del inglés pero ya está incluida en el diccionario de español. Su significado es «ser admirador entusiasta e incondicional de una persona o de una cosa».

e Y tú, ¿fuiste o eres fan de alguien? ¿Has hecho algo especial por tu ídolo? ¿Qué opinas del fenómeno fan? Coméntalo al resto de la clase.

Al final de la unidad...

En parejas, vais a contar a vuestro grupo lo que un personaje famoso español o hispano dijo en una entrevista: podéis hacerlo de modo oral o escrito.

2 Vaya, vaya...

a Lee el cómic y complétalo con las frases que faltan.

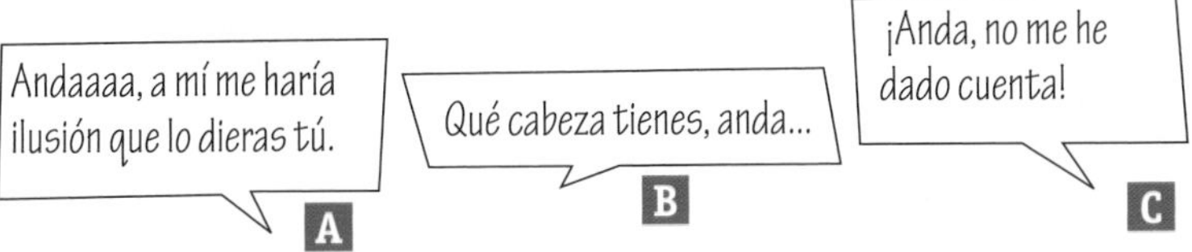
Andaaaa, a mí me haría ilusión que lo dieras tú.
A
Qué cabeza tienes, anda...
B
¡Anda, no me he dado cuenta!
C

Vaya..., bueno, no creo que pase nada si llegas tarde.
D
Vaya, vaya..., qué coqueta... Jajaja.
E

Paloma y Sergio charlan sobre los premios de Periodismo a los que van a asistir.

Nos han invitado a los premios del Periodismo la semana que viene, ¿vas a ir?

Sí, pero ese día estoy fuera haciendo un reportaje y llegaré tarde. En cuanto vuelva, cojo un taxi y voy para allá.

(1)___

(2)___ Me acabo de acordar que me enviaron un correo para pedirme que entregara uno de los premios y se me ha olvidado contestar...

(3)___ vete a responderles ahora mismo.

Pero es que no estoy seguro de que pueda entregarlo, depende de la hora a la que llegue. Oye, ¿por qué no lo entregas tú?

¿Yo? No, no, no..., yo quiero ir allí como una espectadora, nada más. Y, además..., tendría que comprarme un vestido especial para la ocasión.

4)___ Que no, que es un acto muy sencillo. (5)___

Bueno, vaaaale, pero solo en el caso de que tú no puedas llegar a tiempo para entregarlo.

¡Genial!

Oye, ¿y Luis va a la entrega de premios?

Me dijo que viene seguro, que tiene muchas ganas y que allí estará, así que allí nos vemos todos.

Voy seguro, tengo muchas ganas, así que allí estaré.

b ¿Para qué utilizan Sergio y Paloma las interjecciones* VAYA y ANDA en las frases que has leído? Relaciona con ayuda de tu compañero frases con el significado que tienen las interjecciones en estas frases en particular.

1 ***Andaaaa***, *a mí me haría ilusión que lo dieras tú.*
2 *Qué cabeza tienes,* ***anda...***
3 ***¡Anda***, *no me he dado cuenta!*
4 ***Vaya...***, *bueno, no creo que pase nada si llegas tarde.*
5 ***Vaya, vaya...***, *qué coqueta... Jajaja.*

a Expresar pena.
b Criticar algo suavemente.
c Expresar sorpresa.
d Expresar ironía y sorpresa.
e Pedir algo, convencer a alguien de algo.

* Las **interjecciones** *(anda, vaya...)* sirven para expresar estados de ánimo (alegría, pena, sorpresa, enfado, aceptación...). Pero solo tienen este significado en relación con el contexto y la actitud del hablante: la entonación es la que marca los diferentes valores significativos de las interjecciones.

54
c Escucha el diálogo del cómic y comprueba tus respuestas. Fíjate en la entonación.

1 ¡Venga ya, hombre!

55-58

a Escucha las siguientes interjecciones y relaciona cada frase con el valor expresivo de cada una según la entonación.

Ejercicio A

¡Anda!	VALOR EXPRESIVO
	Sorpresa
	Pena
	Enfado, crítica
1	Alegría
	Pedir algo

Ejercicio B

¡Vaya!	VALOR EXPRESIVO
	Sorpresa + ironía
	Pena
	Indiferencia, ni bueno ni malo
	Admiración
	Disgusto

Ejercicio C

¡Hombre!	VALOR EXPRESIVO
	Sorpresa / Alegría
	Desacuerdo / Objeción
	Asentimiento / Aprobación

Ejercicio D

¡Venga!	VALOR EXPRESIVO
	Incredulidad
	Meter prisa, hacer algo ya
	Animar a alguien

b En parejas, elegid cada uno cuatro interjecciones y pronunciadlas con una entonación marcada. Tu compañero debe adivinar qué quieres expresar.

- *¡Anda, has podido venir a la fiesta!*
- *Quieres expresar alegría.*
- *¡Sí!*

c En grupos de tres, terminad las siguientes frases.

1 Mira lo que has hecho, está todo por el suelo; **anda,** *recógelo cuanto antes, que no quiero enfadarme.*
2 ¿Entonces no puedes ir a la excursión del jueves? **Vaya...,** ....
3 • ¿Oye, ¿vas a ir a la fiesta?
■ **Hombre,** ....
4 • ¿Sabías que Iván está saliendo con la directora de la agencia de publicidad que conocimos el otro día?
■ **Vaya, vaya...** ....
5 • Para mí, los actores son todos unos caprichosos.
■ **Hombre,** ....
6 No me queda ni pizca de azúcar... **Anda**, por favor, ...
7 ¡**Anda**, las llaves! ....
8 ¡**Vaya** día que llevo hoy! ....
9 ¡**Vaya** casa que tiene Luis!, ...
10 • Estoy muy preocupado. No sé qué hacer, he suspendido matemáticas.
■ **Anda, anda,** ....
11 **Vaya, vaya...** quién lo diría, Verónica, que es siempre tan calladita y tan tímida, y resulta que ayer ....
12 • Yo estoy segura de que existen seres en otros planetas.
■ **Hombre,** ....

d Poned en común vuestras respuestas.

2 ¿Qué te dijo?

a Aquí tienes algunos refranes desordenados. En pequeños grupos, relacionad las dos columnas y, después, explicad su significado.

1 De noche...
2 Dos que duermen en el mismo colchón...
3 El que algo quiere...
4 El que avisa...
5 No hay mal...
6 Ojos que no ven...

a algo le cuesta.
b corazón que no siente.
c no es traidor.
d que por bien no venga.
e se vuelven de la misma condición.
f todos los gatos son pardos.

b En parejas, leed estos diálogos en voz alta y, después, relacionad cada uno de ellos con uno de los refranes anteriores. Atención: hay tres refranes de más.

- *En el diálogo 1 yo creo que se refiere al refrán ..., porque ella le dice que lleve a Jaime al aeropuerto...*
- *Sí, es verdad, porque...*

* **Super-**, con el significado de «muy», es un prefijo muy utilizado en el español coloquial, debe escribirse unido a la siguiente palabra y sin tilde: *superinteresante, supercansado.*

1

Ana: Luis, recuerda que mañana tienes que llevar a Jaime al aeropuerto. Y espero que lo hayas llamado para decirle que lo llevas.
Luis: Pero si yo estoy superocupado*... ¿Por qué no lo llevas tú cuando llegues a casa?
Ana: Que yo no puedo, tengo médico a la misma hora.
Luis: Bueno, pues antes de ir al médico, déjalo en el aeropuerto.
Ana: Mira, esto ya lo hemos hablado: llévalo tú y punto. Te lo aviso: si no lo llevas, me voy a enfadar. Que hoy he tenido ya un día muy malo...
Luis: Bueno, vale, no te pongas así... Yo lo llevaré.

2

Sara: Oye, fíjate, ayer me llamaron para decirme que hubo un problema con mi billete de tren y voy a salir dos horas antes.
Alberto: ¿Ah, sí? Qué raro, ¿no? ¿Y qué vas a hacer?
Sara: Pues nada, madrugaré. Pero reclamé y me dijeron que podría viajar gratis ida y vuelta en la próxima ocasión. ¡Qué pasada!
Alberto: ¡Sí, qué suerte! Si lo hubiera sabido, me habría comprado yo un billete.
Sara: Anda, mira qué listo.
Alberto: Bueno, que lo pases fenomenal cuando vayas a Sevilla.
Sara: ¡Gracias! Ojalá pudieras venir tú...

3

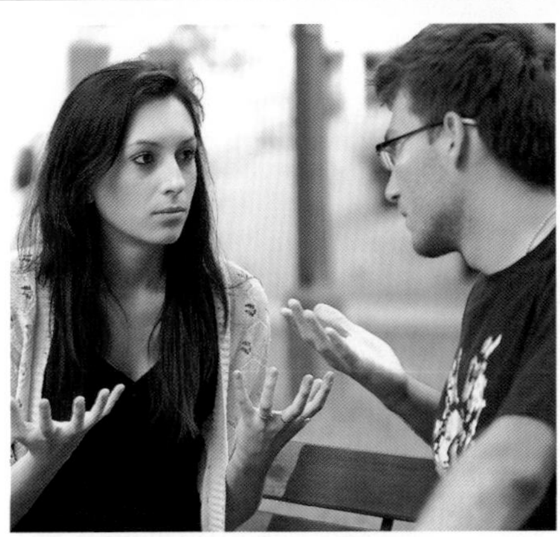

David: Oye, tengo que irme unos días fuera, ¿puedes quedarte con mi perro?
Carolina: No, en mi casa no lo puedes dejar.
David: Vaya... Pues es que no tengo otra opción... Venga, por favor, mañana te lo llevo, ¿vale? Ya verás como no te da nada de guerra.
Carolina: ¡Ni se te ocurra! Además, me dan alergia los perros. Déjalo al lado de mi casa, que hay un hotelito de esos de animales.
David: ¡Pero si esos sitios son un robo! Y no quiero gastarme el dinero... Andaaa..., quédatelo tú...
Carolina: Que no, que yo no me lo quedo. Tú verás, si quieres que el perro esté bien, pues tendrás que pagar y llevarlo allí. No se puede tener todo...
David: Vaya, qué pena. Pensé que podrías quedarte con él. Bueno... voy a llamar a ese hotelito de animales...

c Con la ayuda de tu compañero, relaciona las siguientes expresiones coloquiales (que están subrayadas en los diálogos anteriores) con su significado.

1 Y punto. | **2** No te pongas así. | **3** ¡Qué pasada! | **4** No te da nada de guerra. | **5** ¡Ni se te ocurra! | **6** Son un robo.

☐ a Son muy caros.
☐ b Ni lo pienses.
☐ c No te enfades.
☐ d Es muy tranquilo.
☐ e No hay más que hablar.
☐ f ¡Increíble, genial! (en este texto)

d Hemos contado a otra persona lo que dijeron Ana y Luis pero faltan algunos verbos. Añádelos.

dejara | **había tenido** | **llegara** | **hubiera llamado** | **llevaría** | **recordara** | **se iba a**

DISCURSO DIRECTO

ANA: Luis, recuerda que mañana tienes que llevar a Jaime al aeropuerto. Y espero que lo hayas llamado para decirle que lo llevas.

LUIS: Pero si yo estoy superocupado... ¿Por qué no lo llevas tú cuando llegues a casa?

ANA: Que yo no puedo, tengo médico a la misma hora.

LUIS: Bueno, pues antes de ir al médico, déjalo en el aeropuerto.

ANA: Mira, esto ya lo hemos hablado: llévalo tú y punto. Te lo aviso: si no lo llevas, me voy a enfadar. Que hoy he tenido ya un día muy malo...

LUIS: Bueno, vale, no te pongas así... Yo lo llevaré.

DISCURSO INDIRECTO

- Ana le dijo a Luis que (1) ______________ que mañana tenía que llevar a Jaime al aeropuerto y que esperaba que lo (2) ________________ para decirle que él lo llevaba.
- Luis le dijo que él estaba superocupado y le preguntó que por qué no lo llevaba ella cuando (3) ______________ a casa.
- Ana le repitió que ella no podía, que tenía médico a la misma hora.
- Luis insistió y le dijo que (4) ________________ a Jaime en el aeropuerto antes de ir al médico.
- Ana se enfadó y le dijo que lo llevara él y punto. Y que se lo avisaba: si no lo llevaba, (5) ____________ enfadar porque ese día ella (6) ____________ ya un día muy malo.
- Luis le dijo que bueno, que no se pusiera así, que él lo (7) ________________.

e ¿Recuerdas qué cambios se producen en las formas verbales cuando usamos el discurso indirecto en pasado referido a acciones ya ocurridas? Completad esta tabla en pequeños grupos.

Discurso directo → Discurso indirecto

Indicativo

PRESENTE* → ....

FUTURO → ....

PRET. PERFECTO → ....

PRET. INDEFINIDO → pret. indefinido o ....

(El resto de las formas no experimenta cambios)

Subjuntivo

PRESENTE → ....

PRET. PERFECTO → ....

(El resto de las formas no experimenta cambios)

Imperativo

.... o presente de subjuntivo (si la orden sigue vigente)

En muchos casos, el presente en español se usa con valor de futuro, por eso a veces el presente se transforma en condicional cuando usamos el discurso indirecto:
*Nos **vemos** (= **veremos**) luego.* → *Me dijo que nos **veríamos** luego.*
*Te **llamo** (= **llamaré**) mañana.* → *Me dijo que me **llamaría** luego.*

	Discurso directo	Discurso indirecto
Pronombres sujeto	yo, tú, él / ella / usted, nosotros/as, vosotros/as, ellos/as / ustedes	Los pronombres y posesivos pueden cambiar en función del emisor y receptor de los mensajes: ***Yo** compro el pan.* → ***Yo** dije que compraba el pan.* (El emisor es el mismo en los dos mensajes) ***Yo** compro el pan.* → ***Tú** dijiste que comprabas el pan.* (El emisor del mensaje 1 es el receptor del mensaje 2) ***Yo** compro el pan.* → ***Él** dijo que compraba el pan.* (El emisor del mensaje 1 no es emisor ni receptor del mensaje 2)
Pronombres objeto	me, te, se / le / lo / la, nos, os, se / les / los / las	
Posesivos	mi, tu, su, nuestro/a, vuestro/a	
***Demostrativos**	este	ese / aquel
***Adverbios de lugar**	aquí	ahí / allí
***Marcadores temporales**	esta mañana	esa mañana
	hoy	ese día
	mañana	al día siguiente
	ahora	en ese momento
***Verbos**	ir	venir
	traer	llevar

* Estos cambios se producen si hay diferencias en el tiempo o el lugar en el que se usa el estilo indirecto:
***Este** coche me gusta.* → *Dijo que **ese** coche le gustaba. / Dijo que **este** coche le gustaba.*

f En el discurso indirecto las transformaciones en los verbos o en otros elementos no se producen siempre, dependen de las circunstancias en el momento en que estamos hablando. Relaciona cada frase con la imagen que le corresponde.

A «Yo dejé el libro **aquí**».
__ 1 Me dijo que había dejado el libro aquí.
__ 2 Me dijo que había dejado el libro ahí.

B «Me encantaría comprarme **este coche**».
__ 1 Me dijo que le encantaría comprarse este coche.
__ 2 Me dijo que le encantaría comprarse ese coche.

C «Te llamaré **hoy** en cuanto salga del trabajo».
__ 1 Le dijo que hoy lo llamará en cuanto salga del trabajo.
__ 2 Le dijo que ese día lo llamaría en cuanto saliera del trabajo.

g En parejas, contaréis los diálogos 2 y 3 de la actividad **b**. Fijaos en el uso del discurso indirecto y los cambios en pronombres, demostrativos, etc. y ayudaos si veis que hay algún error.

Diálogo 2
- *Sara le dijo a Alberto que ayer la habían llamado para...*
- *Y Alberto le dijo a Sara que qué raro, y le preguntó que qué va a...*
- *Yo creo que hay que decir «Le preguntó que qué iba a...» porque todo está en pasado.*

h Observa las dos últimas viñetas del cómic y señala la opción correcta.

1 Sergio está hablando de algo que ya ha ocurrido. ☐
2 Sergio está hablando de algo que todavía no ha ocurrido o de algo que no está seguro que va a ocurrir. ☐

En algunos casos, cuando usamos el discurso indirecto con *«Me dijo que...»* el presente y el futuro se mantienen sin cambios y no se transforman en pasado y condicional cuando el evento del que se habla todavía no ha tenido lugar:

*El sábado **iré** a la fiesta.* → *Me dijo que **irá** a la fiesta.* (días u horas antes de la fiesta)

Ahora, con la ayuda de tu compañero, responded a las siguientes preguntas: ¿se producen los cambios que hemos señalado en la tabla de la actividad **e** en las palabras de Sergio?; ¿por qué?

i Observa en estas frases si el hecho del que se habla ha tenido lugar o no y elige la forma verbal adecuada (a veces, más de una opción es posible).

1 Ana: «Mañana voy a llevar la tarta».
- Ana me dijo que **iba a llevar / va a llevar** la tarta a la fiesta de anoche pero al final no la llevó.
- Ana me dijo que hoy **va a traer / iba a traer** la tarta a la fiesta de esta noche, espero que no se le olvide.

2 Luis: «El lunes te recogeré en el aeropuerto».
- Ayer Luis me dijo que me **recogió / recogería / recogerá** en el aeropuerto pero no vino y me fui en taxi.
- Ayer Luis me dijo que me **recogerá / recogería** en el aeropuerto, así que allí le esperaré hasta que llegue.

3 David: «Cuando llegue el paquete el sábado, recógelo».
- David me dijo que cuando **llegara / llegue / llegaría** el paquete el sábado, que lo **recogiera / recogía / recogeré**, pero es que no vino nadie el sábado a traer nada.
- El sábado me tendré que quedar en casa porque David me dijo que cuando **llegue / llegara / llegaba** el paquete, que lo **recoja / recogiera / recogía.**

4 Sonia: «Mañana no abren los bancos, así que haz el ingreso hoy mismo».
- Sonia me dijo que ayer no **abren / abrían / habían abierto** los bancos y que **haría / hiciera / haga** el ingreso cuanto antes.
- Sonia me dijo que mañana no **abren / abrían** los bancos y que **haga / hiciera / haría** el ingreso hoy mismo.

j Con la ayuda de tu compañero, transforma las siguientes frases en discurso indirecto teniendo en cuenta si el hecho ha tenido lugar o no.

Hechos que ya han tenido lugar	Hechos que no han tenido lugar
María: «En marzo podremos casarnos por fin». *María dijo que en marzo ya podrían casarse, pero al final tuvieron que casarse en junio.* Iván: «Cuando nos veamos, te devuelvo el dinero que te debo». Diego: «El libro se va a publicar en julio».	Vega: «En 2050 podremos volar al espacio como turistas». Lisa: «En cuanto aterricéis, llamadnos». Agustín: «En julio estaremos en Perú de vacaciones».

3 Cuéntame un cuento

a ¿Recordáis los cuentos de *Cenicienta* y *Blancanieves*? Aquí tenéis algunos personajes de estos dos cuentos y las frases que dijeron. En pequeños grupos, ¿quién dijo qué?

1 El hada madrina | 2 El príncipe | 3 Los enanitos | **4 La madrastra de Blancanieves**

a Buscad el zapato que falta. [2]
b No abras la puerta de nuestra casita a ningún extraño. [ ]
c No olvides volver antes de las doce de la noche. [ ]
d Cómete esta manzana. [ ]
e Pásalo bien en la fiesta y baila mucho. [ ]
f Pruébate este vestido. [ ]
g Recorred todas las casas del reino para encontrar a la dueña del zapato de cristal. [ ]
h Quédate a vivir con nosotros. [ ]
i Llévala al bosque y mátala. [ ]
j Tráeme una calabaza. [ ]
k Probad el zapato a todas las damas. [ ]

b En grupos de tres, transformad las órdenes o deseos de los personajes en discurso indirecto.

El príncipe ordenó a sus súbditos que buscaran el zapato que faltaba...

c Y a ti, ¿qué te decían tus padres de pequeño? ¿Qué te ordenaban? ¿Y tus profesores o abuelos? Escribe en un papel dos frases en discurso directo y entrégaselas a tu profesor. Después, el profesor entregará tus frases a otro estudiante, que las leerá usando el discurso indirecto.

No cocines cuando estés solo.

No saldrás de casa hasta que recojas tu cuarto.

*Cuando Sandro era pequeño, **le** decían que no cocinara cuando estuviera solo y, además, **le** decían que no saldría de casa hasta que recogiera **su** cuarto.*

4 El precio de la fama

a En grupos de tres, leed estas noticias y relacionad las siguientes frases con el texto adecuado (hay dos frases para cada texto). Atención: ¡sobran dos frases!

a Algunas personas no se merecen ser famosos. ☐
b El mundo del cotilleo forma parte de la cultura española. ☐
c Muchos famosos están dispuestos a conceder todos los caprichos. ☐
d Hay artistas famosos dispuestos a contar sus intimidades por dinero. ☐
e Hay gente que haría cualquier cosa para ser conocida. ☐
f Regalar algo en un programa televisivo está fuera de lugar. ☐
g Es peligroso que se quieran eliminar algunos programas de televisión. ☐
h Hay famosos que actúan de una forma excéntrica y desmedida. ☐

1

Según una encuesta, cuando preguntas a un adolescente qué quiere ser de mayor, muchos responden «¡Ser famoso!». Debería darnos vergüenza. Hemos conseguido que muchos niños quieran ser como esos personajillos que solo buscan fama y dinero rápido a costa de lo que haga falta; «No hay límites si consigo hacerme famoso». No puede ser más deprimente. Y piensa uno que no estaría mal que se acabara por fin con esta plaga de famosos sin oficio ni beneficio para que así nuestros hijos no nos digan a la cara que quieren ser como ellos.

(Adaptado de una idea de *XL Semanal*)

2

Una famosa cantante y su marido han decidido celebrar el primer cumpleaños de su hija por todo lo alto. Cualquier gasto es necesario cuando se trata de contentar a la pequeña. Por ello, la pareja ha regalado a su hija una Barbie vestida de azul valorada en 60 000 euros. Especialmente diseñada, la muñeca incluye 160 piedras de diamantes así como incrustaciones de oro blanco. Una fuente cercana a la pareja ha declarado que «nada es demasiado grande o caro para la pequeña princesa. Ellos querían que su primer cumpleaños fuese especial para el resto de su vida». Aparte del excéntrico regalo, los padres organizaron una fascinante fiesta de cumpleaños en Nueva York. El lugar estaba decorado con rosas blancas y rosadas valoradas en 60 000 euros y un pastel gigante de 2000 euros.

(Extraído de *http://www.vanitatis.com*)

3

A mí es que me da la risa (por no decir ganas de llorar) que haya gente que se crea por encima de los demás. (...) Todo forma parte de nuestra cultura y la telebasura, sus personajes y sus cotilleos también. Y si alguien no lo quiere aceptar es porque se cree un ser superior y esto ya ha demostrado la historia en muchísimas ocasiones que es muy peligroso. (...) Y ya solo nos falta que venga alguien y la censure o la prohíba, esto ya sería el colmo. Si se empieza poniendo límites a la telebasura: ¿qué será lo siguiente? ¿Y luego? (...) Se pongan como se pongan y digan lo que digan la telebasura también es cultura, forma parte de nuestra idiosincrasia y no hace daño a nadie. El remedio es fácil: a quien no le guste que apague la tele.

(Extraído de *http://la-debatidora.blogspot.com*)

b ¿Estáis de acuerdo con las ideas que se expresan en los textos? Dad vuestra opinión utilizando las estructuras de la siguiente tabla.

Expresar certeza o acuerdo (+ Indicativo)	Expresar certeza o acuerdo con menos seguridad (+ Indicativo)	Expresar falta de certeza o desacuerdo (+ Subjuntivo)
Creo que Me parece que La verdad es que Está claro que Estoy seguro/a de que Es evidente que	Me imagino que Supongo que Yo diría que Tengo la sensación de que Me da la impresión de que	No creo que No estoy seguro/a de que No me parece que Dudo que Tengo mis dudas sobre que No veo que No entiendo que

- *A mí **me parece que** mucha gente ya solo <u>quiere</u> ser famosa por dinero y la cultura del esfuerzo se está perdiendo porque...*
- *Pues yo **no veo que** eso <u>sea</u> así. Siempre ha habido los típicos vagos que no quieren trabajar y buscan fama pero...*
- *Pero a mí **me da la impresión de que** antes esto no <u>pasaba</u> tanto, ahora...*

5 La fama cuesta

a Relaciona cada texto con el final correspondiente.

❶ JULIO IGLESIAS

«Mi primer viaje aquí lo hice en 1972, mi primera mujer es filipina y vivíamos largas temporadas en Hong Kong, así que mi relación con esta cultura viene de lejos. Oficialmente vuelvo después de 20 años, pero he venido en muchísimas ocasiones. **De hecho**,... ☐

❷ JUANES

«Ser solidario es un deber para todos; lo que pasa es que nosotros, los famosos, somos más visibles y por eso es importante. Pero lo fundamental es el compromiso, hacerlo de corazón. Y no debemos olvidar que hay mucha gente que tiene pocos recursos y **encima**... ☐

❸ SHAKIRA

«¿Una se acostumbra a un ritmo tan frenético o el cuerpo te dice basta? Sacar dos discos al mismo tiempo es duro, porque con el trabajo de promoción el cuerpo acaba pagando las pocas horas de sueño y la mala alimentación. Pero, **de todas maneras**,... ☐

A ... quiero que mis hijos estudien mandarín».
B ... compensa, porque reencontrarme con mis fans sobre un escenario me hace feliz».
C ... lo da casi todo, sin pensar si mañana tendrá para mantener a su familia: eso sí es generosidad».

b Las palabras en negrita en la actividad anterior son marcadores discursivos. Observa los siguientes marcadores y clasifícalos en el grupo correspondiente.

de todos modos
en cualquier caso
en el fondo
en realidad
en todo caso
incluso

Marcadores discursivos aditivos
1 Para añadir información y presentarla como algo más importante que la información previa: *de hecho*, ______, ______
2 Para reforzar una idea: *encima* (carácter coloquial), ______
3 Para reconsiderar la información que hemos dicho: *de todas maneras*, ______, ______, ______

El **marcador discursivo** ayuda al hablante a dejar clara su opinión y aumenta la fuerza del discurso.

c Lee los comentarios de estas personas y completa las frases con uno de los marcadores discursivos de cada grupo de la actividad anterior.

❶ «Yo sé que tengo mucha suerte, trabajo en lo que me gusta, aprendo cosas nuevas cada día y / e ______ me pagan por ello».

❷ «La televisión de ahora está a años luz de la de hace una década, por mucho que algunos piensen que cualquier tiempo pasado fue mejor. ______, la crisis que invade ahora mismo el mercado televisivo puede hacer a las televisiones volver atrás».

❸ «El modelo económico actual de nuestra sociedad está fundamentado bajo la creencia de que cuando compramos un auto, un plasma o un computador, somos felices y se supone que debería de ser un sentimiento que reconforta, que nos daría paz interior y un enfoque positivo ante la vida cuando, ______, todo es mucho más sencillo y sabemos que la felicidad no se basa en eso».

d En grupos de tres, expresad vuestra opinión en relación con las siguientes afirmaciones y utilizad los marcadores discursivos de la actividad **b**.

1 Todos los jóvenes deben ir a la universidad.
2 Los domingos deben cerrar las tiendas, tanto las grandes como las pequeñas.
3 La amistad entre hombres y mujeres es posible.
4 La caza es un deporte que debería estar prohibido.
5 Ser madre a los 60 años es posible según la ciencia.
6 Hay que ir a la oficina siempre con traje.
7 La jubilación debe aumentarse hasta los 70 años.

1 Ricos y famosos

a Hablad en grupos sobre los siguientes puntos.

1. ¿Te gustaría ser millonario? ¿Por qué? Explica tus razones.
2. ¿Cómo crees que se consigue ser millonario?
3. ¿A qué atribuyes la diferencia de riqueza entre unas personas y otras?
4. ¿Crees que debería existir un límite en la riqueza por persona? Explica por qué.

b En pequeños grupos, clasificad estas palabras y expresiones en la columna correspondiente. Preguntad al profesor el significado de las palabras que no conocéis.

SUSTANTIVO	VERBOS	ADJETIVOS	EXPRESIONES COLOQUIALES

c El empresario Robert Kiyosaki es el autor del libro *Padre rico, padre pobre*, donde recoge las claves para hacerse millonario. Lee este artículo y corrige las siguientes frases.

1 Para Kiyosaki, la universidad forma a los grandes empresarios del futuro.
Esta frase es falsa porque Kiyosaki dice que la universidad es buena para educar a las personas, pero no para los negocios.
2 Kiyosaki se arruinó por primera vez por ser demasiado codicioso e invertir demasiado en Bolsa.
3 Según Kiyosaki, si te arruinas, debes saber que no pasa nada si te equivocas en lo mismo de nuevo.
4 Según Kiyosaki, los empleados de una empresa pueden hacerse millonarios si tienen grandes salarios.
5 Según Kiyosaki, las personas que dicen ser honestas suelen serlo, aunque él no confía en ellas.
6 Según Kiyosaki, solo trabajando muy duro se consigue ser un auténtico millonario.

Cómo hacerse millonario

ANDREA AGUILAR | 18 ENE 2009

«Todos llevamos un millonario dentro». Desde luego, el autor de esta frase es rico. Y no solo eso: está empeñado en transmitir el secreto de su piedra filosofal a todo aquel que compre su libro. El gurú de las cuentas corrientes plagadas de ceros se llama Robert Kiyosaki, un americano de origen japonés criado en Hawái. A continuación, algunos puntos clave para acercarse a su credo:

◆ **LA ESCUELA DE LA VIDA.** Para Kiyosaki todo es cuestión de educación. O, más bien, de lo que él considera las carencias del sistema educativo. Esto fue lo que inspiró su trabajo. Un buen día decidió rellenar esos flagrantes agujeros. ¿Carrera universitaria? ¿Brillante expediente académico? Craso error, dice. «Los adultos deben enseñar a los niños de otra manera. Los profesores no pueden enseñar lo que no saben. Ellos son pobres, están desvalidos y desesperados», afirma convencido. «Bill Gates y Henry Ford dejaron la universidad. El sistema educativo es bueno para la formación de una persona, pero no lo es tanto para los negocios».

◆ **LA RUINA ES UN BUEN PRINCIPIO.** ¿En bancarrota? ¿Desahuciado? Pues, según Kiyosaki, si te pilla a buena edad, este puede ser el principio de una fulgurante carrera en las finanzas. Él ha estado en la ruina absoluta varias veces. «Lo perdí todo, pero era joven y tuve tiempo de recuperarme y de aprender la lección», dice. «Todo el mundo tiene problemas económicos. Yo lo he perdido todo tres veces, pero fueron las mejores experiencias de mi vida». Cuenta que la primera vez contaba con 28 años. «Fue por no declarar a Hacienda. Me costó seis años recuperarme. La segunda vez tardé solo dos. Me hice más listo», cuenta. ¿Algún consejo para aquellos que afrontan hoy su primera ruina? «Lo único que puedo decir es: ten fe, aguanta, ya sabemos que no es fácil. Los que salgan adelante: Atención, no cometan los mismos errores».

◆ **EL CAMBIO DE LA RATA.** ¿Empleo fijo? ¿Nómina mensual? Según Kiyosaki, ese dinero fijo, el contrato de asalariado, es la puerta de entrada de lo que él llama "la carrera de la rata". Quizá en tiempos de crisis y de desempleo, para muchos, esta ruta perdida sea más bien una autopista hacia el cielo pero él no lo ve así. Da igual que se trate de un abogado en un lujoso bufete o de una cajera en un supermercado, Kiyosaki lo deja claro: un sueldo fijo por cuenta ajena es un grave impedimento para hacerse millonario. Hay que aprender a maximizar las cuentas. El objetivo fundamental es hacer que el dinero trabaje para uno y olvidar la idea de trabajar para obtenerlo. ¿Están los trabajadores de su empresa en esta carrera de la rata también? Kiyosaki sonríe, él se ha preocupado personalmente de que no sea así: «No les doy plan de jubilación, sino directamente el dinero para que lo inviertan ellos mismos. Si te dan las cosas hechas no aprendes, y siempre hay que seguir aprendiendo». (…)

◆ **DIME CON QUIÉN ANDAS.** Una importante y complicada lección que conviene aprender cuanto antes es la relativa al binomio socios-negocios. (…) ¿Y qué tiene que tener el socio ideal? «Lo primero es ver su historial, ver cuántos negocios ha sacado adelante. Luego, siempre tienes que contratar a un abogado que vigile a tu abogado. Hay que desconfiar de quienes dicen ser honestos y lo subrayan. Probablemente están escondiendo algo, son unos tramposos», concluye.

◆ **EXPLOTA AL MILLONARIO QUE LLEVAS DENTRO.** Él está convencido de que todo el mundo puede hacerse rico: «Cualquiera. Dentro de cada uno de nosotros hay un hombre rico, uno de clase media y uno pobre». ¿Y qué es lo que les diferencia? «El rico quiere que el dinero trabaje para él, el de la clase media dice que el dinero no es tan importante, y el pobre quiere que le den dinero». La ambición es clave. Conviene fijarse objetivos. «Lo más importante es tu cabeza, es tu principal valor. Si no cambias tu manera de pensar, siempre serás pobre».

(Extraído de *http://elpais.com*)

d Lee de nuevo el texto de la página anterior y, según las ideas de Kiyosaki, termina las siguientes frases sin repetir las palabras del texto.

1 ¿Carrera universitaria? ¿Brillante expediente académico? **En el fondo...**
2 Hay que desconfiar de quienes dicen ser honestos y lo subrayan, **de hecho...**
3 Siempre tienes que contratar a un abogado que vigile a tu abogado, y, **de todas maneras...**
4 Yo lo he perdido todo tres veces, pero, **de todos modos...**
5 Lo más importante es tu cabeza, es tu principal valor, **en realidad...**

CIERRE DE EDICIÓN

En parejas, vais a contar a vuestro grupo lo que un personaje famoso español o hispano dijo en una entrevista: podéis hacerlo de modo oral o escrito.

PLANIFICA ▼

1 Elegid un personaje famoso español o hispano actual y buscad una entrevista en internet.
2 Leed o escuchad la entrevista y elegid las preguntas más interesantes.

3 Transformad sus declaraciones en estilo indirecto:

- Opción 1 (presentación oral): distribuid vuestras intervenciones delante del grupo para compartir la información con el resto de la clase (uno puede empezar contando cosas sobre su vida profesional y, luego, el otro puede continuar contando cosas sobre su vida personal, por ejemplo).
- Opción 2 (presentación escrita): buscad la forma de que la información sea presentada de modo ameno (podéis intercalar en el artículo partes sobre su biografía y forma de vida con lo que el personaje dijo en la entrevista).

Podéis usar estos verbos para no repetir siempre el verbo *decir*:

admitir	comunicar	contestar	indicar	recalcar
afirmar	confesar	declarar	negar	reconocer
asegurar	confirmar	destacar	precisar	señalar
comentar	contar	explicar	puntualizar	subrayar

PRESENTA Y COMPARTE ▼

4 Delante del grupo:

Opción 1 (presentación oral):
- Explicad por qué habéis elegido a ese personaje.
- Contad lo que dijo vuestro personaje en la entrevista.

Opción 2 (presentación escrita):
- Entregad el texto a vuestros compañeros para que lo lean y conozcan a vuestro personaje.

En esta unidad vamos a recopilar recursos en línea para conocer personas con quienes practicar español hablado y escrito y seguir aprendiendo.

Entra en www.agenciaele.com para realizar esta actividad.

Estrategias de aprendizaje: saber escuchar

1 Algunos alumnos de español nos han contado sus dificultades a la hora de escuchar. ¿Coincides con ellos? Añade, si la tienes, alguna dificultad propia.

1 Yo tengo que entenderlo todo. Si no, me siento fatal.

2 Si no entiendo algo, pierdo el hilo y luego ya no entiendo nada más.

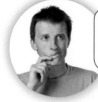

3 Necesito ver cómo se escriben las palabras para lograr comprenderlas.

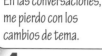

4 En las conversaciones, me pierdo con los cambios de tema.

5 Si no conozco el tema del que se habla, no consigo entender nada.

6 Me cuesta muchísimo mantener la atención cuando lo que tengo que escuchar es muy largo.

2 Aquí tienes un decálogo de estrategias para mejorar la comprensión auditiva. ¿Cuáles de estas estrategias pueden ayudar a mejorar los problemas anteriores? Señala en cada una de ellas si se trata de una estrategia para:

A antes de escuchar | **B** durante la escucha | **C** después de escuchar

- ☐ **1** Concentrarme en comprender el significado de cada palabra.
- ☐ **2** Concentrarme en comprender el significado general del texto.
- ☐ **3** Fijarme en las palabras clave.
- ☐ **4** Memorizar o anotar palabras desconocidas para buscarlas después en el diccionario.
- ☐ **5** Fijarme en el tema del texto y repasar mentalmente lo que sé sobre él para relacionarlo con lo que voy a oír.
- ☐ **6** Fijarme en el tipo de texto que voy a escuchar e intentar anticipar los posibles temas, el tipo de palabras, las estructuras…
- ☐ **7** Comentar con alguien lo que he escuchado. Si estoy en clase, me gusta hablar del texto con mis compañeros. Así, entre todos, casi siempre conseguimos saber todo lo que han dicho.
- ☐ **8** Elegir temas que me interesen, igual que si estuviera eligiendo un programa de radio en mi idioma.
- ☐ **9** Imaginar mentalmente lo que voy escuchando (escena, personajes...).
- ☐ **10** Traducir a mi idioma lo que voy comprendiendo.

Puede ser una buena estrategia para algunos estudiantes, pero recuerda que no es necesario comprenderlo todo. Relájate. ¿Acaso comprendes siempre el 100% de lo que escuchas en tu idioma?

Una excelente idea. El resto del mensaje lo puedes completar con tu conocimiento del tema.

Conocer datos sobre el tema del que se habla ayuda mucho a entender mejor. Prueba a escuchar textos orales en español sobre tu país, tu profesión, tus aficiones, etc., es decir, sobre cosas que te resulten muy conocidas.

Buena idea. No es lo mismo escuchar un cuento (en él te encontrarás hechos fantásticos, verbos en pasado, referencias a personajes prototípicos: la niña, la madrastra, la bruja, el lobo…) que una noticia política, por ejemplo (en la noticia hablarán de los partidos, de resultados, de ideas…, habrá datos, opiniones, etc.).

Esto es fundamental. Solo así conseguirás mantener un buen nivel de atención.

3 Comparte con tus compañeros tus ideas sobre las estrategias anteriores y di cuáles crees que te pueden ayudar más a ti.

4 Y fuera de clase, ¿escuchas habitualmente textos en español: radio, televisión, películas, *podcasts*…? Si es así, indica cuáles.

Cada uno tenemos nuestra forma de aprender y de escuchar. Elige las estrategias que sean mejores para ti.

14 ¡Vaya cambio!

En esta unidad vamos a:

- **Hablar de cambios sociales y de sus causas**
- **Hablar de cambios personales y de las etapas de la vida**
- **Conocer las convenciones asociadas a reencuentros con viejos amigos**
- **Valorar los beneficios personales que aporta viajar**
- **Hablar de planes de futuro**
- **Reflexionar sobre nuestro conocimiento lingüístico**
- **Hablar sobre cómo se ven las distintas etapas de la vida en diferentes culturas**

1 Épocas

a La década de los 60 del siglo XX fue un momento de importantes cambios en España. Relaciona los nombres con los verbos para formar frases que creas que explican esos cambios. En algunos casos, hay más de una respuesta correcta.

Nombres

consumo • práctica religiosa
costumbres • control moral
educación • mortalidad

Verbos

disminuir • extenderse
aumentar • liberalizarse
relajarse • contraerse

Cambios sociales

El desarrollo económico y el aumento de la renta per cápita trajeron consigo importantes cambios sociales:

1 *El consumo aumentó.*
2 __________
3 __________
4 __________
5 __________
6 __________

b ¿Cuáles suelen ser las causas de los cambios sociales? Discute con tu compañero y anotad vuestras ideas. Puedes pensar en tu propio país y en los factores que han provocado esos cambios.

Los países cambian cuando hay un cambio político importante, como por ejemplo en Rusia con Gorbachov.

59 **c** Ahora escucharemos un fragmento de un capítulo del programa *Cómo hemos cambiado* de Televisión Española. Toma notas y resume su contenido.

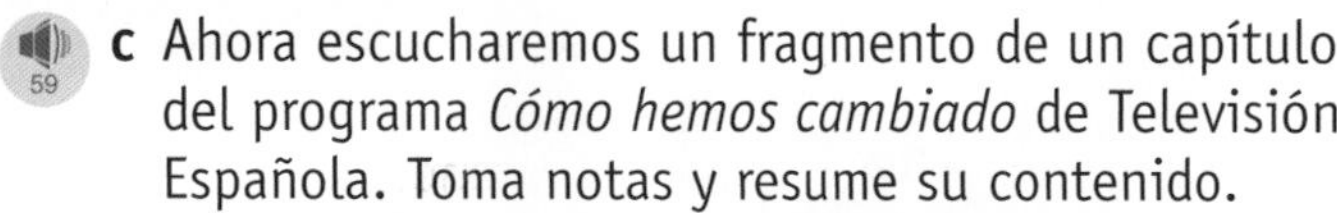

¿Coincide con tus ideas? Coméntalo con tus compañeros.

Muchas cosas han cambiado en este país en las últimas décadas. *Cómo hemos cambiado* hace un repaso temático a aspectos de la sociedad española y su evolución a través del tiempo. Una visión personal y subjetiva que pretende emocionar, entretener y envolvernos de nostalgia. Un maravilloso viaje a través del tiempo, y todo gracias al archivo de RTVE, un auténtico tesoro.

d ¿Qué acontecimientos recientes han supuesto cambios importantes en vuestro país? ¿Cómo ha afectado ese cambio a la vida cotidiana de la gente? ¿Cuáles fueron las causas?

2 Costumbres

a Vamos a escuchar un fragmento de un programa de radio sobre los cambios en los hábitos alimenticios de los españoles desde la década de 1950 hasta la de 2010. Pero antes, relaciona las siguientes frases con la época a la que crees que corresponden.

1 Alto consumo de pan y patatas.
2 Preocupación general por la dieta.
3 La Coca-Cola, producto estrella.
4 Carnes y pescados, alimentos de lujo.
5 Mucho consumo de leche desnatada.
6 Familia numerosa.
7 Más del 50% de los ingresos familiares gastados en alimentación.
8 Gasto en alimentación menor del 20% de los ingresos.

1950 *1* ....

2010 ....

b Escucha el audio y confirma tus respuestas de la actividad anterior.

c Vuelve a escucharlo y contesta a estas preguntas.

1 En el año 59, ¿qué alimentos se reservaban para las ocasiones especiales?
2 ¿Cuáles eran en aquella época los productos de consumo habitual?
3 ¿Cuáles son los productos más vendidos actualmente?
4 ¿Cómo han cambiado las preocupaciones de los españoles en relación con la comida?

d Comenta con la clase tus impresiones sobre el fragmento escuchado. ¿Te ha sorprendido algún dato? ¿Se ha producido una evolución similar en tu país?

3 Etapas de la vida

a Como sabemos, las personas también cambian. Fíjate en estas fotos de tres famosos, ¿quiénes son? El profesor os dará algunas pistas.

b Y tú, ¿cuánto has cambiado? ¿Te animas a enseñarles a tus compañeros fotos de hace años?

c Imagina que por casualidad te encuentras con un viejo amigo, alguien a quien hace muchos años que no ves. ¿De qué crees que hablaréis? En parejas o grupos pequeños, haced una lista de los temas que suelen hablarse en esas situaciones.

d Lee el cómic de la página siguiente y completa la conversación con las siguientes frases. Ten en cuenta que hay dos frases de más.

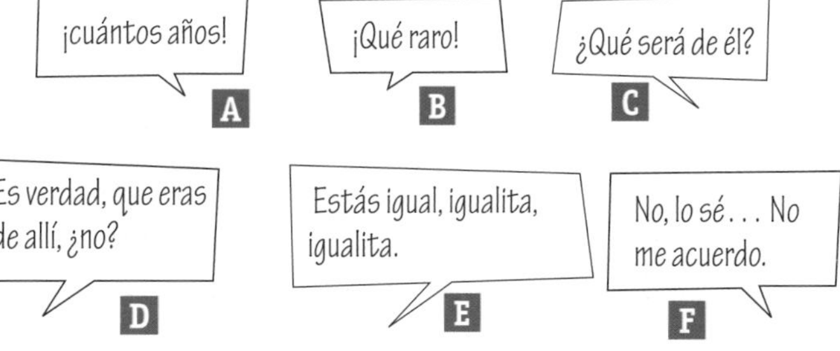

¡cuántos años!
A
¡Qué raro!
B
¿Qué será de él?
C
Es verdad, que eras de allí, ¿no?
D
Estás igual, igualita, igualita.
E
No, lo sé... No me acuerdo.
F

Al final de la unidad...

Vamos a crear un mural, con las aportaciones de todos, que sirva como anuario informal del curso. En él incluiremos anécdotas, reflexiones, objetivos cumplidos, etc.

Carmen se encuentra en el aeropuerto con una amiga a la que hace muchos años que no ve.

e Aquí tienes una guía rápida para encuentros inesperados. ¿Coincide con tu respuesta de la actividad **c**?

Guía rápida para encuentros inesperados

Cuando hace (mucho) tiempo que no vemos a alguien, nuestras conversaciones suelen incluir:

1. Referencias a la cantidad de tiempo que hace que no nos vemos: *Hacía mil años... / ¡Cuánto tiempo! / ¡Cuántos años! / ¿Cuándo nos vimos la última vez?*
2. Halagos: *Estás guapísima/o. / Estás igual. / Estás mucho más delgada/o... / ¡Qué bien te veo!*
3. Información sobre nuestra vida actual y algo de lo que hemos hecho en estos años. Comentarios sobre la vida del otro: *Sigo viviendo en Madrid. / Tuve dos hijos.*
   - **¡Atención! Fíjate en esta frase del cómic:** *Es verdad, que eras de allí, ¿no?* ¿Por qué Carmen utiliza el imperfecto *(eras)*?
4. Intercambio de preguntas e información sobre personas del pasado: *¿Sabes algo de...? / ¿Ves algo a...? / ¿Qué habrá sido de...?*
   - **Ahora, fíjate en esta:** *¿Qué será de él?* ¿Y por qué aquí usa el futuro *(será)*?

Los halagos y piropos son frecuentes en el mundo hispánico, siempre y cuando la relación sea de cierta confianza. Suelen ser más habituales entre mujeres. Cuando hace mucho tiempo que dos personas no se ven, se suele esperar que se intercambien halagos.

1 ¡Cuánto tiempo!

a Después del encuentro de ayer, Carmen escribe este correo electrónico a Marisa. Léelo, responde a las preguntas y señala en el texto la frase que te aporta la información.

1 ¿Qué dato de la vida de Marisa quiere conocer Carmen? *El nombre de su marido.*
2 ¿Es la vida de Carmen como ella se imaginaba cuando era joven?
3 ¿Qué aspecto de la vida de Carmen es como ella quería de joven?
4 ¿Tiene Carmen mucho tiempo libre?
5 ¿Qué le resulta a Carmen complicado?
6 ¿Qué le gusta comprar a Juan?
7 ¿Cuál es el punto fuerte de Inés en los estudios?
8 ¿A qué dedica Carmen su tiempo libre?

Mensaje nuevo
Destinatarios mar.fuentes@mail.com
Asunto Hola

Querida Marisa:
No sabes la ilusión que me hizo verte ayer. Me alegro un montón de saber que todo te va tan bien y que se han cumplido tus planes. También me alegro de que al final no te casaras con aquel Antonio que tantos disgustos te dio..., pero, bueno, eso es otra historia. Por cierto, <u>tu marido, ¿cómo se llamaba?</u>
Yo también estoy bien, no me puedo quejar. Aunque ya sabes que eso de casarme no entraba en mis planes de juventud..., tengo dos hijos muy buenos y sanos. Así que, ¿qué más puedo pedir?
Respecto a los temas laborales, la verdad es que las cosas han salido como siempre quise: tengo mi propia empresa y, aunque me exige un trabajo impresionante, la verdad es que compensa. Eso sí, de vacaciones, puentes y esas cosas casi no puedo ni hablar. Menos mal que mi familia es muy comprensiva y están acostumbrados a que mamá esté siempre de guardia. Lo de compaginar trabajo y vida familiar es un verdadero lío, ¿a que sí? Pero, por supuesto, merece la pena porque quienes me dan las verdaderas alegrías son mis hijos. Juan tiene ahora 18 años, es muy buen estudiante y le encanta leer, de hecho, su dinero se lo gasta todo en libros y los devora. Inés es todavía pequeña, tiene 11 años, pero parece que le gusta menos estudiar. En cambio, aprender idiomas le gusta mucho y se le da genial y es muy sociable y curiosa y siempre está hablando con todo el mundo. En eso se parece un poco a mí..., así que igual sigue mis pasos.
Y, en cuanto a mí, pues yo sigo con mis aficiones de siempre, el deporte y la música, ya sabes.
Bueno, Marisa, espero que volvamos a vernos pronto.
Un abrazo fuerte,
Carmen.

En todos los enunciados de los que se extrae la información para responder a estas preguntas, Carmen ha empleado un procedimiento lingüístico que se conoce como **tematización** y que consiste en colocar al inicio de la frase el tema del que se está hablando y dejar para el final de la frase la información nueva.

b Completa este cuadro con las frases que has subrayado en la actividad anterior.

Procedimientos de tematización en español

- **Preguntas con elemento tematizado.** El elemento tematizado está delante de la pregunta:
  <u>Tus hijos</u>, ¿qué tal están? / <u>Tu marido</u>, ¿cómo se llamaba?
- **Marcas para indicar claramente cuál es el tema:**
  - ***Lo de...:***
    <u>Lo de</u> no tener un horario fijo tiene ventajas e inconvenientes. / ....
  - ***Eso de...:***
    <u>Eso de</u> tener que pasarse horas estudiando no va con ella. / ....
  - ***Respecto a...:***
    <u>Respecto a</u> mis hijos, te puedo contar muchas cosas. / ....
  - ***En cuanto a...:***
    <u>En cuanto al</u> trabajo, ya sabes que tengo mi propia empresa. / ....
- **Orden de palabras.** Se coloca al inicio de la frase el elemento que se tematiza, es decir, el elemento sobre el que se habla y que se considera como información conocida:
  <u>De la universidad</u> me acuerdo muchísimo. / .... /
  .... / ....

c En los años que llevas estudiando español seguro que has conocido a alguien a quien te gustaría volver a ver. ¿Te apetece escribirle un correo contándole qué tal te va? Hazlo intentando emplear los procedimientos de tematización que hemos visto anteriormente.

Cada idioma tiene sus propios procedimientos de tematización. ¿Cómo traducirías esta frase a tu lengua?: *Lo de tener mi propia empresa es muy importante para mí.* ¿Y esta otra?: *A Inés los idiomas le encantan.*

2 Pequeños y grandes cambios

a Lee estas consultas publicadas en varios foros de internet. En parejas o pequeños grupos, discutid una posible respuesta para cada una.

Texto 1

¿Qué tengo que hacer para dejar de ponerme roja por todo?

En serio, es horrible. Cada vez que hablo con alguien o que hablo en público, no lo puedo evitar y me pongo roja. Es que también soy demasiado tímida... ¿Qué puedo hacer? Esto está afectando a mi vida personal.

¿Alguna idea para evitar ponerse rojo?

Texto 2

Estoy obsesionado con el lujo y el dinero

Siempre sueño despierto con situaciones en las que soy rico, voy a clase en un Ferrari o en limusina, tengo un avión privado, me alojo en los hoteles de 5 estrellas, voy a cenar a restaurantes carísimos, disfruto con las reacciones de otras personas al verme así, etcétera.

La vida normal no me satisface. Necesito una vida glamurosa, pero no sé cómo hacerme rico. ¿Algún consejo?

¿Cómo puede este chico hacerse rico?

Texto 3

¿Qué me pasa, me he vuelto aburrida o solo estoy madurando?

Tengo 23 años y ya no me gusta hacer lo que hacía cuando tenía 19 o 20. Por aquella época iba mucho a discotecas o estaba de fiesta en la calle hasta ver cómo amanecía.

Ahora no me gusta ese tipo de vida. Ya no voy a las discotecas porque me molesta el volumen alto de la música y tampoco me gusta estar en la calle pasando frío. Prefiero más las reuniones tranquilas en una casa o algún bar.

En cuanto a la hora de regreso a casa, ya tampoco me gusta volver cuando está amaneciendo [...]. O llego a casa siendo totalmente de noche o me la paso en un plan que no me soporto ni yo misma.

¿Qué me pasa? ¿Me he vuelto aburrida o solo estoy madurando?

¿Se ha vuelto aburrida o está madurando?

Texto 4

¿Qué hago para cumplir mi sueño de llegar a ser futbolista?

Voy a terminar la secundaria, entreno duro y me exijo cada vez más. Mis padres me dijeron que, si termino bien la secundaria, me mandan a una escuela de fútbol. Quiero ir ahí porque es una escuela donde se han formado algunos de los jugadores más famosos del mundo. Y también porque quiero saber cómo sacar esa fuerza que todos llevamos dentro.

¿Qué me recomendáis?

¿Ideas para llegar a ser un futbolista de primera?

Expresar cambios que puede experimentar una persona

En español se utilizan los verbos conocidos como **verbos de cambio:** *ponerse, quedarse, volverse, hacerse, llegar a ser, convertirse...*

Se trata de verbos que expresan ideas muy diferentes: desde un cambio involuntario y pasajero *(Cada vez que hablo con un chico **me pongo** roja)*, hasta el resultado del esfuerzo de toda una vida *(Cómo Carlos Slim **llegó a ser** el hombre más rico del mundo)*.

Se usan con adjetivos o sustantivos. Y forman, en algunos casos, combinaciones casi fijas.

b Veamos, en un corpus lingüístico, cuáles son las combinaciones más frecuentes con algunos verbos de cambio. Léelos y decide a qué verbo corresponde cada una de las definiciones que aparecen en el recuadro que hay al final de la página.

Un **corpus lingüístico** es un conjunto extenso de ejemplos reales de uso de una lengua, organizado de tal modo que puede ser usado para describir y analizar sus características.
Puedes emplearlo para saber cómo se usa una palabra «de verdad»: con qué otras palabras se combina, en qué contextos se usa, etc.
En español, puedes consultar el CREA, de la RAE: *http://www.corpus.rae.es/creanet.html.*
Además, la página *http://www.webcorp.org.uk* usa los textos de la web para extraer ejemplos de frases reales en cualquier idioma, también en español.

❶	1		**Me puse** malísimo después de comer allí
	2	Comentarios de los ganadores: Obviamente	**me puse** muy contento
	3	Usain Bolt visitó el Bernabéu: «	**Me puse** nervioso por primera vez en mi vida»
	4	Mourinho	**se puso** como una furia por un fallo
❷	1	«	**Me quedé** fascinado por la historia»
	2	El sábado me lo comunicaron:	**Me quedé** muy sorprendido
	3	Celia Freijeiro: «	**Me quedé** prendada de Manolo Rivas, ha sido un lujo de...
	4	Verónica Vives Llull: «Al escuchar mi nombre	**me quedé** en blanco»
	5	Cuando vi la lista de 17 000 euros en multas	**me quedé** blanca
❸	1	Ayza Gámez: «La sociedad	**se ha vuelto** intolerante»
	2	¿Por qué	**se ha vuelto** tan agresivo mi niño?
	3	Tecnología Wozniak considera que Microsoft	**se ha vuelto** «más creativa» que Apple
	4	El clima	**se ha vuelto** loco
		El cliente	**se ha vuelto** más exigente porque siempre quiere saber en...
❹	1	¿Cómo	**hacerse** investigador?
	2	Cómo	**hacerse** rico vendiendo agua del grifo
	3	Blatter confesó que por Di Stéfano	**se hizo** hincha del Real Madrid
	4	El niño que	**se hizo** escultor: Francisco Salzillo
❺	1	Vijay Singh	**llegó a ser** el mejor del mundo en su día
	2	La niña que	**llegó a ser** una gran escritora
	3	Messi	**llegó a ser** el segundo goleador en la historia
	4	De cómo el pollo	**llegó a ser** una estrella mundial de la gastronomía
	5	Karol, el hombre que	**llegó a ser** Papa

Definiciones

Expresa un cambio...

__ a ... momentáneo, positivo o negativo, que se produce involuntariamente.
__ b ... positivo que se consigue con esfuerzo y trabajo a lo largo del tiempo. Suele ir acompañado de algún elemento que expresa el carácter positivo del cambio y suele ser la culminación de un proyecto, un sueño, etc.
__ c ... que es resultado directo de un acontecimiento exterior (en ocasiones se menciona ese acontecimiento). A menudo se usa con adjetivos que denotan la idea de sorpresa. También se emplea para expresar cambios físicos negativos y definitivos consecuencia de un accidente o de una enfermedad.
__ d ... que se percibe como permanente y que supone una nueva personalidad, forma de ser, etc.
__ e ... voluntario para adoptar una nueva profesión, religión, nacionalidad, actividad, etc.

c Fíjate en las siguientes palabras y expresiones y relaciónalas con los verbos del recuadro.

perplejo ☐ enfermo ☐ autónomo ☐ bloqueado ☐ ciego ☐ científico ☐
como un tomate ☐ furioso ☐ conservador ☐ de piedra ☐ el número 1 ☐
empresario ☐ grandes amigos ☐ helado ☐ intransigente ☐ más amable ☐
presidente ☐ sordo ☐ un gran pintor ☐ boquiabierto ☐ mudo ☐

1 ***Ponerse*** + adjetivo [estado físico, estado anímico, color]: *rojo / malo / nervioso / (muy) contento / como una furia*
2 ***Quedarse*** + adjetivo [estado físico, estado anímico, color]: *fascinado / sorprendido / prendado / en blanco / blanco*
3 ***Volverse*** + adjetivo [carácter]: *intolerante / agresivo / loco / (muy) exigente / (más) creativo*
4 ***Hacerse*** + sustantivo / adjetivo [profesión, ideología, religión, nacionalidad]: *rico / investigador / hincha / escultor*
5 ***Llegar a ser*** + sustantivo [cargo o profesión]: *el mejor del mundo / una gran escritora / el segundo goleador en la historia / una estrella mundial*

Convertirse en + sustantivo (+ adjetivo). Se utiliza más para fenómenos, para cosas, para situaciones:

*Esa película se **ha convertido en** el éxito del verano.*
*Criticar **se ha convertido en** deporte nacional.*
*Viajar en avión **se convertirá en** un lujo.*

Aunque también se puede usar con personas:

*Mi sobrina Marisa **se ha convertido en** una mujer desde la última vez que la vi.*

d Comenta con tus compañeros.

1 ¿Qué situaciones te ponen nervioso / furioso / rojo?
2 ¿Has cambiado de forma de ser o de forma de pensar con el paso de los años?, ¿en qué sentido?
3 ¿Alguna vez has pensado en hacerte empresario / autónomo?
4 Cuéntanos alguna vez en la que te hayas quedado de piedra.
5 ¿Qué te gustaría llegar a ser?

3 Cuéntanos tu viaje

a ¿Conoces el significado de las siguientes palabras y expresiones subrayadas? Todas ellas las encontrarás en el texto de la actividad **b** y los audios de la actividad **c**. En parejas, elabora una breve definición de cada una.

1 ... todo comenzó cuando tenía 18 años, con un Interrail por Centroeuropa...
Billete de tren que te permite viajar por distintos países de Europa.
2 ... todo el mundo tiene un punto de inflexión que de alguna manera cambió su vida en algún momento...
3 ... me considero un viajero empedernido...
4 ... después de cinco viajes por Europa me decidí a cruzar el charco...
5 ... he estudiado portugués y aprovechado escapadas a Lisboa para poder practicarlo...
6 ... necesitaba dar un giro a mi vida y viajar, conocer mundo, conocer otras gentes, otras formas de vivir...
7 ... llegué sin nada, solo con una maleta llena de ilusión...
8 ... eso es una experiencia que te queda grabada para siempre...
9 ... antes de comenzar un viaje, lees, te informas, te documentas...
10 ... viajar te cambia porque te enriquece...

b La siguiente página web propone a sus lectores participar en su sección «Viajar te cambia». Para ello, pueden escribir o grabar su historia y también pueden mandar alguna fotografía. Lee el testimonio que ha escrito Susana y señala en la tabla las ideas que afirma.

Cuando viajar te cambia la vida

¿Por qué viajamos? ¿Viajar nos cambia? ¿Nos cambia la vida? ¿Y la forma de pensar?

Cuéntanos el viaje que cambió tu vida y forma parte de nuestra comunidad de viajeros

Susana - 3 junio 2013 - **21:30 horas**

Supongo que todo el mundo tiene un punto de inflexión que de alguna manera cambió su vida en algún momento, y el mío, en mi juventud, fue 1996, cuando me comunicaron que me concedían la beca Erasmus a Edimburgo.

Está claro que viajar nos hace crecer. En algunos aumenta su convicción de que como en España no se vive en ningún sitio, pero a otros nos aporta conocimientos y experiencias inigualables.

Yo disfruté mucho durante los primeros meses en la universidad codeándome con estudiantes de muchas nacionalidades; en mi pandilla había holandeses, daneses, irlandeses, finlandeses, franceses, alemanes, noruegos... Pero llegó un momento en que todo aquel conglomerado de nacionalidades se me hizo grande y a la vez pequeño: yo quería gente local, gente de la calle, gente con la que conocer de verdad la esencia de Escocia. Opté por ponerme a trabajar en una hamburguesería donde no solo me pagaron en libras, sino en buenos momentos y en excelentes amigos, algunos de ellos perdurables en el tiempo 17 años después.

Estudiar fuera también nos hace más fuertes. No voy a negar que mi primera gripe lejos de los cuidados de mi madre hizo hasta que se me saltaran las lágrimas cuando la llamé por teléfono tratando de ocultar mi fiebre y mi dolor de garganta; hoy, después de tantos catarros y tantas cosas bastante más importantes llevadas a solas, aquello queda en una simple anécdota, pero de todo se aprende y con todo se crece.

Mi estancia en Escocia me confirmó que la fama de abiertos y amables que tienen los escoceses es por algo, que son personas alegres que vibran con un rayo de sol y un partido de fútbol disfrutado al lado de una buena cerveza y unos buenos amigos. Y que las fotos que había visto hasta ese momento de Edimburgo, a medio camino entre el cuento de hadas y la novela gótica, no estaban retocadas, sino que reflejaban la verdadera belleza y el misterio que acechan en sus calles de piedra gris. No se confirmó, sin embargo, la fama de agarrados que persigue a los escoceses allí por donde van.

Hoy en día no puedo estar más agradecida al camino que tomé en el momento en que decidí estudiar inglés en serio: trabajo editando libros de texto para niños y me encanta. También he estudiado alemán y he vivido en Alemania; he estudiado portugués y aprovechado escapadas a Lisboa para poder practicarlo. No descanso en el estudio del idioma porque siempre es poco lo que sabes, por eso, a pesar de lo vacíos que podemos tener los bolsillos en estos tiempos, nunca está de más hacerse un viajecillo de vez en cuando y refrescar los conocimientos, para adquirir nuevas expresiones que el tiempo va poniendo de moda. Para este verano tengo programado precisamente un fin de semana de charlas y recuerdos con estas amigas a las que me unió la beca Erasmus, un encuentro en el que no faltará mi cuadernito para apuntar todo lo nuevo que aprenda.

	Susana	Xavi	Jorge
1 Al principio no fue fácil.			
2 Considera el viaje como una experiencia sensorial completa.			
3 Cree que en España se vive mejor.			
4 Extrajo de algunos de sus viajes una lección moral importante.			
5 Ha viajado sobre todo por placer.			
6 Su nacionalidad supuso una ventaja.			
7 Su viaje confirmó los estereotipos negativos sobre el país donde estuvo.			
8 Su viaje desmintió los estereotipos negativos.			
9 Viajar lo / la ayudó a valorar lo que tenía.			
10 Viajar lo / la ha ayudado profesionalmente.			

c Escucha ahora las historias de Xavi y de Jorge y termina de completar la tabla anterior.

d ¿Qué ideas sobre Escocia sí se confirmaron durante el viaje de Susana? ¿Cuáles no?

e Escribe o graba tu propia biografía viajera. Cuenta qué te cambió y qué ideas previas se confirmaron y desmintieron. Dedica al menos una de estas ideas a España y al español. Compártela con la clase.

Para expresar ideas que nuestras experiencias confirman o desmienten, usamos también a menudo estructuras como:

- *Pensaba / Creía que sería / iba a ser...*
- *Y, efectivamente, fue así.*
- *Pero, en realidad, me di cuenta de que...*

SE CONFIRMARON

SE DESMINTIERON

4 Con la maleta hecha

a Xavi y Jorge nos hablan de sus planes de futuro en relación con los viajes. Escúchalos y completa el cuadro.

	Xavi	Jorge
1 ¿A qué países tienen pensado viajar en el futuro?		
2 ¿Tienen intención de viajar por Europa?		

Preguntar y expresar planes e intenciones

Para preguntar y expresar planes e intenciones, podemos usar las siguientes expresiones con infinitivo. Como todas las expresiones de futuro, presentan un contenido cuya realización no es segura. Estas expresiones permiten expresar distintos grados de seguridad y, en ocasiones, otros valores.

- ***Ir a* + infinitivo:** expresa una intención cuya realización se percibe como segura.
  *Este verano **voy a ir** a Croacia.*
- ***Pensar* + infinitivo:** expresa una intención que puede percibirse como menos segura.
  *Mi próximo viaje **pienso hacerlo** en tren.*

  A veces, sobre todo en frases negativas, puede contener cierto matiz de enfado.
  ***No pienso volver** a coger el tren nocturno.*
- ***Tener pensado* + infinitivo:** la intención es menos segura, se expresa como un plan para el que aún no se han dado los pasos necesarios (en el siguiente ejemplo, implica que el hablante aún no se ha comprado el billete, no sabe cuándo ira, etc.).
  *El año que viene **tengo pensado mudarme** a Argentina.*
- ***Mi(s) intención(es) ser / Tener intención(es) de* + infinitivo**: expresa simplemente el hecho de que se tiene una intención.
  ***Mi intención es** aprender bien alemán antes de mudarme.*

b Ahora comenta tus propios planes con la clase.

1 ¿Tienes pensado estudiar otros idiomas en el futuro?
2 ¿Tienes intención de hacer algún viaje largo próximamente?
3 ¿Piensas vivir en otro país o en otra ciudad próximamente?
3 ¿Vas a viajar a algún lugar para mejorar tu español?

1 Todo lo que sé

a Vuelve a leer el último párrafo del texto de Susana de la página 183. Después, observa su portfolio lingüístico.

Portfolio

Nombre y apellidos:	Susana Alonso

Perfil de destrezas lingüísticas:	
Lengua materna:	Español
Otras lenguas:	Inglés, alemán y portugués
Autoevaluación:	Escuchar · Leer · Interacción oral Expresión oral · Expresión escrita

Idioma: Inglés

	A1	A2	B1	B2	C1	C2
Escuchar	x	x	x	x	x	x
Leer	x	x	x	x	x	x
Int. oral	x	x	x	x	x	x
Exp. oral	x	x	x	x	x	x
Exp. escrita	x	x	x	x	x	

Idioma: Alemán

	A1	A2	B1	B2	C1	C2
Escuchar	x	x	x			
Leer	x	x	x			
Int. oral	x	x	x	x		
Exp. oral	x	x	x	x		
Exp. escrita	x	x	x			

Idioma: Portugués

	A1	A2	B1	B2	C1	C2
Escuchar	x	x				
Leer	x	x				
Int. oral	x	x	x			
Exp. oral	x	x				
Exp. escrita	x	x				

b Ahora observa de nuevo el portfolio de Susana. ¿En qué lenguas crees que puede hacer cada una de estas tareas?* Marca las opciones posibles.

	Inglés	Alemán	Portugués
1 Sé encontrar información específica y predecible en escritos sencillos y cotidianos como anuncios publicitarios, prospectos, menús y horarios y comprendo cartas personales breves y sencillas.			
2 Comprendo la mayoría de las películas en las que se habla en un nivel de lengua estándar.			
3 Puedo tomar parte activa en debates desarrollados en situaciones cotidianas explicando y defendiendo mis puntos de vista.			
4 Escribo resúmenes y reseñas de obras profesionales o literarias.			
5 Sé rellenar formularios con datos personales, por ejemplo mi nombre, mi nacionalidad y mi dirección en el formulario del registro de un hotel.			
6 Sé narrar una historia o relato, la trama de un libro o película y puedo describir mis reacciones.			
7 Comprendo la idea principal de muchos programas de radio o televisión que tratan temas actuales o asuntos de interés personal o profesional, cuando la articulación es relativamente lenta y clara.			

* Para comprobar tus respuestas, consulta en *http://www.cvc.cervantes.es* (en la sección de Enseñanza, «Biblioteca del profesor de español») el Cuadro 2 (cuadro de autoevaluación) del capítulo 3 (Niveles comunes de referencia) del *Marco común europeo de referencia* (MCER).

c ¿Te animas a rellenar tu propio portfolio? Para ello, antes vamos a conocer los distintos niveles. Lee estos descriptores y decide cuál es tu nivel en las distintas lenguas que conoces.

Nivel A1	
- Puedo interactuar con sencillez, siempre que el interlocutor colabore. - Mi competencia me permite satisfacer necesidades inmediatas en situaciones cotidianas: como pedir cosas muy concretas, informarme sobre el lugar al que quiero ir, dar información sobre aspectos personales, etcétera.	
Nivel A2	
- Tengo la capacidad de usar un repertorio limitado de recursos lingüísticos y no lingüísticos sencillos, como estructuras sintácticas básicas y tengo conocimientos muy generales sobre convenciones sociales y referentes culturales del país de la lengua de estudio. - Me comunico de forma comprensible y clara, aunque, en situaciones poco frecuentes, puedo tener más dificultad.	
Nivel B1	
- Tengo la suficiente flexibilidad como para adaptarme a diferentes situaciones y participar en ellas con adecuación, si bien manejo, sobre todo, un registro neutro. - Me expreso con razonable corrección, aunque dudo o hago pausas para pensar lo que voy a decir, sobre todo en situaciones poco habituales, imprevistas o de cierta tensión.	
Nivel B2	
- Dispongo de los recursos lingüísticos y no lingüísticos necesarios para participar en los intercambios comunicativos con un grado de fluidez, precisión y naturalidad suficientes como para que mis interlocutores no tengan que hacer un esfuerzo especial. - Puedo corregir equivocaciones y errores que dan lugar a malentendidos y salvar situaciones de ambigüedad.	* Español
Nivel C1	
- Dispongo de un repertorio de recursos lingüísticos y no lingüísticos lo suficientemente amplio y rico como para comunicarme con fluidez y naturalidad, casi sin esfuerzo. - Me comunico con espontaneidad, con pocas vacilaciones, incluso en situaciones complicadas o con circunstancias adversas de ruido o interferencias. - Utilizo el registro adecuado a cada tipo de situación y me desenvuelvo con coherencia en distintos registros (familiar, neutro, formal, solemne, etc.).	

d Ahora fíjate en las palabras subrayadas de la actividad anterior. Decide, con tu compañero, cuál es el adjetivo del que derivan.

Sustantivos derivados de adjetivos

Los sustantivos que designan cualidades abstractas derivan a menudo de adjetivos.

En español, hay una serie de sufijos especializados en crear este tipo de palabras: *-dad, -ez, -eza, -ncia...*

*intenso > intensi**dad***
*rápido > rapi**dez***
*bello > bell**eza***
*inteligente > intelige**ncia***

e Ahora que conoces tu nivel, completa tu propio portfolio.

Portfolio

Nombre y apellidos:	

Perfil de destrezas lingüísticas:	
Lengua materna:	
Otras lenguas:	
Autoevaluación:	

Idioma:

	A1	A2	B1	B2	C1	C2
Escuchar						
Leer						
Int. oral						
Exp. oral						
Exp. escrita						

Idioma:

	A1	A2	B1	B2	C1	C2
Escuchar						
Leer						
Int. oral						
Exp. oral						
Exp. escrita						

Idioma:

	A1	A2	B1	B2	C1	C2
Escuchar						
Leer						
Int. oral						
Exp. oral						
Exp. escrita						

f Comenta tu portfolio con un compañero. Explica por qué has decidido cada nivel de idioma. Intercambia con él ideas sobre cómo mejorar la competencia en alguna destreza.

Yo creo que mi nivel hablado de ________ es B2 porque puedo participar en conversaciones con bastante fluidez y naturalidad. Pero, en cambio, escribir me cuesta más, así que será un B1…

CIERRE DE EDICIÓN

Vamos a crear un mural, con las aportaciones de todos, que sirva como anuario informal del curso. En él incluiremos anécdotas, reflexiones, objetivos cumplidos, etc.

PLANIFICA ▼

1 ¡Haz memoria! Repasa tu cuaderno y los materiales del curso y toma nota de una idea para completar estas categorías:

Contenidos trabajados	*- Imperfecto e indefinido en la descripción.*
Materiales utilizados	
Tareas realizadas	
Actividades fuera de clase*	
Objetivo cumplido	

* ¿Habéis quedado para cenar, ido juntos al cine o de excursión...?

También puedes incluirlo aquí.

2 Si tienes fotos del curso o algún otro elemento visual, tráelos.

ELABORA ▼

3 Formad grupos de tres o cuatro alumnos y poned en común la información que habéis recopilado. Descartad las ideas que se repitan y decidid la forma de organizar todo.

4 Ahora, elaborad el mural.

PRESENTA Y COMPARTE ▼

5 A continuación podéis hacer la puesta en común de todos los murales de la clase.

REFLEXIONA ▼

6 Vamos a valorar la unidad:

- ¿Te han parecido interesantes los contenidos?
- ¿Te habría gustado tratar algún otro tema?
- ¿Te ha gustado la tarea final?
- ¿Contabas con las herramientas necesarias para hacerla?

Agencia ELE digital

En esta unidad vamos a grabar una presentación sobre el curso con imágenes y texto utilizando Windows Movie Maker.

Entra en www.agenciaele.com para realizar esta actividad.

Etapas de la vida

No todas las sociedades abordan de igual manera las distintas etapas de la vida (infancia, juventud, madurez, vejez). En algunas sociedades los mayores tienen la autoridad familiar y son tratados con enorme respeto; en otras, parece que todo gira en torno a los niños. Al margen de diferencias personales, está claro que no es lo mismo crecer en un lugar que en otro. Veamos algunas diferencias y coincidencias.

1 Piensa en las distintas etapas de la vida y señala si algún elemento de los que conoces de la cultura hispánica en relación a ellas te ha llamado la atención.

No me gusta cómo tratan en España a los niños y a los adolescentes. Sus familias los quieren mucho, pero hay muy pocas ayudas y parece que los políticos no se preocupan de su bienestar.

En España los niños se acuestan tardísimo. En mi país, a las siete o, como máximo, a las ocho están en la cama.

Me llama la atención ver a tantos abuelos cuidando de sus nietos. Los recogen del cole, los llevan al parque...

2 Lee los siguientes textos e indica si las situaciones que describen son habituales o no en tu país. ¿Y en España?

	Mi país	España
1 En la parada del autobús, coincido con una madre y sus dos hijos pequeños. Los miro, les sonrío e incluso les digo alguna cosilla cariñosa.		
2 Es sábado por la noche y nos vamos de cena. No somos los únicos. El restaurante está llenó de parejas... y de niños pequeños.		
3 Estoy esperando a que el semáforo se ponga en verde para cruzar la calle. Una pareja con sus dos hijos pequeños cruza tranquilamente en rojo. Es una insensatez y se lo digo.		
4 Mi hijo ha cumplido dieciocho años. Pronto se irá de casa a estudiar o a trabajar a otra ciudad.		
5 Aunque tengo ya treinta años, estoy muy cómodo en casa de mis padres. Ellos hacen su vida y yo la mía. Y, cuando coincidimos, nos encanta estar juntos.		
6 Soy madre de un niño pequeño y pronto nacerá mi segundo hijo. He dejado mi trabajo y me voy a pasar unos años cuidándolos.		
7 Como todos los domingos, nos vamos toda la familia a comer con mis suegros.		
8 Cuando yo trabajo es mi madre quien cuida de mis hijos.		
9 Las vacaciones, las pasamos todos juntos, con mis padres, mis hermanos, nuestros hijos...		
10 Nos hemos jubilado y, ahora que tenemos todo el tiempo del mundo, nos vamos a vivir a otro país.		

3 Comparte tus ideas con tus compañeros. Comparad vuestras respuestas y comentad experiencias personales relacionadas con esas situaciones. Discutid, también, las posibles causas de las distintas formas de actuar.

1 El curso ideal

1 A lo largo de la historia ha habido numerosos intentos de crear lenguas de comunicación internacional. En grupos, comentad brevemente las siguientes preguntas.

1 ¿A qué se debe el deseo de que exista una lengua única?
2 ¿Qué ventajas tendría la existencia de una lengua universal? ¿Y desventajas?
3 ¿Qué hace que unas lenguas lleguen a ser vehículo de comunicación de distintos pueblos y otras no?

2 Aquí tienes dos textos sobre dos lenguas de comunicación internacional: el esperanto y el *globish*. Léelos y, en parejas, decidid a cuál de las dos se refieren estas afirmaciones.

a Algunas personas lo han aprendido en su casa desde niños. ....
b Es una variante de una lengua concreta. ....
c Los fallos que cometen sus hablantes no dificultan, generalmente, la comunicación. ....
d Nació espontáneamente para resolver dificultades de comunicación. ....
e No ha logrado tener el apoyo social que toda lengua necesita. ....
f Parte de su éxito se debe a la ausencia de diferentes acentos. ....
g Se caracteriza por su total regularidad. ....
h Su origen está vinculado a la esperanza de conseguir un mundo mejor. ....

EL ESPERANTO

A lo largo de los siglos, el deseo de inventar una lengua universal ha sido permanente. Pero incluso la lengua más exitosa de la historia fue un sonado fracaso. El esperanto fue creado a finales del siglo XIX por Ludwik Zamenhof con el objetivo de que se convirtiera en el idioma auxiliar internacional. Zamenhof creyó que hablar una lengua común conseguiría pacificar el mundo y mejorar el entendimiento entre las naciones.

¿La receta?: una correspondencia perfecta entre letras y sonidos, una terminación fija para cada clase gramatical (o, sustantivo; a, adjetivo; i, verbo; j, plural) y un sistema verbal sin las habituales excepciones.

Pero el suyo fue un proyecto utópico y, como tal, fallido. De acuerdo con Arika Okrent, experta en lenguas inventadas: "La razón es sencilla: nunca hablaremos lenguas perfectas porque nosotros tampoco lo somos. Es imposible convencer a una comunidad para que adopte un idioma que no le apetece hablar".

Pese a todo, el esperanto sigue contando hoy con unos 100 000 hablantes en todo el mundo, una quinta parte de los cuales lo habría aprendido como lengua materna.

El *globish*

Esta nueva variante de inglés globalizado y descafeinado es vehículo de comunicación universal e incluso empieza ya a independizarse en sintaxis y vocabulario del inglés "de verdad".

Globish es el término acuñado hace 15 años por un ejecutivo francés que se dio cuenta de que los 4 000 millones de personas que usan el inglés como segunda lengua se entienden mejor entre ellos que con los nativos. Todos cometen errores, sí, pero son los mismos errores.

El *globish* es una forma de inglés que se pone limitaciones a sí misma. Con un vocabulario de unas 1 500 palabras, una gramática estandarizada y millones y millones de hablantes sin marcados acentos regionales, es la perfecta herramienta para la comunicación transnacional. Se tratará, según dicen, de una especie de dialecto universal del siglo XXI.

¿Y por qué el inglés? El inglés puede ser simplificado de manera directa; los verbos no se conjugan y no hay academia... ¿Se puede pedir más?

3 ¿Cómo crees que será el panorama lingüístico en el mundo dentro de cincuenta años? Comenta tu opinión con tus compañeros. Aquí tenéis algunas ideas.

- El *globish* mantendrá en el futuro su papel de lengua internacional.
- El inglés será sustituido por las lenguas de las nuevas potencias económicas.
- Alguien inventará otro "esperanto" más sencillo y atractivo que se usará en la comunicación internacional.

2 Trámites

1 Estos son los perfiles de algunos españoles emigrantes. Lee los textos y complétalos con una de las siguientes frases:

1 "Insisten en que haga una oposición. Ellos saben lo que es ser inmigrante, vivieron en Francia y mi padre siempre me dice que en el extranjero eres ciudadano de segunda. Y yo respondo que aquí tampoco me siento ciudadano de primera".

2 "Hasta junio. Si no consigo levantarlo, aceptaré la primera oferta que me hagan para irme al extranjero".

3 "Siempre he querido montar algo propio, un espacio sociocultural en Barcelona" (ciudad en la que ha vivido desde los siete años).

4 "Estás ahí, de pie, con tu uniforme, y piensas: ¿para qué me ha servido? Es justo lo último que te imaginabas. En cuarto de carrera pensaba en comprarme un coche, porque lo lógico era encontrar un trabajo después de las prácticas. Aún no me lo acabo de creer".

A Tierra de oportunidades

***Erika Börjesson**, de 29 años, de madre catalana y padre sueco, vive desde el 1 de noviembre en São Paulo. Quería cambiar de sector: abandonar la publicidad e introducirse en la gestión cultural. "Aquí ese giro suponía empezar desde cero. En Brasil, ¿quién sabe?".*

"Un día me llegó un *briefing* de un cliente y pensé: a ver, ¿cuál va a ser mi aportación al mundo? ¿Vender cerveza?". Llevaba ya tres años trabajando en una agencia de publicidad y decidió que era hora de cambiar. Primero se matriculó en un máster de gestión cultural. Luego compró un billete con destino a São Paulo. ¿Su objetivo? "Aprender y coger ideas. Brasil está en auge y quería probar. Sin un plan cerrado ni calendarios". No se pone fecha de regreso, pero sabe que volverá. Incluso qué le gustaría hacer. ☐ A pesar de su optimismo, es realista. "Creo que lo vamos a tener más difícil que nuestros padres, pero yo confío en mí. Creo que, si le pongo ganas, todo va a salir bien".

B Enfermero con destino a Noruega

*En primavera, **David Ríos**, de 29 años, se incorporará a su nuevo puesto de trabajo en Noruega. No se va por elección propia. Dice que ha enviado más de 1000 currículos a empresas españolas. Sin suerte. Cada día dedica cuatro horas a aprender noruego.*

Este enfermero y técnico de rayos se declara "decepcionado e insatisfecho" con la sociedad que le ha tocado. "Estudias y trabajas duro, y eso no se premia". Tras un año en el extranjero, con el inglés aprendido y nociones de sueco, pensaba que encontrar trabajo no sería complicado. El último fue de dependiente en una tienda. A sus padres, dice, no les entusiasma este viaje sin billete de vuelta. ☐ Por si acaso, este leonés sigue atento a todas las ofertas en España. "Reniego de eso de 'como aquí, en ningún sitio', pero voy a echar de menos tantas cosas...".

C "Plan B" en Panamá, Argelia o Brasil

***Alberto Jiménez**, zaragozano residente en Elche, se quedó en paro hace dos años. "Mi primer pensamiento fue desaparecer del mundo de la construcción". Es alicatador con un par de décadas de experiencia.*

Su otra faceta es emprendedor: en el pasado puso en marcha un par de proyectos empresariales y ahora está inmerso en el tercero, que espera sea su tabla de salvación. "Ideas no me faltan, pero sí financiación". Por eso le ha puesto un plazo a ese "empeño". ☐ No será la primera: le ofrecieron irse a Camerún, pero su entorno se lo desaconsejó. "Me contaron experiencias complicadas". Si su plan A no sale, el B puede llevarlo a Panamá, Argelia o Brasil, donde trabajan algunos compañeros suyos. "Me cuentan que es duro, pero...". Dice que su presente nunca se lo hubiera imaginado –"siempre me he buscado bien la vida"–, pero su futuro lo ve claro: "En cinco años me veo trabajando para mí".

D Inglés, asignatura pendiente

***Mariola Ferri**, de 26 años, partirá a Inglaterra en cuanto pasen las Navidades. Allí trabajará en hostelería. Su gran apuesta es el inglés." De todas las ofertas me descartan por no dominarlo". Espera que la cosa mejore para poder volver pronto a Valencia.*

Mariola se debatió entre estudiar Administración y Dirección de Empresas o Magisterio, pero se decidió por la primera "porque, claramente, tenía más salidas laborales". Desde que terminó en 2009 ha encadenado prácticas en banca y *marketing* con trabajos "más bien precarios" de camarera y recepcionista. ☐ Su intención es pasar, como máximo, un año en el Reino Unido. "No me gustaría estar mucho tiempo fuera, pero tampoco volveré a cualquier precio. Lo haré si la cosa mejora y hay oportunidades laborales".

(Adaptados de *http://elpais.com*)

2 Comprueba con tu compañero.

3 Elige seis palabras o expresiones de los textos que te parecen importantes y te gustaría aprender. Consulta su definición o su traducción, si es necesario. Luego escribe una frase con cada una, que te sirva de ejemplo de uso.

*Cuando termine la carrera, **montaré** mi propia farmacia.*

3 Un final feliz

1 En una revista de divulgación han publicado esta lista de .... ¿A qué crees que pueden referirse estas frases?

- Tener iniciativa.
- Estar motivado.
- Tener ambición.
- Ser resistente al fracaso y tener capacidad para que te estimulen tus propios logros.
- Contar con experiencia previa y aplicar lo aprendido al nuevo proyecto.
- Estar bien informado.
- Ser valiente pero calcular los riesgos.

2 Lee estas noticias sobre dos negocios de jóvenes emprendedores. Después de leerlas, valorad si los emprendedores tienen las cualidades señaladas en la actividad **1**.

Negocio de segunda oportunidad

Relevo vende ropa de segunda mano y emplea a personas con discapacidad

Relevo es una empresa que vende ropa usada y que crea puestos de trabajo para personas que padecen trastorno mental severo. Como señalan sus fundadores, Miguel Sampedro y Ana Alonso, "en *Relevo* han encontrado una segunda oportunidad, igual que los textiles que esperan comprador en los comercios de la empresa".
Basta intercambiar un par de frases con Miguel para saber que lo que nunca le ha faltado es interés por hacer cosas ni ganas de trabajar. Sus palabras reflejan sus ganas de demostrar que se puede hacer empresa de un modo diferente. "Para nosotros es muy importante la parte social del proyecto. Sin embargo, debe quedar claro que también estamos aquí para hacer negocio".
A Miguel y Ana siempre les ha gustado la idea de arriesgarse, pero también saben que deben valorar los peligros que acarrea cada una de sus ideas. Por eso, hasta abrir los tres comercios que hoy tiene *Relevo*, el equipo directivo de la empresa pasó año y medio diseñando el modelo de negocio que buscaba. "Antes de plantearnos crecer, preferimos consolidar el proyecto", señala Ana.
Y parece que ha sido la fórmula adecuada. Tras sus primeros éxitos, saben que pueden plantearse nuevos objetivos, ¿cuáles?: iniciar un proceso de expansión a otras provincias y, ¿por qué no?, abrir nuevas líneas de negocio. Todo con vistas a lograr lo que los trabajadores y socios de *Relevo* quieren: una empresa levantada sobre los pilares de la economía social y de la integración.

Orgániko, mucho más que chocolate

Un nuevo lanzamiento en el mundo del sabor ecológico

Está claro que Eugenia Pozo y Carlos Ortiz son dos apasionados de la vida. Pocos alimentos están tan relacionados con la pasión como el chocolate. Si sumamos estas dos afirmaciones comprenderemos por qué ambos emprendedores dejaron sus trabajos para, en 2006, hacer realidad su sueño, creando Chocolate Orgániko. Hoy exportan su chocolate ecológico a más de quince países. "Desde el principio vimos que si queríamos vender nuestros chocolates teníamos que salir fuera", dicen. "Estamos trabajando para ser un referente internacional". Y es que si algo caracteriza a Eugenia y a Carlos es que tienen ideas y hacen todo lo posible por llevarlas a cabo.
Ya compartieron creatividad en sus anteriores trabajos. Esta etapa profesional anterior les sirvió para conocer el mundo del trabajo y sus propias capacidades. Pero la falta de proyección profesional pronto llevó a estos dos emprendedores a buscar una salida laboral nueva, más acorde con su talante y aspiraciones. "Había llegado el momento de emprender nuestro propio proyecto", cuentan. Eugenia tiene claro que antes de lanzarse a un negocio hay que conocer a fondo el producto e investigar las tendencias del mercado. De hecho, ellos son incansables rastreadores de información y lo han investigado todo sobre el cacao ecológico. "El chocolate, cuando es elaborado de una manera natural, resulta muy beneficioso para la salud. El cacao de nuestros chocolates, siempre procedente de agricultura ecológica, llega al consumidor con todas sus propiedades naturales". Así es Chocolate Orgániko, una dulce y ecológica pasión.

(Adaptados de Suplemento "Negocios" de *El País*)

3 En grupos, valorad estos proyectos atendiendo a aspectos como la originalidad, la innovación, puntos fuertes y débiles, etc.

4 ¿Tienes espíritu emprendedor? Comenta con tus compañeros las cualidades del emprendedor que posees y si has tenido alguna vez alguna idea de negocio.

4 De buen rollo

1 Vamos a leer un texto sobre los cisnes negros; pero no exactamente sobre el animal que aparece en la foto, sino sobre el fenómeno llamado «cisne negro» en sociología, historia... Lee el primer párrafo y comenta con tu compañero qué puede ser un «cisne negro» en este contexto.

Cisnes negros

Antiguamente los científicos creían que todos los cisnes eran blancos. Todos los cisnes conocidos y estudiados tenían el plumaje de ese color. Por lo tanto, no había ninguna razón para pensar que los cisnes negros existían. Sin embargo, como demuestra la foto, los cisnes negros sí existen...

No sé, imagino que «cisne negro» puede ser... / debe de ser...
No sé, será algo inesperado.

2 Ahora puedes confirmar tus suposiciones. Lee este texto y realiza las actividades. Después compara tus respuestas con las de tu compañero.

La existencia de estas hermosas aves se ha empleado como metáfora para elaborar la teoría de los cisnes negros, que ilustra el modo en que nuestro cerebro está programado para ver más orden del que realmente hay, para ignorar cualquier cosa que percibamos como anómala o excepcional.
Pensemos en las grandes guerras, en otros grandes sucesos... ¿podrían haberse previsto? Nadie supo predecir que la Gran Guerra de 1914 duraría más de cuatro años y sería una matanza increíble. Nadie previó el atentado de las Torres Gemelas, la caída del muro de Berlín... Estos son los cisnes negros de la historia, acontecimientos cuyas consecuencias son enormes y que son imposibles de prever en base a la información disponible antes de que ocurran. Hechos, en definitiva, que desafían nuestra confianza en el orden.
Este tipo de acontecimientos, que nadie sospecha y que lo cambian todo, nos obliga a enfrentarnos a una evidencia: que la capacidad humana para prever el futuro es muy limitada, prácticamente nula. De este modo, queda cuestionada nuestra forma de enfrentarnos al futuro, de establecer predicciones sobre él. Además, los cisnes negros nos ponen frente a otra realidad: a pesar de la obstinación humana por confiar en lo previsible, los acontecimientos más relevantes son precisamente los imprevistos.
La realidad es caótica. Sin embargo, nos empeñamos en buscar siempre una explicación para cualquier suceso, cuando es muy posible que no se pueda encontrar.
La teoría de los cisnes negros nos hace comprender que eso que los humanos consideramos excepciones son realmente la norma y lo que nos debería hacer tomar las decisiones.
Debemos recordar que los cisnes negros existen.

a Un «cisne negro» es ....
b Sus propiedades son (señala 3):
- ☐ Consecuencias negativas.
- ☐ Efecto sorpresa.
- ☐ Gran repercusión.
- ☐ Imprevisibilidad absoluta.
- ☐ Irracionalidad.
- ☐ Suceso completamente nuevo.

c La «teoría de los cisnes» negros nos demuestra que ....

3 Comenta con tus compañeros algún evento de la historia de tu país que podría considerarse «cisne negro». Puedes buscar información sobre él y contar a la clase lo que ocurrió.

En España nadie supo prever la magnitud de la Guerra Civil; hay una película sobre eso, Las bicicletas son para el verano.

5 Viajes y aventuras

1 Fíjate en estas parejas de palabras y comenta con tu compañero el diferente significado o sentido de cada palabra de la pareja.

a turista / viajero b hotelero / anfitrión c cliente / invitado

2 Lee el texto y contesta a las siguientes preguntas.

Vacaciones con un extraño

El turista ya no quiere ser turista. Se ha convertido en un viajero que busca involucrarse con el entorno que le rodea. Para ello necesita anfitriones y estos ya se han instalado en la web para darle la bienvenida.

Hace unos años, decir «voy a Madrid y me alojo en casa de un tipo que he conocido por internet» podía sonar un poco raro. Pero, ¿cómo les suena: «Voy a Madrid y me alojo en casa de Dani, que me va a buscar al aeropuerto y esa noche me invita a ver un partido con sus amigos en un bar de Malasaña.»? Esto es parte de lo que ha conseguido la web airbnb: hacer atractiva la idea de realquilar habitaciones o pisos para uso turístico.

El portal funciona bajo una premisa muy sencilla: un particular ofrece cualquier tipo de alojamiento (hay castillos, iglús y hasta una isla privada), la web se queda el 10% de la tarifa y añade una serie de garantías de seguridad, como un seguro de 35 000 euros. Los precios para el usuario suelen ser más ajustados que el de los hoteles. Así beneficia a las tres partes.

Pero no es ese el único motivo por el que cada dos segundos alguien en algún lugar del mundo hace una reserva en airbnb. La razón tiene más que ver con su filosofía, que conecta con la manera de viajar que muchos buscan hoy: no sentirse parte del rebaño, hacer un viaje personalizado, interactuar con gente del lugar, conocer a fondo un barrio.

A los caseros en airbnb se les llama «anfitriones» y se espera de ellos que sean héroes para sus invitados (que no clientes). Y si no héroes, por lo menos que sean amables y que compartan con ellos su conocimiento de la zona.

Antes de instalarse con oficinas propias en España, los gerentes de la web creían que se iban a encontrar cierta reticencia cultural, el clásico «a saber a quién vas a meter en casa», pero más de 15 000 personas ya ofrecen habitaciones o segundas residencias. Para muchos de ellos, los ingresos que obtienen así son clave. Es el caso de Natalia Pérez, que alquila una habitación de su piso en el Raval barcelonés. En más de un año han pasado decenas de huéspedes por su casa. «Les recomiendo bares del barrio, que vayan al Penedès a ver unas bodegas...».

La estética es también el aspecto clave que distingue a airbnb de algunos de sus competidores. De hecho, la fundaron dos diseñadores. La calidad de las fotos no es casual: ofrecen fotógrafos profesionales de manera gratuita para sacar lo mejor de cada casa.

Adaptado de *Smoda* - *El País* (7 de julio de 2012)

a ¿Qué busca el viajero que elige Airbnb?
b ¿Qué ventajas tiene este sistema para los distintos participantes?
c ¿Cómo se han conseguido vencer viejos recelos?
d ¿Cómo se espera que sean los anfitriones?

3 Y tú, ¿eres viajero o turista? Escribe un breve comentario en el que valores esta iniciativa.

Deja tu comentario

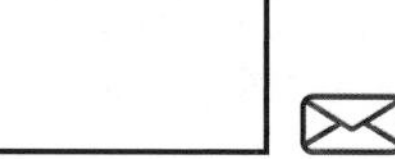

6 Hablando se entiende la gente

1 En la unidad hemos hablado de conflictos vecinales y conflictos de pareja. ¿En qué otros contextos de convivencia social suelen darse conflictos?

2 Estas imágenes forman parte de campañas informativas sobre diferentes tipos de mediación. Comentad a qué ámbito creéis que se refieren.

• laboral ☐ • escolar ☐ • generacional ☐ • intercultural ☐

3 En la columna de la derecha tenemos palabras cuyo significado está relacionado con distintos tipos de grupos sociales. Completa las frases con las palabras de la derecha e indica con cuál de los cuatro ámbitos anteriores está relacionada la frase.

a ¿Qué pasa cuando la comunicación falla por desconocimiento o desconfianza en el otro? ¿Qué pasa cuando hay dificultades de integración entre la .... y la mayoría? ☐

b Ellos forman parte del mismo grupo de amigos, están juntos en clase, realmente salen en la misma ...., si no solucionan sus problemas, va a repercutir sobre otra gente... ☐

c Los conflictos más habituales suelen producirse entre los .... de una empresa o entre la empresa y sus empleados. ☐

d Nuestra misión es ayudar a conciliar los intereses de las diversas .... que conviven en una familia. ☐

Pandilla
Socios
Minoría
Generaciones

4 Vamos a escuchar tres situaciones de conflicto de tres de los ámbitos anteriores. Señala el ámbito al que pertenecen y resume el conflicto.

5 Formad tres grupos y elegid una de las situaciones anteriores. ¿Se os ocurren ideas para solucionarlo? Finalmente, compartid vuestras ideas con la clase.

6 Vuelve a la segunda imagen de la actividad **2**. ¿Qué es la mediación intercultural? ¿En que situaciones puede ser necesaria? Coméntalo con tus compañeros.

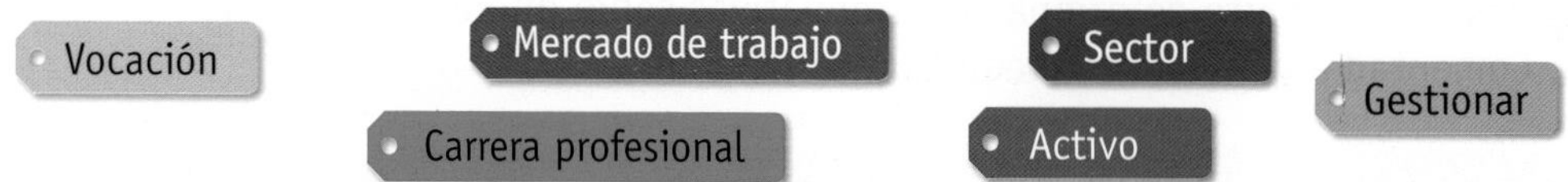

7 ¿Estudias o trabajas?

1 En pequeños grupos, intercambiad ideas sobre el significado de estas palabras y expresiones. Después, podréis confirmar vuestras ideas al leer los textos.

- Vocación
- Mercado de trabajo
- Sector
- Gestionar
- Carrera profesional
- Activo

2 La consultora *Odgers Berndtson* ofrece un servicio en el que contesta consultas sobre situaciones del ámbito profesional. Estas son tres de las consultas que ha recibido. Léelas y resume con tu compañero el contenido de cada consulta.

A

→ Elegir carrera en tiempos difíciles

El año próximo mi hijo quiere comenzar una carrera universitaria y, aunque es un buen estudiante, muy brillante en ciencias, no parece tener una vocación definida. Quiero aconsejarle bien, pero con la situación actual del mercado de trabajo, y con tantos jóvenes licenciados sin empleo, me parece difícil. Además, las carreras que hasta ahora tenían una buena salida profesional, como Económicas, Ingenierías de Industria y Telecomunicaciones, actualmente ya no garantizan un buen puesto de trabajo. Me interesa saber qué profesiones y cursos de posgrado pueden ofrecer una carrera profesional con futuro.

Adaptado de www.odgersberndtson.es

B

→ Cómo gestionar un equipo en épocas de crisis

Soy director de un pequeño equipo en una empresa del sector de las nuevas tecnologías. Nuestra empresa está atravesando un mal momento, ya que las ventas han descendido mucho últimamente y se ha generado un ambiente lleno de rumores y de inseguridad. Para nosotros, las personas que forman la empresa, son nuestro principal activo: si su compromiso se deteriora y, sobre todo, si no entienden las claves de la nueva situación, nuestro departamento puede tener muchos problemas. La verdad es que yo también estoy confundido y no sé cómo gestionar esta situación.

C

→ Cómo transmitir conocimientos a los jóvenes

Soy ingeniero industrial y tengo una extensa experiencia como directivo comercial en diferentes sectores. Tengo 60 años y me aproximo ya a la fase final de mi carrera. No me gustaría jubilarme sin antes poder transmitir parte de esa experiencia a jóvenes profesionales o estudiantes universitarios. Sin embargo, no sé cómo iniciarme en esta actividad ni cómo aprenden y estudian los jóvenes hoy en día. ¿Qué me podéis aconsejar?

3 Elige una de las tres consultas y forma un grupo con otros compañeros que hayan elegido la misma. Analizad detalladamente la situación que plantea la consulta y acordad ideas, consejos y sugerencias para responderla.

4 Individualmente, escribe una breve respuesta con las ideas que consideres más adecuadas. Después, comenta tus ideas con la clase.

5 Leed la respuesta ofrecida por los consultores, valorad los consejos que ofrecen y comparadlos con los vuestros.

→ **Respuesta.** Las carreras sin frustraciones ya no existen o, mejor dicho, nunca han existido. Pero, si tuviera que aconsejar a un joven que está a punto de comenzar la Universidad, lo primero que le diría es que el eje principal de la carrera gira en torno al individuo: su capacidad de trabajo y su capacidad para aprovechar su época de estudiante para adquirir los conocimientos y los valores que necesitará más adelante. Desde el punto de vista práctico, esto se traduce en la elección de una carrera universitaria para la cual esté dotado y dispuesto a dedicarle tiempo y esfuerzo para obtener una preparación sólida.

Conviene tener presente también que la etapa universitaria debe enriquecerse, además de con buenos resultados académicos, con el aprendizaje y dominio de idiomas; apertura de mente a otras culturas, viajes; y experiencia en el mundo laboral lo antes posible a través de becas, voluntariados, etcétera. En suma, trabajar mucho en la Universidad y participar mucho de la sociedad.

Las empresas siempre necesitarán a los mejores para sus proyectos, independientemente de la formación que hayan recibido. La mejor educación es hacer bien lo que se elige y trabajar intensamente para vivir al ritmo que marca la sociedad.

→ **Respuesta.** No existen recetas únicas para los malos tiempos porque cada situación es diferente, pero, si usted gestiona un equipo, sí hay una serie de principios casi universales que pueden serle de utilidad:

1. Dígale a su equipo la verdad acerca de la situación que atraviesa su empresa. Es posible que sea dura, difícil, complicada…, pero dígasela. La verdad es la base de la confianza, y la confianza es imprescindible para superar situaciones críticas.

2. No les transmita sus miedos o inseguridades. Decir la verdad no es decir todo lo que se siente, es decir todo lo que se sabe. Expresar sus miedos, le hace más débil y les hace más débiles a ellos.

3. Céntrese en lo que usted y su equipo puedan hacer, en los aspectos concretos que dependan de ustedes.

4. Involucre a su equipo en las decisiones clave. Escúchelos, déjeles opinar y potencie los procesos de cocreación. Desde luego, como jefe que es, la responsabilidad es suya y las decisiones debe tomarlas usted, pero puede establecer con su equipo relaciones de interdependencia.

5. Trabaje con objetivos a corto plazo. Aportará autoestima y cierta sensación de control sobre la situación.

6. Hable mucho con su equipo y refuerce los valores compartidos.

C

→ **Respuesta.** Su actitud es digna de elogio, porque seguro que no dispone de mucho tiempo libre y es muy generoso que quiera trasladar su experiencia y conocimiento a quienes lo puedan necesitar.

Una posibilidad es establecer contactos con escuelas de negocios o universidades privadas para poder desarrollar algún tipo de actividad académica o extraacadémica, bien con alumnos de los últimos años o con recién licenciados, ya que son estos colectivos los más susceptibles de recibir su conocimiento. El acceso a la universidad pública puede ser más limitado, pero una forma de intentarlo es contactar con las oficinas de antiguos alumnos, cada vez más activas a la hora de promover espacios para compartir experiencia y conocimiento. El formato puede ser amplio: desde participar en seminarios hasta convertirse en una especie de tutor para orientar al estudiante o recién licenciado sobre aspectos importantes en las fases iniciales de su carrera profesional. Probablemente, además de experiencias concretas, usted puede aportar una metodología para analizar problemas complejos, vivencias profesionales y empresariales que no están escritas en los manuales.

(**Adaptado de:** *es.answers.yahoo.com, mx.answers.yahoo.com, ar.answers.yahoo.com, espanol.answers.yahoo.com*)

8 ¡Espectacular!

1 La web de la Cadena Ser ofrece cada viernes información sobre planes gratuitos para el tiempo libre. Estas son algunas de las propuestas de esta semana. Léelas y relaciona cada palabra subrayada con una de las explicaciones del recuadro.

1 Celebraciones que realizan las ciudades y pueblos en honor a su santo.
2 Desfile religioso.
3 En lugar abierto.
4 Teatro, danza, *ballet*, zarzuela…
5 Espacio en el que se celebran actividades comerciales o de ocio, como mercados o fiestas.
6 Fiesta popular que consiste en una carrera con toros.
7 Barbacoa en la que se asan al aire libre carnes o pescados.
8 Anuncio de las partes que componen ciertos espectáculos.

Planes gratis para el finde

CADENASER.com te propone, cada fin de semana, las mejores alternativas para disfrutar gratis del ocio en distintas ciudades.

Este finde en... HUELVA

Este fin de semana podrás disfrutar de las Ferias Colombinas de Huelva, que conmemoran la salida de las carabelas de Cristóbal Colón en 1492 hacia el Nuevo Mundo.
El viernes habrá conciertos al aire libre junto a la ría de Huelva dedicados este año al flamenco y de manera gratuita en el recinto ferial.
El sábado es una buena idea visitar el Mercado de Abastos, con sus diversos puestos de pescados y carnes de Huelva, además tendrás la posibilidad de probar la gamba blanca o el jamón. Después, al atardecer, hay que visitar el Muelle del Tinto para ver cómo se esconde el sol y disfrutar nuevamente de los conciertos.
El domingo los onubenses suelen terminar pescando en la Playa del Espigón y haciendo una gran parrilla con las *mojarritas, lisas, salgueros, bailas* y sardinas que hayan cogido.

Este finde en... GUADALAJARA

Este fin de semana se celebran las fiestas patronales de la villa en honor a la Asunción de la Virgen. Desde el viernes por la tarde y hasta el lunes los actos lúdicos, culturales y religiosos se alternan con la gastronomía y la música propias de las fiestas, con los encierros por el campo y el colorido con que las más de 40 peñas contribuyen al ambiente festivo. El programa incluye el viernes por la tarde la Procesión de la Cera, declarada de interés turístico provincial. El sábado por la noche los fuegos artificiales. El día 16 de agosto es el encierro de Brihuega, que en realidad es un desencierro, porque se sueltan las reses desde la plaza de toros y, a través de varias calles, cruzan el pueblo hasta salir de él.

Este finde en... SANTIAGO DE COMPOSTELA

Compostela celebra la segunda edición del Festival dos Abrazos, un intenso fin de semana de música y artes escénicas con vocación internacional, que pretende reivindicar Santiago como punto privilegiado de intercambio y convivencia entre culturas. El programa incluirá momentos destacados como una muestra de las tradiciones musicales de Oriente Medio de la mano de Barbod Ensemble, la vitalidad de la banda rumana Fanfare Ciocarlia, el ritmo de Neopercusión, el humor de Malabreikers, la danza de Erre que erre, el desafío flamenco andalusí de la Orquesta Chekara de Tetuán y el cabaré del Teatro de marionetas de Porto.

2 ¿Cuál de estos planes te apetece más para el próximo fin de semana? Cuéntanos por qué.

3 Busca información sobre lo que se puede hacer gratis en tu pueblo o ciudad y escribe un correo electrónico a la Cadena Ser.

Escríbenos a **findegratis@cadenaser.com** y cuéntanos qué se puede hacer gratis un fin de semana en tu ciudad o tu pueblo.

Tu comentario

Nombre

Correo electrónico

9 Amor al arte

1 Lee estas reseñas sobre dos fotógrafas y responde a las preguntas.

Dos miradas: Cristina García Rodero y Ouka Leele

Las fotógrafas Cristina García Rodero y Ouka Leele nos presentan sus propuestas estéticas. Sus estilos artísticos, que no podrían ser más diferentes, ya se reconocen como sellos personales.

1 CRISTINA GARCÍA RODERO

La fotógrafa castellano-manchega Cristina García Rodero ha recorrido el mundo observando de cerca y fotografiando a las gentes que lo habitan.

Esa cercanía humana con personas de todo el mundo es, sin duda, uno de sus secretos. Utiliza la imagen como forma directa de transmitir las cosas. Y con ese objetivo ha vivido y viajado, sin evitar situaciones extremas. «Cuando sientes que tienes que fotografiar» -ha dicho-, «tienes una fuerza tal que se te olvida el miedo».

2 OUKA LEELE

Bárbara Allende Gil de Biedma (más conocida como Ouka Leele) ha conseguido mezclar sus dos pasiones: la pintura y la fotografía.

Su propuesta estética se basa en escenas inundadas de un color ajeno al mundo real, que parece nacido en sus sueños.

Una frase puede resumir su objetivo: «Si consiguiera alcanzar la belleza y plasmarla del todo, creo que habría llegado a mi meta».

Exposición de Ouka Leele en el Bulevar Salvador Allende, Alcobendas (2013)

a ¿Cuál de las dos hace fotografía artística?

b ¿Cuál de ellas se dedica al reporterismo?

2 En pequeños grupos, clasificad estas afirmaciones según se refieran a Cristina García Rodero (1) o a Ouka Leele (2). Si necesitas información, puedes buscarla en internet.

- [ ] **a** Lo que le ha interesado siempre es el comportamiento del ser humano.
- [ ] **b** Entiende la fotografía como poesía visual. «Es un idioma que florece en el mundo, que quiere acariciarnos para entrar por nuestros ojos y recorrer nuestro ser hasta lo más profundo».
- [ ] **c** Gran parte de su obra se compone de fotografías en blanco y negro pintadas con acuarela para dotarlas de color.
- [ ] **d** Ha documentado costumbres, tradiciones, fiestas, dramas humanos del pasado y del presente.
- [ ] **e** Recuerda con especial cariño la exposición *Combatiendo la nada*, que retrata las mujeres que luchan por la supervivencia.
- [ ] **f** Considera que la fotografía es mirar hacia el mundo, hacia los demás, hacia fuera.
- [ ] **g** Todo lo que necesita es una cámara y estar muy cerca de la gente que fotografía, oírla respirar.
- [ ] **h** *Peluquería* es el nombre de una famosa serie de fotos que reunía dos características centrales de su obra: escenas surrealistas y mucho color.
- [ ] **i** Su obra refleja su propia vida, lo que de verdad conoce.
- [ ] **j** Su tema favorito es la belleza.

3 Con la información de la actividad anterior, rellena este cuestionario sobre las dos fotógrafas.

	CRISTINA GARCÍA RODERO	OUKA LEELE
a Para ella la fotografía es...		
b Sus temas favoritos son...		
c Su técnica fotográfica...		
d Un trabajo especialmente destacado...		

10 Tecnología punta

1 ¿Tienes un blog o colaboras con alguna wiki? ¿Eres usuario activo de redes sociales como Twitter, Facebook u otras? Comenta con tus compañeros tu experiencia en la web, fijándote en estos aspectos:

Soy usuario de... | No me gusta... | Lo uso para... | Me gusta...

2 Mucha gente piensa que cada vez se escribe peor y que los textos de la red contienen a menudo errores y son descuidados. ¿Qué opinas tú? ¿Puedes reforzar tu opinión con algún ejemplo concreto?

Aunque en español es obligatorio, en foros, chats, etc. casi nadie usa los signos de interrogación y exclamación iniciales.

3 Esta es la opinión de José Manuel Blecua, reconocido filólogo y lingüista. ¿Puedes resumirla en una frase? Después, coméntala con la clase.

«Nunca se había escrito tanto como ahora y, más relevante quizá, nunca se había publicado tanto como ahora. Nos preguntan con frecuencia a los académicos si esta proliferación de textos, unida a sus códigos y estilos particulares, estropea o deteriora la lengua. Solemos contestar que no. (...) Tampoco hay que inquietarse por las abreviaturas: los manuscritos medievales están llenos de ellas y la lengua ha sobrevivido sin sobresaltos desde entonces».

4 En esta noticia se incluyen consejos para escribir en la red. Después de leer el titular y la entradilla, lee los seis consejos del recuadro que se recogen en el libro de Mario Tascón y Marga Cabrera, *Escribir en internet. Guía para los nuevos medios y las redes sociales*, y, en parejas, deducid de qué trata cada uno de los consejos.

Escribir en internet: 10 consejos del libro de la Fundación del Español Urgente

La Fundéu ha presentado el primer manual práctico en español para la red: "Escribir en internet. Guía para los nuevos medios y las redes sociales", una obra que recoge recomendaciones y estudios sobre cortesía en la red, correspondencia electrónica, reputación *on-line*, redacción para blogs, mensajería instantánea, gestión de comentarios, redes sociales, emoticonos o accesibilidad.

(Adaptado de *http://www.huffingtonpost.es*)

CONSEJOS

1 Cuidado con los jijis y jajas
2 Las palabras en internet no se las lleva el viento
3 Ojo a los tiempos (de espera)
4 Organiza y ahórrale tiempo a tu lector
5 Plantéate si lo dirías en un ascensor
6 Relájate (relativamente) en los SMS y WhatsApps

5 Ahora relacionad los consejos anteriores con las siguientes explicaciones.

- ☐ **a** Los lectores tienen un tiempo limitado para resolver sus necesidades informativas. Titulares, palabras clave y cualquier otro bloque de información que resuma el contenido del texto facilita este cometido.
- ☐ **b** Cada huella que se deja en la red dice algo sobre el autor, y por eso es importante saber emplear el lenguaje con propiedad en cada situación.
- ☐ **c** El anonimato no es razón para la descortesía. Pensemos si diríamos lo mismo -y de la misma manera- en un intercambio verbal en el que nuestra identidad fuera manifiesta. Hay que tener en cuenta que una descortesía en algunas de las redes sociales actuales puede perseguirte durante años.
- ☐ **d** En ocasiones puede considerarse una falta de educación tardar mucho en responder un correo electrónico. En el caso de que no tengamos la respuesta y vayamos a tardar en contestar, lo ideal es enviar un mensaje al emisor avisando.
- ☐ **e** Un simple ja equivaldría a una risa sardónica o irónica que no denota alegría; un «jaja», a una risa sincera; y un «jajaja» a una carcajada. «Jejeje» es una sonrisa cómplice; «jojojo», una risa socarrona; y «jijiji», una risilla traviesa o contenida.
- ☐ **f** Bajo la premisa «si se entiende, sirve», se simplifica la ortografía en la mensajería instantánea; por ejemplo, se eliminan las tildes y los signos de puntuación al comienzo de la frase. Se gana tiempo.

6 Estas citas sobre escritura y creación pueden aplicarse también a la comunicación en la red. Conviértelas en un consejo para la escritura en internet que complete la lista anterior.

1 La primera línea de un poema es un halcón que no deja escapar a su presa

Gabriel Preil, poeta

Consejo: *Centra gran parte de tu esfuerzo en el título y las primeras líneas.*

2 Demasiadas obras concluyen mucho después del final

Igor Stravinsky, compositor

Consejo: ....

3 Escribir con sencillez es tan difícil como escribir bien

W. Somerset Maugham, narrador

Consejo: ....

4 ¿Para qué sirve un libro sin imágenes ni diálogos?

Lewis Carroll, narrador

Consejo: ....

7 Si escribes en la red, sin duda te gustará que te lean y te respondan. ¿Qué haces para conseguir que tus mensajes atraigan la atención y provoquen una respuesta? Cuéntanos tus trucos.

11 Historia para todos

68-70

1 Escucha los comentarios de lectores sobre estos libros y marca en esta lista las épocas y acontecimientos que oigas.

a Al-Andalus ☐
b Apoyo de los Reyes Católicos al viaje de Colón ☐
c Camino de Santiago ☐
d Dictadura de Francisco Franco ☐
e Edad Media ☐
f Guerra Civil ☐
g Guerra de Flandes ☐
h Guerra de la Independencia ☐
i Invasión árabe ☐
j Llegada de Cristóbal Colón a América ☐
k Pérdida de las colonias americanas ☐
l Reconquista ☐
m República ☐
n Siglo de Oro ☐
ñ Traslado de la corte a Madrid ☐
o Unificación de Castilla y Aragón ☐

ARTURO Y CARLOTA PÉREZ-REVERTE
EL CAPITÁN ALATRISTE
ALFAGUARA

ALFAGUARA JUVENIL
El herrero de la luna llena
Mª Isabel Molina

La voz dormida
Dulce Chacón

68-70

2 Vuelve a escuchar y resume en una línea la información sobre cada libro.

1 *El herrero de la luna llena* ....
2 *El capitán Alatriste* ....
3 *La voz dormida* ....

3 ¿Cuál de los tres libros te gustaría leer? Elige uno y lee el fragmento que te proponemos. ¿Qué información aporta sobre la época?

Yago cabalgaba sin prisa alguna camino de Fuente la Reina, en Navarra, el punto de unión con el camino francés. Quería buscar algún grupo numeroso de peregrinos al que unirse. Hasta ahora el viaje había sido tranquilo y solitario. El tiempo era bueno y el mando con capucha que tejiera su abuela abrigaba lo suficiente. Había dormido en los atrios de las iglesias del solitario camino aragonés y al raso, bajo las estrellas. En Jaca completó el pequeño equipaje que iba a necesitar para el camino: [...] un buen cuchillo, una soga de cáñamo con nudos para cualquier emergencia, la calabaza hueca para el agua, un cuenco y una cuchara de madera [...] y un sombrero de alas grandes que parecía que utilizaban todos los peregrinos para defenderse del sol y de la lluvia. No le había faltado comida y todavía le quedaba queso del que le dieran en Ansó [...] Su camino iba bien, pero en todos los pueblos le habían hablado de los ladrones que asaltaban a los peregrinos y recordaba el consejo del maestro constructor de Ansó y la conveniencia de buscar un grupo con un guía que pudiesen ayudarse mutuamente.

El herrero de la luna llena
María Isabel Molina
Alfaguara Juvenil

No era el hombre más honesto ni el más piadoso, pero era un hombre valiente. Se llamaba Diego Alatriste y Tenorio, y había luchado como soldado de los tercios viejos en las guerras de Flandes. Cuando lo conocí malvivía en Madrid, alquilándose por cuatro maravedís en trabajos de poco lustre [...] Ahora es fácil criticar eso; pero en aquellos tiempos la capital de las Españas era un lugar donde la vida había que buscársela a salto de mata, en una esquina, entre el brillo de dos aceros. En todo esto Diego Alatriste se desempeñaba con holgura. Tenía mucha destreza a la hora de tirar de espada, y manejaba mejor, con el disimulo de la zurda, esa daga estrecha y larga llamada por algunos vizcaína, con que los reñidores profesionales se ayudaban a menudo. [...] Sí. Ya he dicho a vuestras mercedes que eran años duros.

El capitán Alatriste
Arturo Pérez Reverte
Alfaguara

La mujer que iba a morir se llamaba Hortensia. Tenía los ojos oscuros y no hablaba nunca en voz alta. [...] Llevaba el cabello largo, anudado en una trenza que le recorría la espalda, y estaba embarazada de ocho meses. Ya se había acostumbrado a hablar en voz baja, con esfuerzo, pero se había acostumbrado. Y había aprendido a no hacerse preguntas, a aceptar que la derrota se cuela en lo hondo, en lo más hondo, sin pedir permiso y sin dar explicaciones. Y tenía hambre, y frío, y le dolían las rodillas, pero no podía parar de reír.

Reía.

[...]

El miedo de Hortensia. El miedo de las mujeres que compartían la costumbre de hablar en voz baja. El miedo en sus voces. Y el miedo en sus ojos huidizos, para no ver la sangre. Para no ver el miedo, huidizo también, en los ojos de sus familiares.

Era día de visita. La mujer que iba a morir no sabía que iba a morir.

La voz dormida
Dulce Chacón
Alfaguara

4 Haz una puesta en común de lo que has leído con los compañeros que hayan elegido el mismo libro que tú.

5 Ahora compartid la información con el resto de la clase y debatid estas cuestiones:

- ¿Es la novela histórica una buena fuente de información sobre el pasado?
- ¿Qué tipo de información, que no aparece normalmente en los manuales de historia, sí suele encontrarse en las novelas históricas?

12 ¡Qué misterio!

1 Este es el texto del relato «Tatuaje» del escritor venezolano Ednodio Quintero. Los párrafos están desordenados. Ordénalos.

Tatuaje

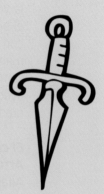

[1] Cuando su prometido regresó del mar, se casaron. En su viaje a las islas orientales, el marido había aprendido con **esmero** el arte del tatuaje. La noche misma de la boda, y ante el **asombro** de su amada, puso en práctica sus habilidades: armado de agujas, tinta china y colorantes vegetales dibujó en el vientre de la mujer un hermoso, **enigmático** y afilado puñal.

[ ] El dolor fue intenso, y también breve. El otro, hombre de tierra firme, comenzó a rondarla. Ella, al principio **esquiva** y recatada, fue cediendo terreno. Concertaron una cita.

[ ] En la soledad de su aposento, la mujer daba rienda suelta a su llanto, y a ratos, como si en ello encontrase algún **consuelo**, se acariciaba el vientre adornado por el precioso puñal.

[ ] La noche convenida ella lo aguardó desnuda en la penumbra del cuarto. Y en el fragor del combate, el amante, recio e **impetuoso**, se le quedó muerto encima, atravesado por el puñal.

[ ] La felicidad de la pareja fue intensa, y como ocurre en esos casos: breve. En el cuerpo del hombre revivió alguna extraña enfermedad contraída en las islas **pantanosas** del este. Y una tarde, frente al mar, con la mirada perdida en la línea vaga del horizonte, el marino emprendió el **ansiado** viaje a la eternidad.

(Extraído de *Cabeza de cabra y otros relatos*)

2 En parejas, indicad a cuál de las palabras en negrita corresponde cada uno de estos sinónimos.

a sorpresa	
b mucho cuidado y atención	
c misterioso	
d encharcado, cenagoso	

e deseado	
f desapegado, huidizo	
g apasionado, decidido	
h alivio, descanso	

3 Ahora escribe un breve resumen del cuento. No intentes hacerlo muy elaborado: basta con que contestes a la siguiente pregunta: ¿cuál es la historia de «Tatuaje»?

4 El relato fantástico latinoamericano es un modelo narrativo que nos ha dejado auténticas joyas literarias. Estas son sus características básicas; ¿cuáles cumple «Tatuaje»?

a Presenta las acciones en orden cronológico. [ ]
b El lenguaje es conciso y, a menudo, coloquial, sin apenas adjetivos ni digresiones. [ ]
c El final suele ser abierto. [ ]
d Los elementos fantásticos conviven con los reales con aparente naturalidad. [ ]

13 Como te lo cuento

1 ¿Cómo son las personas muy ricas? Comparte con tus compañeros algunos estereotipos sobre ellas.

2 Observa las fotos, ¿cuál de las dos refleja mejor a las personas en las que habéis pensado en la actividad anterior?

3 Sin embargo, es posible que las cosas estén cambiando. Lee el siguiente texto y explica en una frase la idea que defiende.

> Que los nuevos millonarios sean muchachos de 20 años que inventan cosas en la Red es un signo que nos indica lo mucho que han cambiado las cosas. Recurramos al cliché [...]: el orondo millonario vestido de traje caro, que va en un coche con chófer, empieza a ser sustituido por el muchacho de sudadera y deportivas que llega a su oficina en bicicleta.

4 Ahora lee el artículo al que pertenece el texto anterior. Resume en una línea el contenido de cada párrafo.

SOCIEDAD

La vida ligera

Se ha terminado una era centrada en la propiedad y el acopio, obsesionada por comprar pisos y acumular títulos universitarios. Las nuevas tecnologías nos enseñan a vivir en la levedad y el presente

JORDI SOLER

1 La vida va a una velocidad de vértigo, si oyes una canción que te gusta puedes comprarla inmediatamente por el ordenador, y lo mismo pasa con los libros. Bastan unos minutos para tener casi cualquier película y en un minuto podemos estar contemplando, en la pantalla de nuestro ordenador un papiro que se encuentra en el British Museum, en Londres, o, si se prefiere, en ese mismo minuto podemos comprar en la red un martillo hidráulico, un pastor alemán o un piano.

2 Las crisis económicas nos enseñan lo indefensos que estamos y las nuevas tecnologías empiezan a señalarnos el camino hacia el nuevo mundo. [...] Las instituciones, digamos, clásicas, comienzan a hacer agua; ante el universitario lleno de posgrados, que carga el pesado bagaje que ha adquirido con años de educación tradicional, se planta el muchacho listo que con un ordenador y mucho ingenio, dos herramientas verdaderamente ligeras, consigue un éxito planetario en alguna de las parcelas del ciberespacio.

3 Ha quedado en entredicho el valor del ahorro, y el de la casa con hipoteca, dos esfuerzos en los que inviertes toda tu vida y que, como ha quedado plenamente demostrado, pueden evaporarse en cualquier momento. Y también han quedado en entredicho instituciones como la banca, que como se sabe te presta un paraguas cuando hace sol y te pide que lo devuelvas cuando empieza a llover [...].

4 La gran enseñanza de las crisis es que nos hacen conscientes de nuestra fragilidad, nos enseñan que las posesiones materiales y el acopio son elementos de otra época y que la idea de la casa propia en realidad es lo contrario de la vida, que es propiamente de alquiler. Ahora lo que se impone es imaginar un mundo distinto, todo ha cambiado ya y no queda más remedio: seguir el rumbo que marcan las nuevas tecnologías, vivir de alquiler para poder irse a otra ciudad o a otro país cuando sea preciso, disfrutar el dinero en lugar de guardarlo y vivir la vida en tiempo presente, vivirla hoy, porque el vivir para mañana ya es cosa del ayer.

(Adaptado de *El País*, Jordi Soler)

5 ¿Cuál es la tesis general del autor? ¿Confirma tu respuesta de la actividad **3**?

14 ¡Vaya cambio!

1 Lee estas frases e indica cuál es el significado de la palabra «maniobra» en cada caso.

❶ El Día de la Madre, ¿una tradición o una **maniobra** comercial?

❷ Impresionante doble accidente por una **maniobra** imprudente. Un motociclista cruzó a toda velocidad

❸ Las decisiones europeas han dejado al gobierno sin margen de **maniobra**

2 Vamos a leer el «articuento» de Juan José Millas, *Maniobra*. ¿Con qué palabras o ideas completarías los espacios?

Cuando mis padres decidieron separarse me preguntaron con quién quería irme a vivir, pero yo había cumplido 30 años y me pareció que podía ser el momento de **(1)** ________. Además, no quería hacer daño al no elegido. Así que cada uno se fue por su lado en un curioso estallido familiar que no había estado en los cálculos de ninguno. Yo cogí un apartamento con mucho sol y una gran terraza para llevarme las macetas de mamá, que dijo que no quería volver a verlas. Las regaba con el **(2)** ________ que le había visto poner a ella, hablándoles a las hojas, y por las noches recorría el piso revisando la llave del gas y los interruptores de la luz con la expresión concentrada de mi padre antes de que nos fuéramos a dormir. Todo iba bien hasta que a los pocos meses se presentó papá en casa y tras muchos rodeos me confesó que **(3)** ________ con su mamá. Por lo visto desde la semana siguiente a la separación no habían dejado de verse ni de comer juntos en restaurantes caros a los que no se les había ocurrido **(4)** ________ nunca. También iban juntos al cine con frecuencia, y al teatro, y más de un fin de semana se habían escapado a París como dos jóvenes alocados, viviendo un romance improcedente a todas luces. Total, que mientras yo regaba las plantas de ella y cultivaba las **(5)** ________ de él, siempre obsesionado con que la azalea no se quedara sin minerales ni la luz del recibidor se quedara encendida al irme a la cama, ellos llevaban la vida que me **(6)** ________ a mí. El mundo al revés. Me dio vergüenza decir que yo también quería **(7)** ________ con ellos y me he quedado más solo que la una. Lo peor es que no puedo dejar de pensar que todo ha sido una **(8)** ________ para echarme de casa. Por mi gusto, me casaría, pero no sé cómo se hace. Los geranios están bastante bien, pero la cisterna del retrete pierde agua.

(Extraído de *Articuentos completos*)

3 El profesor tiene las palabras que faltan. ¿Coinciden con las tuyas o tal vez tenías una nueva versión del cuento? Comparte tus ideas con la clase.

4 ¿Con cuáles de los significados de la actividad 1 se emplea en el texto la palabra «maniobra»? ¿Crees que todo ha sido una maniobra de los padres para librarse de su hijo?

5 ¿Articuento? ¿Qué es eso? Lee esta reseña sobre los articuentos de Millás e indica cuáles de los elementos que indican están presentes en el articuento que hemos leído.

Empieza a leer *Articuentos completos*, de **Juan José Millás**

Por Revista de Letras | Primeros capítulos | 28.11.11

Por fin, los *Articuentos completos* (Seix Barral) de Juan José Millás, ese género de su invención que define como «crónicas del surrealismo cotidiano dosificadas en perlas». Y con ellos llega el sobresalto, la carcajada y el regusto placentero provocado por la irrupción de lo inaudito en una realidad que conocemos bien... o eso pensábamos. [...] Los articuentos resucitarán tu matrimonio, con ellos oirás el viento de tu historia personal cuando vayas a buscar hielo durante una fiesta y, al ir a dormir, mirarás de reojo tu ropa en el galán de noche, por si acaso...

¿Para qué sirve un articuento? Para reavivar el lenguaje, para ensayar nuevas fórmulas entre la realidad y la ficción, para renovar el ojo crítico, la mente abierta y la risa aparentemente fácil... Para buscar la verdad y encontrarla. Pero, sobre todo, para hacerse adicto a ese mundo paralelo que solo el maestro Millás es capaz de vislumbrar.

(Extraído de *http://www.revistadeletras.net*)

Agencia ELE digital es una propuesta de trabajo que se realiza con recursos digitales. Encontrarás las instrucciones para cada unidad en www.agenciaele.com

Unidad 1 El curso ideal
Vas a crear un grupo en una red social (puede ser Facebook o una red dirigida a estudiantes de idiomas como Fixoodle, Lang-8, SharedTalk, etc.) para compartir y debatir asuntos de la clase.

Unidad 2 Trámites
Vas a elaborar una guía para estudiantes extranjeros en tu país.

Unidad 3 Un final feliz
Vas a ilustrar un relato autobiográfico con imágenes de Pinterest.

Unidad 4 De buen rollo
Vas a hacer una nube de palabras sobre la personalidad de la clase, empleando la aplicación Wordle.

Unidad 5 Viajes y aventuras
Vas a participar en la web social de viajes www.minube.com, recomendando un lugar interesante para visitar.

Unidad 6 Hablando se entiende la gente
Vas a crear un Google Docs sobre buenas prácticas en la red.

Unidad 7 ¿Estudias o trabajas?
Vas a elaborar una presentación, usando la plataforma Prezi, sobre lo que hace que una empresa sea un buen lugar para trabajar.

Unidad 8 ¡Espectacular!
Vas a mejorar el uso que haces de tu grupo en la red social y a compartir recursos en línea para hacerte más autónomo en tu aprendizaje.

Unidad 9 Amor al arte
Vas a participar en la elaboración de nuestro museo ideal con obras seleccionadas por los alumnos de la clase, utilizando la plataforma Prezi.

Unidad 10 Tecnología punta
Vas a conocer algunas webs donde consultar dudas sobre el español.

Unidad 11 Historia para todos
Vas a elaborar un póster multimedia sobre la Historia reciente de España con Glogster.

Unidad 12 ¡Qué misterio!
Vas a subtitular un vídeo en español usando la herramienta Amara.

Unidad 13 Como te lo cuento
Vas a recopilar recursos en línea para conocer personas con quienes practicar español hablado y escrito y seguir aprendiendo.

Unidad 14 ¡Vaya cambio!
Vas a grabar una presentación sobre el curso con imágenes y texto utilizando Windows Movie Maker.

Primera edición, 2014

Produce: SGEL – Educación
Avda. Valdelaparra, 29
28108 – Alcobendas (Madrid)

Coordinación pedagógica: Julián Muñoz
Edición: Yolanda Prieto
Coordinación editorial: Jaime Corpas
Corrección: Ana Sánchez

Diseño de cubierta: Thomas Hoermann
Maquetación: Leticia Delgado
Ilustraciones: Pablo Torrecilla
excepto: Shutterstock Images LLC (Unidad 1: pág. 2; pág. 13; pág. 14. Unidad 2: pág. 18. Unidad 4: pág. 40; pág. 48. Unidad 5: pág. 53; pág. 60; pág. 61; pág. 62; pág. 63. Unidad 6: pág. 67; pág. 70; pág. 71. Unidad 7: pág. 81; pág. 90. Unidad 9: pág. 100; pág. 105; pág. 106. Unidad 10: pag. 121; pág. 122; pág. 126; pág. 127; pág. 129. Unidad 11: pág. 143; pág. 144; pág. 146. Unidad 12: pág. 148; pág. 155; pág. 159; pág. 160. Unidad 13: pág. 172; pág. 173. Unidad 14: pág.182; pág. 183. ConTextos: pág. 200; pág. 204)

Fotografías: ARCHIVO FOTOGRÁFICO DEL MUSEO DE BELLAS ARTES DE BILBAO: Unidad 9: pág. 118, Retrato de la condesa Mathieu de Noailles, de Ignacio Zuloaga Zabaleta; Viernes Santo en Castilla, de Darío de Regoyos y Valdés; El puente de Burceña, de Aurelio Arteta Erraste. ARCHIVO SGEL: ConTextos: pág. 199. CORBIS IMAGES: Unidad 9: pág. 111 foto 3; pág. 115. Unidad 11: pág. 133 foto inferior derecha; pág. 138 foto A. CORDON PRESS: Unidad 6: pág. 66, foto B. Unidad 13: pág. 162 foto A. Unidad 14: pág. 177 fotos de "actividad 3a". SHUTTERSTOCK IMAGES LLC: resto de fotografías, de las cuales, solo para uso de contenido editorial: Unidad 3: pág. 28, foto avión (pio3 / Shutterstock.com. Unidad 6: pág. 65, foto manifestación (Pedro Rufo / Shutterstock.com) y pág. 66, foto 3 (Vuk Vukmirovic / Shutterstock.com). Unidad 8: pág. 93 foto izquierda (Efecreata Photography / Shutterstock.com), foto superior derecha (criben / Shutterstock.com) y foto inferior derecha (Tupungato / Shutterstock.com); pág. 102 (Natursports / Shutterstock.com); pág. 104 (catwalker / Shutterstock.com). Unidad 9: pág. 107, foto superior derecha (Adriano Castelli / Shutterstock. com) y foto inferior izquierda (Adriano Castelli / Shutterstock.com); pág. 109, foto 1 (pedrosala / Shutterstock.com); pág. 113, foto inferior izquierda (monysasu / Shutterstock.com); pág. 117 (PSHAWPHOTO Shutterstock.com); pág. 119 (ksl / Shutterstock.com). Unidad 11: pág. 133, foto superior derecha (Neftali / Shutterstock.com); pág. 136, foto inferior (Georgios Kollidas / Shutterstock.com); pág. 138 foto D (Neftali / Shutterstock.com); pág. 140 (Neftali / Shutterstock.com); pág. 142 (Lissandra Melo / Shutterstock.com). Unidad 13: pág. 161 foto superior izquierda (magicinfoto / Shutterstock.com), foto inferior izquierda (cinemafestival Shutterstock.com), foto derecha (Natursports / Shutterstock.com); pág. 162, foto B (miqu77 / Shutterstock. com) y foto C (DFree / Shutterstock.com); pág. 171, foto de "actividad a" (cinemafestival / Shutterstock.com). Unidad 14: pág. 176, foto izquierda (Natursports / Shutterstock.com) y foto derecha (Peter Scholz / Shutterstock.com).
Para cumplir con la función educativa del libro se han empleado imágenes de: Ministerio del Interior - Gobierno de España (pág. 16: Permiso de Residencia y Documento Nacional de Identidad); Ministerio de Economía y Hacienda - Agencia Tributaria (pág. 16: Tarjeta de Identificación Fiscal); Instituto Cervantes (pág. 23: Diploma de Español como Lengua Extranjera; pág. 24: logo Instituto Cervantes); Facebook (pág. 31: logo Facebook); Productora Miramón Mendi (pág. 76: ¡Aquí no hay quien viva!); Centro de Nuevos Creadores, de Cristina Rota (pág. 96: La katarsis del tomatazo); Editorial Espasa Calpe, colección Austral (pág. 98: Historia de una escalera); Atípica Films, La Zanfoña Producciones y Sacromonte Films (pág. 99: Grupo 7); Fernando Trueba Producciones (pág. 99: El artista y la modelo); Arcadia Motion Pictures y Noodles Productions (pág. 99: Blancanieves); Punto de Lectura, de PRISA (pág. 149: 31 noches); Nabla Ediciones (pág. 149: Ánimas al alba); Editorial Atlantis (pág. 149: Ángeles negros); Radio y Televisión Española (pág. 176: Cómo hemos cambiado); Alfaguara (pág. 202: El capitán Alatriste, El herrero de la luna llena y La voz dormida); Airbnb (pág. 194: logo Airbnb)

Audio: Crab Ediciones Musicales

ISBN: 978-84-9778-524-2
Depósito legal: M-36711-2013
Printed in Spain – Impreso en España
Impresión: Orymu, S.A.